MANUAL PARA MÃES DE GAROTAS DESCOLADAS

NANCY RUE

MANUAL PARA MÃES DE GAROTAS DESCOLADAS

Traduzido por SUSANA KLASSEN

mundocristão
São Paulo

Os textos das referências bíblicas foram extraídos da *Nova Versão Internacional* (NVI), da Biblica, Inc. , salvo indicação específica.

Dados Internacionais de Catalogação na Publicação (CIP)
(Câmara Brasileira do Livro, SP, Brasil)

Rue, Nancy

Manual para mães de garotas descoladas / Nancy Rue; traduzido por Susana Klassen. — São Paulo: Mundo Cristão, 2013.

Título original: Mom's Ultimate Guide to the Tween Girl World

1. Adolescentes — Vida religiosa 2. Filhas — Vida religiosa
3. Meninas — Vida religiosa I. Título.

12-12438 CDD-248.845

Índices para catálogo sistemático:
1. Mães e filhas : Educação Cristã no lar : Cristianismo 248.845
Categoria: Educação

Publicado no Brasil com todos os direitos reservados por:
Editora Mundo Cristão
Rua Antônio Carlos Tacconi, 79, São Paulo, SP, Brasil, CEP 04810-020
Telefone: (11) 2127-4147
www.mundocristao.com.br
www.garotasdefe.com.br

1ª edição: março de 2013

Para todas as mães de minimulheres...
E, é claro, para Marijean.

Sumário

Por que eu preciso de um manual?

Se você perguntar a uma menina de 7 anos que sabor de pizza ela quer, sem dúvida ela lhe dirá. Nos mínimos detalhes. Sem omitir coisa alguma, para não correr o risco de se deparar com algo verde, estranho e nojento em sua pizza. Eeeca!

Se você fizer a mesma pergunta a uma menina de 12 anos, é bem possível que ela revire os olhos, ajeite o cabelo atrás das orelhas ou faça algum gesto desengonçado e diga: "Sei lá" ou "Tanto faz".

Agora, se você fizer a mesma pergunta a uma menina de 16 anos, é provável que ela lhe apresente uma versão mais sofisticada dos trejeitos acima e diga: "Que sabor de pizza *você* quer?".[1]

O que acontece com as meninas entre os 8 e os 12 anos? Antes de entrarem nessa fase crítica, eram plenamente seguras de sua identidade e de seus gostos e não hesitavam em lhe dizer, quer você estivesse a fim de ouvir ou não. O que se passa nesses cinco anos? O que faz as garotinhas meigas perderem o juízo, um pouco mais a cada dia, e se tornarem adolescentes que, apesar de todas as demonstrações de independência, não são capazes de escolher o sabor da pizza sem promover uma pesquisa de opinião entre as amigas?

Acontece a pré-adolescência. Não se trata mais da primeira infância inocente que, apesar das birras e do processo de sair das fraldas, era relativamente fácil de entender. Mas também não se trata da adolescência, que ninguém entende mesmo, embora alguns pobres iludidos tenham tentado.

Esse período da vida de nossas filhas, que vai dos 8 aos 12 anos, nem sequer tinha nome até cerca de uma década atrás, quando os publicitários criaram o termo *tween*.[2] É uma expressão bem bolada, dando a entender que os membros dessa faixa etária estão apenas ensanduichados entre outras duas etapas muito mais interessantes da vida. Psicólogos freudianos costumavam chamar essa fase de "período latente" e, infelizmente, muitas pessoas ainda a veem assim. As pré-adolescentes têm idade suficiente para irem sozinhas ao banheiro e prepararem um lanche para si mesmas, mas ainda não precisamos nos preocupar se destruirão o carro da família ou colocarão um *piercing* na língua. Que bom! Hora de aproveitar para tomar fôlego antes que nossa casa se transforme no ringue do Campeonato Mundial de Luta Livre.

Se você acreditasse mesmo nisso, não estaria lendo este livro. Aposto que você sabe que sua filha não está apenas num período "latente" ou "intermediário", nem se armando silenciosamente para enlouquecer você assim ela que completar 13 anos. Você sabe que ela:

- Talvez penteie os cabelos com frequência, talvez não, mas ela já percebeu que sua aparência influencia a forma como as pessoas a tratam.
- Tem um corpo que está se transformando diante de seus olhos, ou está se perguntando por que "é só com ela" que essas mudanças ainda não estão acontecendo.
- Quase daria a vida, ou pelo menos sua blusinha predileta, por sua BFF (para os não iniciados, *Best Friend Forever*).[3]
- É capaz de revirar os olhos até enxergar o próprio cérebro se você lhe disser: "Seja você mesma e tudo vai dar certo", pois, no momento, ela está questionando o que significa ser ela mesma.

O que dizem as minimulheres

A coisa que eu mais quero na vida é ter um bom relacionamento com minha mãe. Mas não consigo me abrir com ela e me sinto sozinha. Você pode me ajudar, POR FAVOR?

12 ANOS

Essa é a sua pré-adolescente, ou seja, uma minimulher em rápida transformação. E, no entanto, como todos os seres humanos em fase de transição, o curso que ela segue não é linear. Você já observou que:

- Um dia ela não quer saber dos seus conselhos; um dia depois, está no seu colo, suplicando por ajuda?
- Uma hora ela está brincando de se arrumar com a irmã mais nova; uma hora depois, pendura um cartaz na porta do quarto, avisando: PROIBIDA A ENTRADA DE IRMÃOS?

- Um minuto ela quer aprender a usar o fogão, andar de moto ou usar uma serra elétrica; um minuto depois, tem vergonha de pedir um copo de água no restaurante?
- Um segundo ela pede que você a deixe na esquina, para que as amigas não vejam o que você está vestindo ("Que horror, mãe!"); um segundo depois, ela quer pegar emprestado o colar superlegal que você acabou de comprar?
- Um nanossegundo ela não entende por que você não a deixa ficar sozinha em casa à noite; um nanossegundo depois ela vai deitar com você, pois tem certeza de que viu o bicho-papão no corredor?

O mundo de sua filha é empolgante e confuso por dentro e por fora, e a sociedade em que ela vive contribui para essa confusão. É provável que esse seja o principal motivo pelo qual você abriu este livro. Como você sabe, sua minimulher faz parte da Geração do Milênio, ou Geração da Internet (nascida a partir de 1995) e, portanto, está vivenciando experiências muito diferentes das que você teve quando estava crescendo. Hoje em dia, *em média*, uma garota pré-adolescente:

- Entra na puberdade aos 9 anos de idade, ou aos 8 anos se for afrodescendente (um ano a menos do que em 1960).
- Prefere os mesmos programas de televisão que as adolescentes de 14 anos,[4] o que não é nada bom, tendo em vista que 70% desses programas apresentam conteúdo sexual.[5]
- Passa dez horas por semana no computador, sendo sete delas com jogos, navegando na internet e escrevendo e-mails para os amigos[6] (e não fazendo a tarefa de casa, como ela afirma!).
- Tem 33% de chance de ter um celular aos 11 anos.[7]
- Passa dez horas por semana enviando mensagens de texto pelo celular.[8]
- Influencia 30% das compras da família.[9]
- Pode apresentar, aos 12 anos, níveis de fantasias agressivas mais elevados em relação aos meninos da mesma idade[10] (que não precisam fantasiar, pois resolvem suas diferenças aos tapas).
- Tem 25% de chance de sofrer *bullying*[11] físico e 45% de chance de ser vítima de *cyberbullying* dos colegas.[12]

- Ao pegar uma revista voltada para meninas de 10 a 14 anos, talvez encontre matérias do tipo:
  "Você sabe paquerar?"
  "Deixe seu corpo perfeito para o verão"
  "O que você precisa saber para ter seios de fazer inveja"
  "Segredos para ter um bumbum empinado".
- Tem 25% de chance de sofrer abuso sexual até os 18 anos.[13]
- Tem 75% a mais de chance cometer suicídio antes dos 14 anos em relação às meninas da mesma idade em 2004.[14]
- Usa verbos no passado para se referir à infância (diante dessas estatísticas, quem não faria o mesmo?).

O mundo no qual sua filha precisa encontrar seu caminho mudou de forma tão drástica desde que você tinha a idade dela que quase não parece mais o mesmo lugar. Nessa terra desconhecida, sua filha é bem consciente de tudo o que trai a confiança pública. Quem está saindo da adolescência ainda se lembra do episódio de 11 de setembro, e mesmo as pré-adolescentes que nem haviam nascido em 2001 convivem com o resultado desse acontecimento. E ainda que não entendam coisa alguma sobre a crise econômica mundial, elas sabem que, em algum lugar, alguém fez besteira e agora muitos pais e mães estão desempregados.

Também é provável que sua filha imagine que tem direito a certos privilégios. Muitas pré-adolescentes estão acostumadas a ser levadas de carro de um lado para outro, a ter as melhores oportunidades e a ser entretidas o tempo todo. É isso que pais dedicados fazem hoje em dia, e é isso que muitos filhos esperam.

É bem possível que a agenda de sua menina seja bastante estruturada. Talvez o tempo de brincar tenha de ser espremido entre as aulas de dança, o treino de vôlei e um McLanche Feliz no banco de trás do carro a caminho de alguma atividade da igreja na quarta-feira à noite. Quando ela encontra uma brecha na agenda, a ideia de brincar ao ar livre com as amigas ou até sozinha se torna algo fora de cogitação, por causa do medo cada vez maior que os pais têm de abuso ou assédio sexual. De acordo com o psiquiatra Stuart Brown, da Baylor University, que passou quarenta e dois anos estudando a importância de brincar, "a falta de oportunidades de brincar de forma não estruturada, usando a imaginação, pode impedir as crianças de se tornarem adultos felizes e equilibrados".[15] As brincadeiras espontâneas — não como um compromisso planejado pela mãe — são fundamentais para que as crianças desenvolvam a aptidão de resolver problemas e reduzir o estresse.

Sem dúvida, sua filha convive numa boa com equipamentos digitais. O computador, o telefone celular e o MP3 *player*, entre outros, se tornaram companheiros constantes de nossas pré-adolescentes. Mesmo que sua garota não tenha nenhum desses equipamentos, com certeza conhece meninas que têm e é possível que os cobice secretamente.

Muitas pré-adolescentes não sabem como chegar ao supermercado, à igreja ou à casa da melhor amiga, pois estão com os olhos grudados à tela de algum equipamento portátil enquanto as mães as levam de carro para esses lugares. Pensam na internet como um bairro onde moram seus amigos virtuais. O que é surreal para quem não faz parte do Facebock é perfeitamente normal para elas. E se sua filha pré-adolescente não é ligada em tecnologia, há mais uma área que pode elevar a ansiedade e fazer a autoestima despencar.

Se ela é como a maioria das pré-adolescentes, vive com pais que usam diversos recursos digitais. Não estou julgando ninguém, apenas apresentando fatos. Sessenta por cento das mães checam seus e-mails três a quatro vezes por dia. O pai gasta, em média, dezenove horas por semana jogando *video-games* ou navegando na internet.[16] É muito raro ver uma mãe que não tenha consigo um telefone celular, não só dentro da bolsa, mas ao ouvido ou na mão. Não ficaria espantada se seus dedos fizessem os movimentos de digitar mensagens de textos enquanto ela dorme.

Não é preciso dizer (mas vamos dizer mesmo assim) que as pré-adolescentes vivem num mundo de transformações aceleradas, onde há pouca tradição cultural ou social, normas e apoio para que elas se sintam seguras. No momento em que elas mais precisam de estabilidade, descobrem que as coisas mudaram em relação ao ano passado, ao mês passado, ou mesmo à semana passada. Por isso, buscam uma ligação emocional mais profunda com os pais. Entretanto, você e seu marido procuram lidar com uma agenda lotada demais, com inseguranças econômicas e com as incertezas da vida pós-moderna. Como promover em sua família eventos centralizados que incentivem os relacionamentos? Às vezes já parece ser grande coisa você conseguir levar os filhos da escola para o treino de basquete, do treino para a igreja, e de lá para casa, onde ainda precisam estudar antes de dormir — tudo isso sem que você tenha uma crise de nervos e grite "Calem a boca! Não aguento mais!".

Antes que você jogue este livro no lixo (afinal, quem precisa de mais informações deprimentes?), é preciso compreender que nem todas as mudanças que ocorreram em nossa cultura desde que você tinha 10 anos foram negativas. Como sociedade, temos uma compreensão muito melhor da saúde mental que vinte e cinco anos atrás (o que é uma boa notícia para aquelas de nós que estão enlouquecendo com essa história de ser mãe!). Graças à internet e às redes sociais, é possível encontrar qualquer pessoa e qualquer coisa que quisermos por meio dos computadores presentes na maioria dos lares. Temos acesso a informações sobre os assuntos mais variados, desde como ajudar os filhos com TDAH (Transtorno de Déficit de Atenção com Hiperatividade) até onde assistir a um filme apropriado para toda a família (supondo que isso ainda exista). Sabemos mais sobre os benefícios da nutrição, da atividade física e até do chocolate. Escolhemos um presidente afrodescendente e isso, não obstante sua opinião sobre questões políticas, é sinal de progresso na superação do preconceito e da intolerância.[17] Até mesmo uma nova visão do cristianismo tem transformado crentes que só esquentavam o banco das igrejas em verdadeiros discípulos que trabalham para resolver problemas com os quais Jesus se importa. De acordo com o reverendo Romal Tune, CEO da organização Clergy Strategic Alliances [Alianças Estratégicas do Clero], de Washington D.C., muitos cristãos da geração que sua pré-adolescente tomará como exemplo (aqueles que cresceram nas décadas de 1980 e 1990) têm demonstrado mais consciência do mundo ao redor. "Ele se conectam pelo Facebook e usam a Bíblia como fundamento para suas ações sociais [...]. Daqui a vinte anos, a igreja não será mais definida por um templo onde as pessoas se reúnem para o culto nas manhãs de domingo, mas sim, pelo modo como os cristãos tratam as pessoas no mundo".[18]

Mas, ainda assim, você se preocupa. A maturidade parece estar chegando mais rápido, um fenômeno que os especialistas em marketing chamam de KGOY, Kids Getting Older Younger [Crianças Amadurecendo Mais Cedo].[19] Na opinião deles, hoje em dia uma criança de 10 anos tem a mentalidade do adolescente de 15 anos de outras décadas. Quando você vai comprar roupa para sua filha de 8 anos, encontra apenas o tamanho infantil de modelos feitos para adolescentes (que, em alguns casos, mal cobrem o essencial). Sua filha de 11 anos, bem como 54% das meninas da mesma idade, não se considera jovem demais para usar maquiagem.[20] Sua filha de 9 anos tem certeza de que está gorda. Sua filha de 10 anos se debulha em lágrimas porque a melhor amiga roubou o menino com o qual ela estava "a fim de sair" (embora ninguém saiba para onde pretendiam ir e como chegariam lá).

A preocupação normal de mãe é uma coisa. Nem adianta os outros falarem para ficarmos tranquilas, não é? Agora, o tipo de preocupação que a faz perder o sono, causada pelo mundo pré-adolescente de hoje, não deve tirar nossa alegria de educar nossas filhas. E nem precisa.

Aspectos positivos

Há trinta e cinco anos, leciono, escrevo e converso com garotas pré-adolescentes (e, nesse ínterim, também eduquei uma filha). Elas são minha faixa etária predileta, e descobri uma porção de coisas positivas, alegres e animadoras sobre elas. Por exemplo, na pré-adolescência, é bem provável que sua filha procure em você orientação, segurança e autoridade absoluta, mais do que em qualquer outra pessoa, até na melhor amiga (ou no grupo de amigas) que sabe de tudo. Ela quer você. Ela presta atenção no seu exemplo. Absorve-o como uma esponja, especialmente quando você não está olhando.[21]

Embora o movimento contínuo rumo à adolescência esteja fervilhando logo abaixo da superfície, em vários aspectos ela ainda é uma garotinha. Pode até revirar os olhos e dizer "sei lá" a cada duas frases, mas não precisa que insistam para ela brincar e rir e sonhar e soltar gritinhos quando ganha um ovo de Páscoa, com o mesmo prazer de quando tinha 3 anos.

Ela está, pela natureza de sua fase de desenvolvimento, aberta para tudo o que a fé cristã tem para oferecer: perdão, esperança, força, consciência de que faz parte de um grupo e de que é aceita, e certeza de que é amada incondicionalmente. Até mesmo fontes não cristãs, como o dr. James Garbarino, autor de *See Jane Hit* [Jane entrou na briga, em tradução livre], afirmam que a religião não punitiva, centrada no amor, diminui o impacto causado por uma sociedade doentia.[22] Garbarino acrescenta: "As crianças que creem na existência de alguém dotado de poder além de si mesmas e que acreditam num propósito determinado por Deus para a vida delas têm muito mais probabilidade de se tornarem seguras de si, produtivas e solidárias do que crianças desprovidas dessas convicções". Uma vez que 90% dos cristãos assumem o compromisso de seguir a Cristo antes dos 20 anos, você sabe aonde eu quero chegar.[23]

Em resumo, sua filha pré-adolescente está vivendo um momento ideal. Pode absorver tudo o que você, a comunidade de fé e os próprios instintos mais inocentes dela têm a oferecer, e pode fazer isso com muito mais sabedoria que as meninas que ainda estão nas primeiras fases da infância, e com muito menos cinismo e confusão que as adolescentes. Trocando em miúdos, alcance-a agora, antes que ela imagine que sabe quase tudo e resolva aprender aquilo que não sabe com os outros, e não com você. Claro que nunca é tarde demais, mas se esperarmos, pode ser bem mais difícil.

Qual é seu estilo de educação?

Não é hora de ficar parada. A maioria das mães com as quais converso em cursos e palestras escolheu um estilo de educação e o aplica com todo entusiasmo. Observei que elas (você!) parecem adotar uma destas três formas de educar a filha pré-adolescente:

A abordagem estufa. Cuida de sua menina como se ela fosse uma orquídea numa estufa e protege-a de tudo o que há "lá fora", além das paredes de vidro, que possa gerar qualquer pensamento negativo ou dúvida em sua mente. O lema dessas mães é: "Se ela não ficar sabendo das coisas erradas, não as fará".

O método "se vire". O mundo lá fora é cruel. Cedo ou tarde, ela precisará aprender a lidar com ele, então é melhor começar logo. O lema dessas mães é: "Ela vai fazer de qualquer jeito, então é melhor estar preparada".

A filosofia da mão aberta. Ela ainda é menina e deve ser protegida, mas não de si mesma. Precisa de orientação cuidadosa em direção ao próximo passo a fim de que consiga, aos poucos, entrar nesse mundo cruel. O lema dessas mães é: "Algum dia, ela vai tomar as próprias decisões, e devo ensiná-la como fazê-lo".

Será que preciso dizer qual estilo, em minha opinião, oferece à menina a melhor oportunidade de se tornar o ser humano maravilhoso que ela nasceu para ser? Sou inteiramente a favor de educá-la com a mão aberta, de modo que não vou dar aqui uma lista de coisas das quais você deve manter sua filha afastada. E, com certeza, não vou lhe dizer como "sobreviver" ao processo de educá-la enquanto ela sai por aí fazendo o que bem entende.

Em vez disso, quero me tornar sua aliada, incentivá-la a ser a influência mais importante na vida de sua minimulher. Reuni todo o conhecimento que adquiri em meu trabalho com garotas pré-adolescente e suas mães, meu treinamento e minha experiência como educadora e — como diríamos? — minha interessante jornada como mãe. Coloquei todo esse conteúdo num só volume que você poderá consultar quando precisar de solidariedade, compreensão, informações e sugestões. Meu desejo é lhe oferecer algo semelhante a um manual de instruções (aquele que todas nós gostaríamos de ter recebido junto com nossa filha recém-nascida na maternidade, quando percebemos que não tínhamos a mínima noção do que estávamos fazendo). Devemos lembrar, porém, que cada marca e modelo é diferente, de modo que teremos de nos fundamentar em verdades que parecem se aplicar a todas as pré-adolescentes e a nós, e aprender a conhecer nossas filhas o suficiente para descobrir as verdades singulares de cada uma. Em resumo, quero ajudar você a abrir suas mãos, com confiança e alegria.

Antes de continuar a leitura, é bom você saber

Não sou a mãe perfeita. Dizer isso é como admitir que não sou um unicórnio. Nenhuma das duas criaturas existe. Ambas são fantasias. Durante a pré-adolescência da minha filha, eu era ansiosa, sobrecarregada de compromissos e anoréxica. Dedicava a ela aquilo que costumamos chamar de "tempo de qualidade" (uma expressão que passei a detestar), mas no dia a dia, muitas vezes, eu era desatenta e irritável. Nem reparava se a menina havia penteado o cabelo naquela semana. E, no entanto, pouco tempo atrás, quando perguntei a minha filha, Marijean (agora com mais de 30 anos), o que a seu ver poderia ter sido melhor em sua infância, ela pensou em silêncio por muito mais tempo que de costume (ela raramente fica sem palavras) e, por fim, disse: "Uma das poucas coisas negativas foi a distorção da imagem corporal que eu aprendi com você. Mas a verdade, mãe, é que eu sempre quis ser igual a você e, se você tivesse sido perfeita, eu seria obrigada a matá-la de tanta frustração". Vou entender isso como o equivalente a "você fez uma porção de coisas certas". E quero compartilhar com você esses acertos, bem como aquilo que aprendi com os erros.

Podemos concluir, portanto, que você também não é uma mãe perfeita. Talvez desempenhe o papel de pacificadora e nunca deixe seus filhos resolverem os próprios conflitos. Talvez, em última análise, exerça a função de empregada doméstica e, ocasionalmente, tenha furiosos acessos de amargura que fazem todos se esconder em seus respectivos cantos e esperar até o jantar estar na mesa. Talvez seja a força motriz da família, aquela que faz as regras e organiza a agenda, mas que não tem tempo para quem sofre uma crise e sai do esquema. Quem sabe você é um poço de atitude positiva, que anima todo mundo, mas se apressa em varrer para debaixo do tapete qualquer coisa negativa. É bem possível que, por vezes, simplesmente se sinta cansada, culpada e ressentida, e deixe bem claro que considera todos os outros ao seu redor responsáveis por isso. É provável que, em algum momento, tenha sido e continue a ser todos os itens acima. Portanto, pare de imaginar que precisa ser a mãe ideal. Educar os filhos é uma jornada de desenvolvimento, e não de perfeição. Nem você nem sua filha conseguirão avançar sem cometer inúmeros erros com os quais ambas aprenderão. E é em meio às imperfeições que as coisas boas acontecem.

A meu ver, acima de tudo, você é *mãe* de sua filha. Não sua colega. Não sua melhor amiga. Neste momento em que sua filha está aprendendo a se virar sozinha, você é sua aliada. É aquela que impõe limites e adverte sobre as consequências. E como Carol Burnett disse certa vez, é aquela que a ama o suficiente para deixar que ela odeie você de vez em quando. Isso não significa que vocês não podem ser chegadas, ter seus "momentos de meninas" e apreciar uma à outra num relacionamento singular. Significa, porém, tomar por ela muitas decisões que ela ainda não está pronta para tomar sozinha, decisões que a fazem reclamar: "Você não entende!", quando, na verdade, você entende muito bem.

Em minha opinião, educar uma pré-adolescente exige que nós mesmas passemos por tantas mudanças quanto nossas filhas. Sejamos sinceras: parte daquilo que é considerado uma boa educação para essa faixa etária não ocorre naturalmente. Acariciar, ninar, dar de mamar e trocar fraldas, embora fossem tarefas exaustivas, talvez tenham sido quase instintivas. Nessa fase, a disciplina era relativamente bem definida. Isso é o que a palavra "não" significa e isso é o que acontece quando você a diz. Mas sair de campo e deixar sua filha pré-adolescente fazer uma escolha que você sabe que não vai acabar bem, ou ver outras crianças zombarem dela porque ela não é exatamente igual ao resto da turma, nem sempre são coisas que fazem parte de nossa natureza.

O que dizem as minimulheres

Como é possível eu honrar meus pais quando...

Eles pisam na bola comigo e, apesar de reconhecerem, não pedem perdão.

Eles gritam comigo na frente dos meus amigos.

Eles contam histórias que eles sabem que vão me deixar sem graça na frente de pessoas que eu considero importantes.

Eles falam de mim como se eu nem estivesse por perto.

Eles leem meu diário.

Eles acreditam numa mentira que meu irmão ou minha irmã contou a meu respeito.

Eles me castigam por alguma coisa que eu não fiz.

Eles têm brigas que me deixam superchateada.

Eu quase nunca os vejo.

Eles são abusivos.

COMENTÁRIOS DE PRÉ-ADOLESCENTES EM CURSO SOBRE DILEMAS ÉTICOS

Além do mais, a esta altura, sua filha já descobriu seus pontos nevrálgicos e sabe como tirá-la do sério. Também não deixa passar batida nenhuma alteração no seu comportamento. Mesmo que você só faça fofocas de vez em quando, conte uma mentirinha inofensiva aqui e ali e tenha uma crise de nervos ocasional, de acordo com a política de "tolerância zero" de sua menina, esses comportamentos são inaceitáveis. Convém lembrar, mais uma vez, que é impossível ser perfeita. Mas, se você deseja se sair bem, pode ser necessário alterar algumas de suas reações automáticas.

É possível que você também precise mudar seu conceito de "conversa". Eu sei que é difícil, mas, para se comunicar bem com sua filha, 90% das declarações do tipo "Por que eu sou sua mãe e disse que sim", vão ter sumir do mapa. Os outros 10% são reservados para situações em que não há tempo para explicações, como, por exemplo, se ela estiver no trilho de um trem que se aproxima em alta velocidade. Nas demais ocasiões, a ideia é buscar o diálogo, e não apenas dizer algo e esperar que ela ouça e obedeça. O objetivo é a obediência imediata, mas é mais provável que ela obedeça se entender a lógica por trás daquilo que você deseja que ela faça. Na primeira infância ou na pré-escola, essa abordagem não era apropriada. Agora que ela está desenvolvendo um raciocínio mais complexo, "faça o que eu mando" não funciona mais.

Vejo a situação da seguinte forma: se depois de um bate-papo vocês duas não enxergarem as coisas de maneira diferente, ainda que só um pouco, então não foi um diálogo de verdade. Pode ser que, depois de uma boa conversa, ela entenda que você não está sempre tentando forçar a barra, como ela imaginava, e você perceba que ela é bem mais esperta do *você* imaginava — duas informações importantes para diálogos futuros. Isso não significa que você não terá de repetir a conversa cada vez que o assunto vier à tona. Não há absolutamente nada de errado em dizer a sua filha: "Gostaria de lembrá-la do acordo que nós duas fizemos no dia 5 de outubro" e esperar que ela entenda. Essa abordagem evitará que você recorra à importunação, a sermões e a gritarias, que funcionam tão bem quanto dizer: "Porque que sou sua mãe e ponto-final". Você imagina que não tem tempo para conversar com sua filha? E quanto a todas aquelas horas que você passa no carro com ela, levando-a de um lugar para outro?

Enquanto você trabalha, brinca e conversa com sua garota, ela a ajudará a entender como deve ser educada nesta nova fase da vida. Posso lhe oferecer recursos e sugestões, mas só serão úteis de acordo com aquilo que você sabe sobre ela e aquilo que ela lhe mostra sobre sua verdadeira identidade. Tudo o que você ler aqui deve passar por seu filtro pessoal. Respeito esse fato em cada palavra que escrevo e vou lembrá-la dele até você se cansar.

Se você não curte ser mãe pelo menos em parte do tempo, convém analisar os motivos. Não tem nada de errado em reconhecer que educar os filhos nem sempre é a coisa mais divertida do mundo. Ninguém acha o máximo ter de arrastar alunas relutantes para a escola toda manhã ou tentar controlar seus primeiros ataques de "paixonite". Às vezes, porém, nos vemos tão envolvidas na correria cotidiana, esforçando-nos "para sobreviver até o fim dia", como me escreveu num e-mail uma pré-adolescente com dez irmãos, que nos esquecemos de rir das piadas de nossas filhas (as pré-adolescentes se consideram hilariantes), de nos alegrar com suas descobertas e de nos deleitar com seu crescimento. Se deixarmos essas coisas passarem despercebidas, não aproveitaremos muito daquilo que é mais precioso em nossa jornada como mães.

O que dizem as minimulheres

É bem provável que sua filha fuja das suas perguntas e finja que não está a fim de falar com você. Mas não desista de conversar com ela. Mais cedo ou mais tarde ela vai se abrir. Agora, se ela não quiser MESMO conversar, dê-lhe um tempo, ou você vai acabar prejudicando o relacionamento.

13 ANOS

Para encarar tudo isso, você certamente vai precisar de Deus. Sabe aquele versículo no qual Jesus diz que é mais fácil um camelo passar pelo fundo de uma agulha que um rico entrar no reino de Deus [cf. Mt 19.24]? Que ninguém tem a mínima chance sozinho, mas toda a chance do mundo com Cristo [cf. Fp 4.13]? Certamente, é mais fácil o mesmo camelo passar pelo fundo da tal agulha que a mãe de uma pré-adolescente conduzi-la a uma adolescência saudável, equilibrada e caracterizada pelo amor a Deus se Deus não estiver exatamente no centro do processo. Os recursos para buscar o auxílio divino são parte fundamental deste livro.

Ao mesmo tempo, é ilusão dizer que ter uma boa vida doméstica, com todas as influências corretas, e até mesmo ser educada numa igreja, cercada por tudo o que tem a ver com Jesus, são garantias de que sua filha se tornará uma mulher adulta profundamente espiritual e altamente produtiva. Deus não promete isso. Pode crer, eu fui verificar. Até mesmo Provérbios 22.6: "Instrua a criança segundo os objetivos que você tem para ela, e mesmo com o passar dos anos não se desviará deles", não é a promessa infalível que aparenta ser à primeira vista. Se você não instruir a criança, certamente não terá bons resultados. Mas todas nós conhecemos filhos cujos pais pareciam ser a epítome desse provérbio, e que, ainda assim, tiveram uma adolescência difícil e uma juventude ainda mais complicada. No entanto, em algum momento, perceberam que precisavam fazer escolhas mais sensatas, e tinham a base sobre a qual construir uma boa vida. Não há garantias, não neste mundo em que tanta coisa mudou. Mas há meios de oferecer às nossas filhas a melhor oportunidade e passar pelo processo com elas em oração.

Antes de prosseguirmos, gostaria de falar sobre a figura paterna. Educar os filhos requer trabalho em equipe, algo que você ouvirá de qualquer mãe ou pai que tenta criar os filhos sozinho. Esse fato se torna ainda mais visível na pré-adolescência de sua filha, quando ela interage com os conselhos do pai a respeito dos garotos (ou com a recusa do pai em reconhecer a existência deles!), e com a influência não verbal do pai sobre sua beleza e autoimagem. Aliás, a influência paterna é tão importante que dediquei um livro inteiro, escrito com meu marido, aos pais das pré-adolescentes: *What Happened to My Little Girl?* [O que aconteceu com a minha garotinha?].[24] Portanto, embora eu mencione o pai ocasionalmente, nosso foco será você e seu papel especial na vida de sua filha. Sinta-se à vontade, porém, para compartilhar com seu marido tudo que lhe parecer aplicável. O esforço conjunto sempre tem mais força.

O que dizem as minimulheres

Eu gostaria muito que minha mãe fizesse mais coisas comigo... Tipo, ter um dia especial só pra nós duas. Acho que poderia até fortalecer o nosso relacionamento, porque a gente teria um dia inteiro, só nós duas, meninas, pra conversar sobre QUALQUER COISA!

11 ANOS

Eu quero a mesma coisa. Só que, se eu tivesse um dia inteiro com minha mãe, não sei sobre o que a gente ia conversar. Ela nunca me incentivou a falar com ela ou contar pra ela os meus problemas. É legal que têm muitas meninas se aproximando das mães. Queria que fosse assim comigo.

12 ANOS

Sobre o que vamos conversar

Meu trabalho com pré-adolescentes me convenceu, sem sombra de dúvida, de que essa fase envolve quatro áreas de importância fundamental, as quais, para o nosso bem e para o bem de nossas meninas, não podemos ignorar. Depois de escrever para as minimulheres, falando sobre cada uma dessas áreas, agora ofereço a você, mãe, meu ponto de vista sobre essas quatro questões essenciais: 1) Quem sou eu?; 2) Sou bonita o suficiente?; 3) O que está acontecendo com meu corpo?; e 4) Os outros gostam de mim?

Parte 1: Digo à minha filha para ser ela mesma, mas ela não sabe quem é (Identidade)

Esta parte do livro traz sugestões para instilar em sua filha o conceito de autenticidade antes que a adolescência chegue e tente acabar com ele. Você encontrará formas de aconselhá-la a descobrir sua verdadeira identidade e sentir-se à vontade com ela, bem como incentivo para deixá-la errar ao logo do caminho. Como resultado, em vez de dizer a sua minimulher quem ela é ou quem deve ser, você será capaz de permitir que ela descubra sua própria identidade dentro dos parâmetros cristãos de bondade e amor. Com isso, reforçará o que sua pré-adolescente aprenderá na obra *Everybody Tells Me to Be Myself, But I Don't Know Who I Am* [Todo mundo fala: seja você mesma... mas eu ainda não sei quem sou!, no prelo].

Parte 2: Eu acho você linda (Beleza)
Meu objetivo nesta parte é ajudar você a estimular a imagem da alma (em contraste com a autoimagem) e a beleza interior de sua filha. Claro que você encontrará dicas de cuidados com a aparência e de moda, apropriadas para as minimulheres. A ênfase, porém, será sobre como conduzi-la a uma atitude saudável em relação à beleza numa cultura obviamente doentia no que diz respeito à imagem física. O que você fizer como resultado da leitura desta seção reforçará aquilo que pode ler em *The Skin You're In*.

Parte 3: Quem é você, e o que fez com minha garotinha? (Puberdade)
Aqui você encontrará várias dicas sobre como apoiar sua filha pré-adolescente num dos períodos mais desafiadores da vida dela: a puberdade, com suas mudanças físicas e emocionais desnorteantes. Meu objetivo é ajudar você a permitir que sua minimulher alcance a vida adulta com naturalidade, em seu próprio ritmo, sem pressioná-la (ainda que sutilmente) ou mesmo empurrá-la para a adolescência antes de ela estar preparada. Deixaremos claro que ter 10 anos hoje não é o mesmo que ter 15 anos no passado, algo que sua filha entenderá melhor ao ler a obra *Manual de sobrevivência da garota descolada.*[25]

Parte 4: Por que elas não se entendem? (Amizade)
Nesta parte final, sinto a forte obrigação (bem como a profunda humildade) de oferecer ajuda a fim de orientar sua filha a ter amizades saudáveis com outras meninas, amizades que contribuirão para moldar seus relacionamentos mais adiante. Espero que as sugestões que você encontrará nesta parte do livro lhe permitam aproveitar bem a fase em que sua filha está aprendendo a se relacionar com as amigas, antes de os meninos entrarem em cena e

provocarem o caos total. Entre outras coisas, você terá de olhar para si mesma e avaliar com honestidade como você deseja participar desse processo. Quer seja o tipo de mãe que atrai a turma toda para sua casa, ou que prefere convidar uma amiga de cada vez, você terá oportunidade de definir limites que serão úteis para sua filha e para você mesma. E por falar em amizades, espero que nesta seção você encontre maneiras de desenvolver com sua filha um relacionamento que sobreviverá e até crescerá durante a adolescência. Esse conteúdo corresponde ao que sua filha encontrará na obra *Girl Politics: Friends, Cliques, and Really Mean Chicks* (no prelo, sem título em português).

Como será nossa conversa

Cada parte é dividida em capítulos que focalizam os aspectos reais e práticos, com sua base espiritual e enigmática, uma vez que nossas pré-adolescentes são constituídas desses quatro elementos. Há um bocado de conteúdo a ser digerido enquanto você continua a preparar lanches, levar os filhos de um lado para outro, sair para trabalhar, e encontrar alguns momentos por dia para orar sem ser interrompida por alguém perguntando onde estão as meias limpas, pedindo ajuda com a lição de casa ou exigindo que você sirva de árbitro num desentendimento entre irmãos. Em cada capítulo, portanto, você encontrará elementos que servirão de bússola, quer sua leitura seja contínua ou cheia de desvios e retornos:

Na vida real: um caso real na introdução de cada uma das quatro partes mostrará que você não está sozinha, e que sua filha é maravilhosamente normal.

Vamos esclarecer: uma investigação detalhada do tema, com estatísticas, dados de psicologia e desenvolvimento, e apresentação de casos. São informações que você precisa, mas que não tem tempo de procurar no Google. Mesmo quando já nos esforçamos ao máximo, quase sempre podemos melhorar, tornando-nos mais bem informadas.

Do Pai celestial: a base bíblica para a importância do tema do capítulo. Este tópico traz sugestões para incentivar sua filha na jornada de fé e para ajudar você em sua própria caminhada, mesmo quando um momento tranquilo com Deus parece ser um luxo só para as mães que contam com a ajuda de babás.

E você?: uma autoavaliação sobre o impacto pessoal desse tema para você. Com uma atitude não julgadora, este tópico pode ajudá-la a ver os exemplos positivos ou equivocados que você talvez esteja oferecendo a sua filha. É o tipo de informação que você *não* encontraria no Google nem que tivesse tempo de procurar.

Mãos à obra: formas de abordar e lidar com o tema do capítulo. Inclui diretrizes gerais e sugestões práticas a serem aplicadas de acordo com a realidade singular que você e sua filha vivenciam.

Senhor, preencha a lacuna: sugestões e aplicações específicas para a oração mais importante que uma mãe pode fazer: "Senhor, preencha a lacuna entre o que minha filha precisa e o que eu tenho para oferecer".

O que dizem as minimulheres: citações de pré-adolescentes sobre o que elas gostariam que a mãe fizesse (ou deixasse de fazer!), o que elas admiram na mãe e o que gostariam que a mãe soubesse. Em resumo, tudo o que elas pensam que não podem lhe dizer pessoalmente (mas morrem de vontade!).

É isso. Esse é o nosso mapa. Se você estiver pronta, ou se encontrar dez minutos em que não estiver envolvida com algum drama de sua menina, podemos partir juntas. É uma honra para mim ser sua companheira nesta estrada que eu mesma já percorri, numa viagem que eu não perderia por nada neste mundo.

O que dizem as minimulheres

Eu quero ser...

Um livro de matemática, pra resolver problemas.

Um juiz, pra acabar com as brigas.

Um lápis, pra ser usada com criatividade.

Uma lanterna, pra iluminar o caminho de outros.

Um tapete, pra ficar espalhada numa boa, o dia todo.

Uma borracha, pra ajudar a apagar os erros.

Um crítico, pra sempre poder dizer o que eu penso.

Uma mãe, pra ensinar meus irmãos a não reclamarem de tudo.

Ou, melhor ainda, eu quero ser eu mesma, e fazer tudo o que acabei de dizer!

Regan Hendricks, 11 anos

Parte 1

Digo a minha filha para ser ela mesma, mas ela não sabe quem é

Na vida real

Ela vem falando desse acampamento desde antes de ter tamanho para carregar uma mochila. Quase dava um piti monumental cada vez que um dos irmãos entrava no ônibus e ela ficava para trás, sofrendo sem a fumaça da fogueira, sem os artesanatos de sucata e sem acordar com alguém colocando creme de barbear no seu nariz.

Finalmente (um longo suspiro de alívio para todas as partes envolvidas), nestas férias chegou a vez *dela* de participar. Você passou semanas procurando o maiô perfeito ("Mas, mãããe, todas *as outras* meninas vão levar biquíni!), fazendo estoque de inúmeras embalagens pequenas de produtos que ela não vai usar, mas precisa levar (que menina de 9 anos "precisa" de tônico facial?) e ouvindo a contagem regressiva ("Faltam onze dias, se a gente não contar hoje", mesmo que seja seis horas da manhã). Esse é o único assunto no carro enquanto você a leva para a escola, no telefone com as amigas, na conversa à mesa. Os irmãos já estão tramando fechar-lhe a boca com fita adesiva. Você mesma começou a contar os dias, pois está à beira de um ataque de nervos.

Na tarde anterior à partida, enquanto você a ajuda a colocar o último par de shorts novos na mala, ela se vira para você, pálida e trêmula e diz: "Mãe, acho que eu não quero ir ao acampamento".

Embora sua cabeça dê sinais de que vai explodir, você consegue perguntar *do que* ela está falando. A resposta vem numa enxurrada de "E se...".

— E se todo mundo me achar uma tonta? E se eu não fizer amizade com ninguém? E se ninguém me deixar participar de nada porque todo mundo me odeia?

O que lhe resta dizer senão o óbvio:

— Meu anjo, larga de bobagem. Seja você mesma e tudo vai dar certo.

Ela a encara como se você precisasse de tratamento psiquiátrico. Quer ela consiga expressar em palavras ou não, a pergunta óbvia é: *Como posso ser eu mesma se nem sei quem eu sou?*

• • •

Uma situação como essa, ou uma "crise", dependendo da geração à qual você pertence, deixa bem claro o maior desafio que a garota pré-adolescente enfrenta. É possível que ela nunca o verbalize. Aliás, pode ser que sua garota nem seja capaz de definir aquele mal-estar que toma conta dela quando chega a um lugar onde ninguém sabe seu nome. Mas, a menos que ela seja a única menina perfeitamente ajustada que já existiu na face da Terra, em algum momento sentirá isso.

Para algumas meninas, o friozinho na barriga desaparece no instante em que entram num lugar desconhecido e, mais que depressa, se tornam o centro das atenções da festa (da classe, do time, da sala de espera). Para outras, leva algum tempo para encontrar seu lugar, seu modo de expressão, e as pessoas com as quais ela se identifica. Para outras, ainda, a sensação de estranheza se torna um modo de vida. Mesmo que você tenha certeza de que sua filha nunca se sente insegura a respeito de sua identidade (afinal, ela nunca se acanha de reafirmá-la para você), espero que continue a ler. Afinal, alguma vez *você* já se perguntou qual das suas "personalidades" é certa para uma situação nova? E quanto àquele dia em que você trouxe sua bebezinha da maternidade para casa?

O negócio é o seguinte: a pergunta *Quem sou eu?* é perfeitamente natural para uma menina de 8 a 12 anos. Aos poucos, ela está adquirindo consciência de que emergiu em um mundo no qual, ao contrário de seu lar, as pessoas não têm a obrigação de amá-la. Começou a perceber que o modo como se comporta determina, em parte, se as pessoas gostarão dela ou não, o que a leva à pergunta seguinte: *E se eu for eu mesma e ninguém gostar?* O que ela ainda não entendeu é que todas as outras meninas nessa faixa etária estão tentando responder às mesmas perguntas, de modo que não são espelhos confiáveis para ela vislumbrar sua verdadeira identidade. Essa série de reflexões tão naturais pode assumir as seguintes formas:

- Rir feito uma hiena histérica. Quando minha filha era pré-adolescente, costumávamos chamar esses acessos de riso de "ataques de bobeira". É algo parecido com a vontade irresistível de rir que alguns adultos sentem em funerais.
- Chorar sem motivo aparente. Parte dessas crises de choro é de origem hormonal (como veremos mais adiante), mas a sensação de eu-não-sei-como-devo-agir-agora é um fator que muitas vezes abre as comportas. Pense em si mesma no primeiro dia num novo emprego. Por acaso não dá vontade de se refugiar no banheiro mais próximo?
- Revestir-se de negatividade. Esse era um dos comportamentos característicos de minha filha. Eu sabia que ela estava se sentindo insegura quando, de repente, todo mundo era imbecil. Mas não é verdade que nós também ficamos mais irritáveis com nossos filhos quando não sabemos muito bem o que fazer com eles?
- Sofrer um transplante de personalidade repentino. Sua menina bem-humorada e espirituosa, que leva tudo na esportiva, de repente se transforma no diabo-da-tasmânia diante dos seus olhos. Sempre extrovertida e despachada, passa a sofrer de timidez terminal e se esconde no quarto. Variações de humor semelhantes às da TPM nem sempre são as responsáveis por essas mudanças de personalidade. Até mesmo os gatinhos mais fofos mostram as garras e os dentes quando alguém ameaça sua identidade. Imagino que todas nós mostramos garras e dentes de vez em quando.

Portanto, se é algo normal até para nós, não é melhor deixarmos nossas filhas passarem por tudo isso até encontrarem sua identidade? Sem dúvida, seria o caminho mais fácil. Mas, como observei anteriormente, educar filhos é qualquer coisa, menos fácil. Se deixarmos ao encargo de nossas filhas descobrir quem são e prosseguir com a vida, poucas serão bem-sucedidas sem nossa ajuda (provavelmente, aquelas que não têm contato algum com o resto do mundo). E mesmo que isso fosse possível (pense numa cabana no Himalaia), no momento em que ela entrasse no mundo real, enfrentaria uma crise de identidade que exigiria anos de terapia.

Nosso trabalho na pré-adolescência é instilar em nossas filhas o conceito de autenticidade e ajudá-las a se sentirem o mais à vontade possível com quem são, antes que a adolescência coloque sua identidade à prova. O grau de dificuldade de resistir à pressão dos colegas quase sempre depende de quão forte e positivo é o conceito que a menina tem de si mesma. Não tem praticamente nada a ver com o conjunto de regras estabelecidas para ela. O momento de conhecer a si mesma e encontrar um lugar no mundo para esse "eu" verdadeiro é agora, enquanto as consequências de não fazê-lo não têm o potencial de prejudicá-la seriamente. Na pré-adolescência, se a menina veste uma roupa igual à das colegas e percebe que ficou parecida com a Olívia Palito, ela se recupera. Na adolescência, se experimenta uma dose de *ecstasy*, pode ser que não se recupere.

Eis, portanto, o primeiro passo de nossa jornada: ajudá-la a descobrir quem ela é. E, sem dúvida, você também descobrirá algumas coisas a respeito de si mesma ao longo do caminho.

1 Minha filha de verdade, por favor, se apresente

Veio para o que era seu, mas os seus não o receberam. Contudo, aos que o receberam, aos que creram em seu nome, deu-lhes o direito de se tornarem filhos de Deus.
João 1.11-12

Sinto como se eu estivesse vivendo outra vida, e não a minha, como se estivesse num filme em que alguém escreve o roteiro e me diz o que fazer.
12 anos

Por mais que eu não queira colocar um rótulo em você como mãe (especialmente porque esta parte é sobre como ser uma pessoa singular e autêntica), é de grande ajuda analisar a geração da qual você faz parte, pois é bem provável que você tenha incorporado pelo menos algumas de suas características, algo que afeta o modo como você entende a geração de sua filha.

Se você nasceu entre 1974 e 1981, faz parte da famosa Geração X. Permita-me comentar que, se eu fizesse parte dessa geração, em vez da Geração Pós-Guerra, eu não gostaria nem um pouco de ser chamada de "X". Os membros dessa geração são acusados de serem ansiosos e materialistas, de fazerem papel de vítima, pois, afinal de contas, cresceram sozinhos, enquanto pai e mãe trabalhavam fora em tempo integral. Como pré-adolescentes e adolescentes, sem dúvida, vocês eram mordazes e confesso que, quando eu lecionava no ensino médio na década de 1990, quase me levaram à loucura.

Mas havia motivos de sobra para vocês se ressentirem, passarem dos limites e apontarem para tudo o que havia de mais abominável no mundo. Enquanto educávamos vocês, nós, da Geração Pós-Guerra, estávamos ocupados tentando "nos encontrar" depois de todo o movimento *hippie*. Muitas de nós, mães, ainda acreditávamos no mito da supermulher, o que só beneficiava os fabricantes de antidepressivos.

Tudo bem que esta é uma visão um tanto sombria, mas o fato é que, como uma jovem de sua geração, a pressão que você sofria dos colegas era para quebrar regras. A raiva era bacana e a esperança era absurda. Ver até onde se podia ir derrubando velhos tabus foi a marca registrada da Geração X enquanto crescia. Como professora, isso me cortava o coração, pois, a meu ver, tudo era feito na esperança de que alguém perceberia e diria: "Certo. Podem parar. Vamos tentar entender o que está acontecendo de verdade".

E finalmente disseram "Podem parar". Foram vocês mesmos quem disse.

Agora na posição de pais e mães, vocês deixaram de fazer as coisas como nós fazíamos antigamente. Seus filhos são seus tesouros, e a maioria de vocês se desdobra em mil partes para valorizá-los. Não lhes falta coisa alguma. Vocês fazem qualquer sacrifício para colocá-los nas melhores escolas, garantir uma vaga nos times certos, contratar professores particulares conceituados e oferecer equipamentos eletrônicos que lhes permitam acompanhar essa rotina frenética. O fato de vocês se preocuparem tanto e serem tão dedicados a eles é justamente o motivo pelo qual você está lendo este livro. Seus filhos são privilegiados de terem vocês para educá-los.

Porém (você sabia que havia um *porém*, não?), as características da Geração X continuam circulando no mundo. Considere, por exemplo, a mídia.

Mesmo que você seja extremamente seletiva quanto àquilo a que seus filhos são expostos, o mundo da música, do cinema, da televisão e da internet ainda pensa que esta nova geração desejará continuar a ultrapassar os limites do que é aceitável em termos de entretenimento da mesma forma que aconteceu com a Geração Pós-Guerra e com a Geração X. Gosto muito do que Neil Howe e William Strauss dizem em seu livro esclarecedor *Millenials Rising* [Criando a Geração do Milênio]:

> Imagine passar pela infância em um mundo no qual as pessoas mais velhas lhe oferecem opções de entretenimento de péssima qualidade, adaptadas para a sua linguagem, divulgadas em sua mídia, e depois o condenam por aceitarem essas opções [...]. Assim é ser adolescente hoje em dia.[1]

Sua filha pré-adolescente, nascida depois de 1995, faz parte da Geração do Milênio ou Geração da Internet. Está crescendo num contexto completamente diferente daquele em que você cresceu. Mas as pessoas encarregadas de tomar decisões a respeito da mídia que chega até ela continuam a testar os limites. Não é uma garotinha de 8 anos que escreve as músicas com letras ofensivas voltadas para a faixa etária dela. É alguém de mais de 30. Crianças de 10 anos de idade não produzem filmes cheios de sexo e imoralidade. Isso é trabalho de gente de 40 e 50 e tantos anos. Ela não vê um reflexo daquilo que *ela mesma* pensa, sente e deseja neste mundo em que vive. Na verdade, "não está promovendo a licenciosidade da cultura adulta, mas sendo arrastada por ela".[2]

Portanto, para que sua filha inocente mantenha essa inocência e tenha espaço para ser criança, você terá de criá-la como uma orquídea numa estufa, ou terá de ajudá-la a descobrir quem ela é e o que deseja, e lhe mostrar como manter essa postura diante daquilo que *nossa* geração está tentando vender para ela.

O estado deplorável da mídia é apenas um dos motivos pelos quais a autenticidade é tão essencial para nossas pré-adolescentes quanto uma alimentação saudável e uma boa professora de balé. Vejamos quais são outros cinco motivos.

Vamos esclarecer: por que ela precisa ser autêntica

A pressão dos colegas mudou

Pressão dos colegas significa, em outras palavras: "Os amigos, que sabem tudo, têm muito mais influência que os pais, que não sabem praticamente nada". Lidar com essa pressão sempre foi parte importante do crescimento. Aprender a quem se deve dar ouvidos e em quem se pode confiar são elementos essenciais para o bem-estar. E nunca houve uma geração de pais que tenha tido sucesso com a abordagem: "Ouçam apenas o que eu digo e obedeçam apenas a mim". Aliás, essa não é uma abordagem saudável, pois, assim que a criança entra na pré-escola, você deixa de ser a única influência na vida dela. Ela precisa aprender a analisar tudo o que ouve a fim de extrair as coisas boas e valiosas que pode aprender no relacionamento com os colegas.

A parte da "pressão" entra em cena quando aquilo que "todo mundo faz" (por acaso você fez uma pesquisa entre "todo mundo" para saber se é isso mesmo?) vai contra aquilo que ela sabe que é certo. Pelo menos essa foi a nossa experiência. Tanto na sua época quanto na minha, a pressão dos colegas assumia a forma de álcool, drogas, sexo e, voltando ainda mais no tempo, protestos contra "autoridades e instituições". Em essência, éramos pressionadas a quebrar regras.

Por mais difícil que tudo isso fosse, não gerava tanta complicação para nossos pais. As decisões eram bastante claras. Se você fizer X, a consequência será Y. Ponto-final.

Com a Geração do Milênio, porém, aconteceram três coisas. Primeiro, só aqueles que passaram todo o primeiro ciclo do ensino fundamental dormindo não ouviram falar dos males associados às drogas, à bebida para menores de idade e ao sexo sem proteção. Eles já sabiam "dizer não às drogas" antes mesmo de decorar a letra do hino nacional. A pressão para participar desse tipo de atividade ainda existe, mas os jovens estão muito mais bem informados e não se deixam convencer com tanta facilidade, o que é uma excelente notícia.

Segundo, hoje em dia a pressão não é mais para quebrar as regras, mas para "se enturmar". Trata-se de algo muito mais confuso e complicado de se conseguir. Você precisa ter os acessórios certos, falar da maneira certa, vestir as roupas certas e saber o que é "superdescolado" — algo que pode mudar a qualquer momento, de acordo com os caprichos da Classe Dominante responsável por essas decisões, ou seja, a Turma Popular. A pressão para entender isso tudo é muito mais complexa do que a decisão de beber ou não beber cerveja numa festa. Embora as consequências de ceder a essa pressão não coloquem a vida em perigo, colocam a alma em risco.

Terceiro, esse tipo de pressão tem início muito antes da adolescência. Sua filha começa a senti-lo no segundo ou terceiro ano do ensino fundamental. A intensidade aumenta no quarto e no quinto ano e, no final do ensino fundamental, sua filha é bombardeada por ele continuamente, muitas vezes de formas cruéis.

Para os pais, isso significa que, embora seja importante equipar as meninas com um conjunto de regras que definam certo e errado, isso não é suficiente. Se a pré-adolescente não desenvolver uma forte consciência de quem ela é de fato, sua verdadeira identidade pode ser levada embora pela pressão de pertencer a um grupo cujas características mudam constantemente. As meninas de 8 a 12 anos com as quais converso todos os dias não querem beber, fumar, usar drogas ou se envolver fisicamente com meninos. Tipo, nada a ver, né?! Mas já estão cansadas de tentarem ser superdescoladas, populares e parte da panelinha. Anseiam por ser autênticas. E você pode ajudá-las.

As escolas estão se tornando mais padronizadas

O programa governamental *No Child Left Behind* [3] [Nenhuma Criança de Fora] mostrou diversas deficiências do sistema de ensino público norte-americano e exigiu uma prestação de contas mais rigorosa das escolas, pelo menos no que diz respeito às notas das provas padronizadas. Como consequência, as escolas voltaram a ter currículos mais estruturados e há mais ordem nas classes (na forma de uma política de tolerância zero) e mais ênfase sobre os fundamentos. Talvez você tenha observado que sua filha tem mais lição de casa e professores mais exigentes do que você na idade dela. Talvez ela se interesse mais por ciências e matemática do que você se interessava, em contraste com as matérias na área de humanas consideradas mais "femininas". Talvez tenha dificuldade em completar tarefas que não exijam respostas claramente definidas. E talvez ela se preocupe excessivamente em acertar essas respostas.

O ensino padronizado tem algumas vantagens, como a elevação das notas nas provas aplicadas em todo o país. Uma desvantagem, porém, é que não podemos esperar que a escola seja um lugar onde nossas filhas terão espaço para se expressar de maneiras autênticas. Prova disso é a tendência de cortar os cursos de artes na atual época de crise econômica. Em Nashville, onde moro, há um professor de música para cada setecentos alunos do distrito escolar. Cursos de teatro e fanfarras são considerados "não essenciais". Em outras palavras, não há provas padronizadas para essas disciplinas. Precisamos concentrar nossos esforços em ajudar os alunos a se saírem bem em matemática e gramática, então nada de desperdiçar dinheiro com coisas supérfluas. Mas aprender a se expressar não é algo supérfluo. Faz parte da tarefa de ajudar os jovens a descobrirem quem eles são, o que é tão fundamental para sua educação quanto as aptidões acadêmicas básicas.

Ficou a seu encargo, portanto, criar espaço para que sua filha se expresse de forma autêntica. A geração dela é cada vez mais controlada pelo lado esquerdo do cérebro.[4] Mas não é ali que reside a alma dela.

A tecnologia pode corroer a individualidade

Antes que você me chame de cinquentona avessa à tecnologia, que não *entende* quão importante ela é para a vida diária no novo mundo, quero deixar claro que entendo sim. Neste exato momento, estou sentada diante de duas telas de computador. O programa de e-mails me avisa cada vez que recebo uma mensagem. O notebook está dentro da mochila, pronto para a próxima ida à cafeteria com *wi-fi* grátis. O iPhone só falta me lembrar de que é hora de fazer xixi e, se eu não atualizar o blog e a página do Facebook diariamente, ouço reclamações, especialmente de suas filhas.

Seria impossível realizar meu trabalho sem tecnologia e é bem provável que o mesmo se aplique ao seu trabalho. A agenda de seus filhos tem um número espantoso de atividades e não há como gerenciá-la sem, no mínimo, um *smartphone*. Pode acreditar que eu entendo.

Também entendo que sua filha é um dos que a dra. Mary Manz Simon, guru das novas tendências em educação, chama de "nativos digitais".[5] Pode até ser que você não tivesse um fone *bluetooth* na orelha durante o parto, mas, sem dúvida, sua filha sabe muito bem que os equipamentos eletrônicos definem parte considerável do universo dela. Para ela, computadores são algo tão banal quando um videocassete era para você. Ela não tem medo da tecnologia. Na verdade, a consciência de que ela é capaz de operar equipamentos eletrônicos com muito mais facilidade que pessoas mais velhas lhe confere um ar de superioridade. Pouco tempo atrás, a neta de 11 anos da minha irmã a ensinou a enviar mensagens de texto. As pré-adolescentes que deixam comentários em meu blog não se acanham de dizer o que eu preciso fazer para as fotos carregarem mais rápido ou como poderia mudar o tipo de letra para o texto não ficar tão chato. Numa boa.

Não me ressinto com os equipamentos que elas usam e que poupam um bocado de trabalho nas tarefas da escola. Quem não acharia muito mais interessante procurar informações na internet do que ter de desenterrá-la de dezenas de volumes da Enciclopédia Britânica? Enquanto escrevo este livro, lembro-me do sofrimento que era datilografar notas de rodapé numa máquina elétrica em cima da fita corretiva. Só nos meus dias de maior mau humor eu me chateio de nossas pré-adolescentes não precisarem passar pela mesma experiência.

Não obstante, algumas coisas me preocupam. Será que nossas minimulheres se tornarão tão dependentes da tecnologia a ponto de se isolarem das mesmas pessoas com as quais estão sempre se conectando? Tenho um blog para jovens adolescentes no qual, volta e meia, alguma menina comenta: "Gostaria de poder ser tão autêntica com minhas amigas na vida real quanto sou com vocês aqui". Que tristeza.

Também me preocupo que haja limitações para o modo de expressar sua singularidade. Há certa uniformidade nas mensagens de texto e nas redes sociais que, por mais que os usuários personalizem, parecem prejudicar sua individualidade. Vejo-as correrem o risco de serem padronizadas, podendo apenas usar sua criatividade dentro dos limites da página do Facebook ou da tela do celular.

Outro problema é que o uso constante de e-mails, MSN, Twitter e celular pode acabar tornando-as tão dependentes do apoio das colegas que não se sentirão tranquilas enquanto não souberem que é possível se conectar à sua melhor amiga a qualquer momento. Antigamente, era uma tragédia ficar sozinha na hora do intervalo. Agora, se uma pré-adolescente não recebe uma mensagem há mais de cinco minutos, começa a se perguntar se há algo de errado com ela. É muito mais fácil fazer parte da turma do que ser autêntica.

A educação dos filhos consiste, em sua maior parte, em lhes oferecer atividades

Embora não seja essa a intenção das mães de hoje, muitas vezes é o que acontece. Depois de levá-los à escola, fazê-los participar de feiras de livros e passeios educativos (quer estando fisicamente presente ou preenchendo mais um cheque para a escola porque você tem um emprego para manter esses gastos), levá-los a atividades depois da escola, providenciar algo que se assemelhe a uma refeição, supervisionar a lição de casa (ou resolver brigas que surgem entre os irmãos que deveriam estar estudando) e prepará-los para repetir a dose no dia seguinte, sobra algum tempo para aquilo que você imaginou que seria a educação dos filhos? Coisas como ensinar lições importantes para a vida, conversar durante o jantar sobre o que cada um fez durante o dia, aproveitar a hora de dormir para orar e contar histórias. Você sonhou com isso tudo, não?

E aí, o mundo assumiu o controle. Claro que você poderia tirar sua filha dessa roda-viva e tentar recriar em casa o ambiente nostálgico dos anos de 1950, com leite e biscoitos depois da escola, mas uma ansiedade constante não a deixaria em paz, sussurrando em seu ouvido que você estaria privando sua filha de todas as coisas boas ao seu redor, atividades das quais as amigas dela participam. Imaginaria, talvez, que ela ficaria para trás e se tornaria uma excluída que nunca treinou ginástica olímpica, nem fez natação, nem teve aulas de piano. Você é uma boa mãe. Não poderia fazer isso com ela. É assim que as coisas funcionam hoje em dia; você está tentando entrar no esquema e provavelmente está se saindo muito bem.

Eu acredito de fato que você está se saindo bem, portanto não entenda o que digo como crítica. É apenas uma observação sobre a qual você talvez queira refletir. Sem dúvida, muitas pré-adolescentes desenvolvem autoconfiança excepcional e aprendem a trabalhar em equipe ao praticar esportes, demonstram compostura e graça extraordinárias resultantes de aulas de dança, ginástica e música, e têm uma profunda sensibilidade espiritual decorrente de seu envolvimento com as atividades da igreja. Ao mesmo tempo, quando sugiro para elas que separem um tempo para sonhar, escrever um diário ou conversar com Deus, recebo respostas que parecem extremamente adultas:

- “Minha agenda é superlotada. Não sei se vou arranjar tempo”.
- “Estou entulhada de coisas pra fazer”.
- “Se eu acrescentar mais uma atividade, minha cabeça vai explodir!”.

São meninas de 9, 10, 11 e 12 anos. Quase todas gostam das atividades que realizam, ou pelo menos entendem a importância delas, e sem dúvida aprendem sobre si mesmas ao longo do caminho. Mas em que momento fazem uma pausa para analisar esse aprendizado? Quando o processam? Será que têm oportunidade de expressá-lo, fazer experiências com ele ou simplesmente chorar com gosto por causa dele?

Tenho um receio muito sério de que elas se tornarão jovens competentes, eficientes e talentosas que não fazem a mínima ideia do que há por trás de todas as suas realizações. Quanto mais itens acrescentam ao currículo (aos 12 anos muitas delas já sabem muito bem o que é um currículo), mais aquilo que fazem define quem são. Sem dúvida, isso faz parte do cenário geral, mas não é tudo. A descoberta da própria identidade, que costumava ocorrer naturalmente quando as crianças saíam para andar de bicicleta depois da escola e só reapareciam quando o pai assobiava na frente de casa para chamá-las, não acontece hoje em dia a menos que os pais procurem, deliberadamente, outras formas de deixar suas filhas apenas *serem.*

O que dizem as minimulheres

Queria que minha mãe soubesse que, às vezes, a gente precisa encarar as coisas por conta própria. E, às vezes, a gente precisa de um tempo sozinha pra resolver essas coisas.

11 ANOS

O fracasso é inaceitável

Em tempos não muito distantes, no início da década de 1990, as notas da escola só adquiriam importância absoluta no ensino médio. Era possível um aluno passar raspando todos os anos no segundo ciclo do ensino fundamental, resolver se tornar um exemplo de excelência acadêmica e ser o orador da turma na formatura do ensino médio. Normalmente, *não era* o que acontecia, mas dizia-se que era o que *podia* acontecer e, de fato, alguns alunos tomavam jeito no primeiro ano do ensino médio, sabendo que, dali para frente, era "pra valer".

Hoje em dia, a escola é "pra valer" desde o jardim da infância, às vezes até antes. As mães começam a procurar pré-escolas assim que o teste de gravidez indica um resultado positivo. Ter sucesso na pré-escola significa já saber ler antes do ensino fundamental. Crianças de 6 e 7 anos passam horas fazendo lição de casa. Alunos do quarto e do quinto ano carregam mochilas que não só os fazem parecer o corcunda de Notre Dame, mas os condenam a anos de RPG [Reeducação Postural Global]. Tenho visto pré-adolescentes se estressarem para conseguir as notas mais altas da classe. Outras se consideram "burras" e desistem.

E não é só na sala de aula que são pressionadas a se sobressair. As meninas estão começando a competir em esportes mais cedo que nunca e até mesmo as que têm menos probabilidade de se tornarem atletas profissionais recebem a garantia de que, se elas se esforçarem ao máximo, poderão conseguir bolsas de estudo na universidade por mérito esportivo.[6] Não que elas estejam pensando em faculdade aos 10 anos, mas é bom se prepararem para o futuro, certo? Com sua aptidão para ginástica ou patinação no gelo, seria de se admirar que ela participasse dos Jogos Olímpicos algum dia? Se ela toca piano ou violino tão bem agora, não é natural pensarmos em conservatórios conceituados e apresentações no Teatro Municipal?

Não estou dizendo que não devamos sonhar alto sobre o futuro de nossas filhas, ou mesmo que não devamos incentivá-las a sonhar alto sobre o seu próprio futuro. Que garotinha com uma saia de tule e um par de sapatilhas não sonhou em dançar o *Quebra-Nozes*? O que gera preocupação na cultura de hoje é a seriedade por trás disso tudo. Vivemos tempos de incerteza financeira; de onde virão os recursos para pagar uma faculdade? O número de inscrições para o vestibular de vários cursos de faculdades conceituadas tem crescido, aumentando a concorrência por uma vaga. Noventa mil candidatos se inscreveram no processo seletivo da Vanderbilt University em 2009.

Apenas 1.600 foram aceitos. A fim de que nossas filhas possam competir nesse meio, não é necessário que comecemos a prepará-las desde já?

E quanto ao fracasso nas escolhas pessoais? Ter relações sexuais ainda implica o risco de gravidez ou DSTs, mas agora acrescentamos o HPV (papilomavírus humano), associado ao câncer cervical. Se não *nos certificarmos* de que ela se manterá virgem, pode acontecer de ela morrer? Jovens de 12 a 17 anos representavam 8% dos indivíduos em tratamento por abuso de drogas em 2006 e quase 50% dos usuários que admitiram ter inalado drogas que podem causar danos sérios e até morte.[7] Não é verdade que, se nossas filhas tomarem uma única decisão errada podemos perdê-las para sempre?

E quanto a sua alma? Há tantas opções de religião... Não precisamos garantir que ela não se desvie, por um momento sequer, da fé cristã? Não é essencial protegermos nossas meninas para que não se tornem delinquentes ou dançarinas exóticas?

Sua filha está sendo pressionada, mas você está sob pressão ainda mais intensa por causa dela. Não há margem para erro. Ela precisa acertar sempre, e a responsabilidade é *sua*.

Ou pelo menos é o que parece. Depois de certo ponto, minha tendência é discordar. É impossível ela não falhar em alguma área. E por quê? Muito daquilo que ela aprende sobre si mesma e sobre seu lugar no mundo é decorrente dos erros que comete, das escolhas infelizes que faz, das decisões imaturas, tomadas precipitadamente. Se ela não tiver permissão de fazer algumas escolhas pessoais agora e sofrer consequências que não coloquem sua vida em risco, só saberá como ser "comportada", e talvez, como "se destacar" ou "ser um sucesso" em alguma área. Mas não saberá o que a faz ser quem ela é como indivíduo. Se você nunca permitir que ela "fracasse", ela certamente fracassará.

Talvez seja mais difícil do que nunca a pré-adolescente descobrir quem ela é. Mas sua verdadeira identidade está dentro dela. Ela pode se tornar uma versão inconsciente e distorcida desse "eu" verdadeiro ou pode se tornar sua versão deliberadamente autêntica. Tendo em vista o estado atual da sociedade, você é a melhor chance que sua filha tem de descobrir e vivenciar a própria identidade autêntica. Apesar de todas as outras vozes que competem pela atenção dela, a sua voz ainda é a que ela ouve mais claramente.

Não será assim para sempre. Você continuará a ter influência sobre sua filha quando ela entrar na adolescência, mas o exercício dessa influência envolverá muito mais conflito que na pré-adolescência. Por que não se aproximar dela agora, quando pode ser uma experiência tão positiva para vocês duas, antes que você se pegue dizendo o que a mãe de uma jovem adolescente disse para mim hoje cedo: “Nunca fui tão irritante com outro ser humano quanto sou com minha filha de 13 anos”. Se me lembro bem, ano passado essa mesma mãe comentou comigo que ela e filha tinham um excelente relacionamento.

Portanto, não espere.

Do Pai celestial

Estou convencida, especialmente depois de escrever os comentários para a *Bíblia da Garota de Fé*,[8] que a tônica de todo o evangelho é a autenticidade. É sério. Jesus fala da fé autêntica, dos verdadeiros adoradores que adoram em espírito e em verdade. Ele bate de frente com os fariseus por serem hipócritas, apresenta crianças, os seres humanos mais transparentes, como exemplos para todos nós. Ele nos diz, repetidamente, para encararmos a realidade, pois não há outro modo de sermos salvos. Volto a citar a passagem que você viu no começo deste capítulo: “Mas houve os que o quiseram de verdade, que acreditaram que ele era o que afirmava ser e que fez o que disse ter feito. Ele fez deles seu povo, os filhos de Deus” (Jo 1.11-12, MSG).

Você não precisa acreditar em mim quando eu digo que a autenticidade é essencial para sua filha pré-adolescente. Jesus se antecipou a mim muito tempo atrás: “O que conta é o que vocês são, não o que dizem e fazem. Isso se comprova por seus atos e palavras” (Lc 6.45, MSG).

O que dizem as minimulheres

Eu disse que ela precisava ser autêntica, que Deus a criou exatamente do jeito que ele quer que ela seja para as coisas que ele planejou para ela. O que ela disse em seguida me deu um aperto no coração: "Mas eu nem sei quem eu sou!".

Mãe de uma menina de 12 anos

Em João 3.6, ele nos diz: “O que nasce da carne é carne, mas o que nasce do Espírito é espírito”.

Seus ouvintes conheciam esse conceito. O salmista havia escrito séculos antes: “Ele, que forma o coração de todos, que conhece tudo o que fazem” (Sl 33.15).

Não creio que possamos negar que Deus colocou uma "identidade" em sua bebezinha muito antes de você conhecê-la. Assim, como mãe, é sua responsabilidade ajudá-la a fazer essa identidade aflorar e aceitá-la. Isaías, uma figura admirável por seu coração sincero e profético, se expressa em termos ainda mais enérgicos: "Ai daquele que contende com seu Criador, daquele que não passa de um caco entre os cacos no chão. Acaso o barro pode dizer ao oleiro: 'O que você está fazendo?'" (Is 45.9). Confesso que prefiro a forma como Dan Allender, um de meus autores cristãos de não ficção prediletos, expressa a mesma verdade: "Lemos nossos filhos do jeito que Deus os escreveu".[9]

É o que Deus diz. Resta, contudo, a pergunta: "O que isso significa *na prática?*". Você sabe que sua filha precisa ser autêntica, mas como Deus deseja que você a ajude a obter essa autenticidade? Apresentaremos uma série de sugestões para você analisar e experimentar. A meu ver, estas são as que vêm diretamente do Espírito.

Contente-se com quem ela é

Se ela não é uma gênia da matemática, tudo bem. Pode até ser que os melhores empregos do futuro exijam bons conhecimentos de aritmética, mas se não é a área dela, então não é. Na sua opinião, ela terá de ser menos introvertida para sobreviver aos desafios gigantescos do ensino médio? Não há meio de você transformá-la numa garota extrovertida, então nem tente. Você pode formar a base para que ela tenha interesse e consideração pelos outros (afinal, quando nascem, as crianças são completamente egocêntricas!), mas não pode "transformá-la" em nada que ela não seja. Ela é destinada por Deus para ter um jeito de ser. Não procure mudar esse jeito. Aprecie-o. Só não fazem parte dela as coisas que você sabe serem contrárias a Deus. "Abençoados são vocês, que se contentam com o que são — nem mais, nem menos", Jesus diz, em seu relato maravilhoso das bem-aventuranças. "Assim vocês se verão como os orgulhosos donos de tudo que não pode ser comprado" (Mt 5.5, MSG).

Dê-lhe oportunidades de servir, em vez de sempre ser servida

Você é motorista particular de sua filha. Ela tem acesso a todas as experiências que deseja e é protegida como uma princesa. Isso mostra que você é uma boa mãe. Também explica porque a presente era da educação dos filhos já se tornou conhecida como a Era dos Privilégios.[10] Você pode ser uma mãe ainda melhor se exigir, com regularidade, que ela ajude nas tarefas domésticas e assuma o compromisso de tratar os membros da família com respeito. Ou, ainda, se a incentivar a fazer coisas para os outros mesmo quando ela não é obrigada — coisas que não trazem benefício para ela. Pelo menos não à primeira vista.

"Quer se destacar?", Jesus pergunta. "Humilhe-se. Seja um servo. Se ficar inflado de orgulho, será arrastado pelo vento. Mas se estiver satisfeito em simplesmente ser você mesmo, você terá vida plena" (Mt 23.11-12, MSG). É quase impossível uma pessoa não ser genuína quando está ocupada em suprir a necessidade de outros. Sua filha não é jovem demais para ter essa experiência.

Ensine-a a deixar Jesus conduzir

Todos nós cristãos dizemos: "Jesus Cristo é o Senhor da minha vida". E depois, a maioria de nós vai e faz o que bem entende, ou o que o mundo espera, ou o que nos ajudará a sobreviver à próxima meia hora sem bater em alguém. Isso acontece, sem dúvida, porque nossa vida é ocupada, complicada e absolutamente frenética demais. Apesar de suas agendas lotadas, porém, as pré-adolescentes não precisam lidar com o mesmo grau de complexidade que nós. É muito mais simples para elas levar ao Senhor cada desafio que enfrentam e, depois, ver de forma clara como ele é resolvido. Gosto muito da seguinte passagem:

> Então Jesus disse aos seus discípulos: "Se alguém quiser acompanhar-me, negue-se a si mesmo, tome a sua cruz e siga-me. Pois quem quiser salvar a sua vida, a perderá, mas quem perder a sua vida por minha causa, a encontrará. Pois, que adiantará ao homem ganhar o mundo inteiro e perder a sua alma? Ou, o que o homem poderá dar em troca de sua alma?".
>
> MATEUS 16.24-26

Dê exemplo de adoração autêntica

Quando Jesus quis incentivar a mulher junto ao poço a ser autêntica, disse: "Está chegando a hora, e de fato já chegou, em que os verdadeiros adoradores adorarão o Pai em espírito e em verdade. São estes os adoradores que o Pai procura". E para o caso de ela não ter entendido (a maioria de nós não entende da primeira vez), acrescentou: "Deus é espírito, e é necessário que os seus adoradores o adorem em espírito e em verdade" (Jo 4.23-24).

Quando leio essas palavras, não visualizo uma manhã de domingo caótica, em que alguém precisa se certificar de que todos tomaram o café da manhã e estão devidamente vestidos antes de sair de casa e, a caminho da igreja, acalmar a discussão sobre quem não escovou os dentes ou não quer ir para a escola dominical, depois levar cada um para sua classe, onde vai prestar atenção em apenas metade da lição, pois ainda está relembrando a briga no carro e, em seguida, reunir toda a família para o culto do qual participa em piloto automático enquanto tenta impedir os filhos de rabiscarem nos hinários, enviarem mensagens de texto durante o sermão e cochilarem enquanto o coral canta. E essa é só a parte do seu marido.

É verdade que estou exagerando, mas todas as mães que frequentam alguma igreja reconhecem que sua "verdadeira adoração" é afetada pela inquietação, pelos cochichos e bocejos dos filhos. Em parte, é algo inevitável — crianças não são programadas para ficarem sentadas quietinhas (e, convenhamos, a maioria dos sermões não as leva em consideração). Em parte, porém, sua adoração é afetada por você ter de ficar o tempo todo vendo se seus filhos estão perturbando alguém. As pré-adolescentes raramente são as culpadas. Será que os mais novos não poderiam ficar no berçário (ou receber uma dose maciça de Dramin — brincadeirinha!) para que você e sua filha consigam ter, juntas, uma experiência de adoração?

Você consegue ser autêntica durante o culto? É do tipo que gosta de cantar a plenos pulmões? Gosta de levantar as mãos? Responde verbalmente às colocações que o pastor faz no sermão (desde que não seja dizendo: "Mentira, irmão!")? Ou prefere o silêncio reverente, mãos dobradas, lábios apenas sussurrando? Seja qual for o seu estilo natural de adoração na casa do Senhor, é isso que sua filha precisa ver, não para copiar, mas para saber que é bom e agradável ser você mesma enquanto adora a Deus.

Em contrapartida, se adoração autêntica significar só levar as crianças menores para o culto quando se mostrarem maduras o suficiente para participar com os adultos, a formação espiritual delas será tolhida. Se for preciso abrir mão de alguns compromissos na igreja para que você possa se concentrar em louvar, orar e se reabastecer espiritualmente, saiba que o mundo não vai acabar. Falando sério: se sua filha não tem a oportunidade de ser autêntica diante de Deus, como podemos esperar que ela o seja na frente de pessoas que não a amam incondicionalmente como Deus a ama? A meu ver, trata-se de uma prioridade.

O que dizem as minimulheres

A coisa mais importante que minha mãe me ensinou foi amar a Deus e me relacionar com ele. Meus pais sempre me incentivaram nessa área e eu sei que preciso dar mais valor, pois nem todo mundo tem pais cristãos. Para quem não tem, a vida pode ser mais complicada.

12 ANOS

Leve a sério as dúvidas e perguntas de sua filha

Eu sei que é fácil imaginar que, se as doutrinarmos na fé agora e lhe dermos um fundamento sólido e seguro, elas jamais vacilarão. Para algumas mães, isso significa não expor as filhas a qualquer outra religião, certificar-se de que tenham apenas amigos cristãos, participar somente de atividades da igreja e fazer qualquer sacrifício para que frequentem uma escola cristã. Nada disso é prejudicial em si. Certamente queremos que nossas meninas conheçam Jesus Cristo, o amem, o sirvam e o sigam.

O que me incomoda é ouvir meninas dizerem: "Tem algum problema eu imaginar, às vezes, se Deus está presente de verdade? É que eu tenho medo de perguntar pra minha mãe". Será que alguma de nós pode afirmar, com sinceridade, que nunca se afligiu com um relacionamento que não deu certo, ou que nunca se entristeceu com a perda aparentemente prematura de um ente querido, ou que nunca ninou um bebê que não parava de berrar e pensou: "*Onde* o Senhor está, Deus? Perdeu meu endereço?". Quando Deus responde num murmúrio tranquilo e suave: "Estou aqui. Do que você precisa?", nossa fé é fortalecida muito além da repetição do credo. Duvidar e questionar são parte integrante do crescimento na fé, e o mesmo se aplica a nossas filhas.

A meu ver, funciona da seguinte forma:

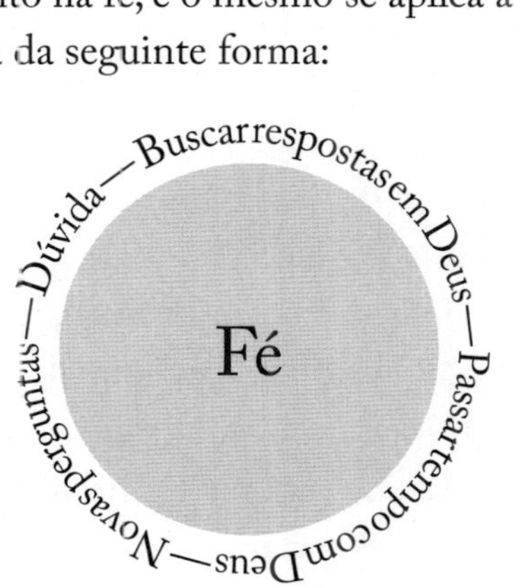

Uma vez que você tem fé, passa tempo com Deus. Enquanto interage com ele ao orar, ler a Bíblia e meditar sobre suas experiências e como elas se alinham, ou não, com aquilo que você pensa que sabe a respeito de Deus, perguntas surgem. Por que coisas ruins acontecem mesmo quando sou extremamente fiel? Por que algumas pessoas escapam impunes até dos piores crimes? Por que Deus diz que não passo de pó, levado pelo vento e, logo em seguida, afirma que o universo me pertence? É natural que essas perguntas gerem dúvida. Você deseja que a dúvida seja esclarecida, de modo que passa mais tempo com Deus, em busca das respostas. Quando você as encontra, tem ainda mais fé, o que a leva a passar mais tempo com Deus, o que resulta em perguntas mais profundas e dúvidas mais perturbadoras, seguidas de respostas mais espantosas, e uma fé que se torna mais firme a cada nova indagação.

Talvez você proteste: "*Eu* posso fazer isso. Sou *adulta*. Mas quem garante que minha filha não vai se desviar por algum caminho tortuoso nesse processo de questionamento?".

Primeiro, ninguém disse que ela deve fazê-lo sozinha. Você será responsável por ensinar aquilo que a manterá firme ao longo do processo: conversar com Deus em oração. Aprender a ler a Bíblia. Adorar de forma genuína. E receber o acompanhamento de conselheiros, como você. Se você permitir, será a pessoa que ela procurará quando as perguntas e dúvidas surgirem. Poderá assegurá-la de que a dúvida não é o oposto da fé, mas parte importante dela. Será a pessoa que se recusará a julgá-la e a ter um chilique quando ela perguntar: "Jesus ressuscitou mesmo? De verdade?". Será a pessoa que responderá, sem espanto: "Sim, de verdade. Mas por que a pergunta?".

Quem sustentará isso tudo, obviamente, será Deus. Lembra-se do pai que procurou Jesus e pediu que ele curasse seu filho que tinha convulsões desde pequeno? Ele próprio sofria de certa medida de dúvida: "Mas, se podes fazer alguma coisa, tem compaixão de nós e ajuda-nos" (Mc 9.22).

"Se podes?", disse Jesus. "Tudo é possível àquele que crê" (v. 23). Ao que o pai respondeu: "Creio, ajuda-me a vencer a minha incredulidade" (v. 24).

Você pode mostrar a sua filha que Deus entende suas perguntas e dúvidas e a ajudará a lidar com elas. Se você não o fizer, se ficar horrorizada com qualquer coisa que fique aquém de uma fé inabalável em todas as circunstâncias, uma de duas coisas acontecerá:

1. Ela concluirá que ter dúvida a torna uma pessoa má, de modo que é melhor abandonar o cristianismo, o que ela fará assim que sair de casa.
2. Ela varrerá as dúvidas para debaixo do tapete e só conhecerá uma versão rígida de "fé" que mantém Deus e a alegria bem afastados um do outro.

Não é preciso dizer que tanto você quanto Deus querem algo mais para sua menina querida.

O que dizem as minimulheres

Minha mãe me ensinou uma porção de coisas sobre Deus e sua Palavra. Até mesmo coisas que ela não fala eu aprendi com ela, tipo ouvir Deus.

10 ANOS

E você?

Antes de passarmos à elaboração de um plano para colocar os itens acima em prática, paremos alguns minutos e voltemos a atenção para você e para o ponto em que você se encontra na jornada em busca de sua verdadeira identidade. Não se trata de determinar se você é uma vigarista descarada e, portanto, completamente inadequada para ensinar qualquer coisa sobre autenticidade a sua filha. A meu ver, trata-se mais de descobrir quão genuína você é e o que tem a oferecer à minimulher que convive com você todos os dias. Fico sempre surpresa como me tornei mais "eu mesma" sem perceber, e tenho a impressão de que você descobrirá algo parecido. Estamos falando de afirmação, senhoras, e não de condenação. (Com essa trave no meu olho, não posso falar do cisco no olho de ninguém.)

Eu sei que você provavelmente não tem tempo para escrever respostas dissertativas. Em contrapartida, não quero oferecer um daqueles testes de revista em que você escolhe *a*, *b*, *c* ou *d* e depois lê um parágrafo que lhe diz que tipo de amiga, mãe, cozinheira ou cristã você é. A ideia é *não* colocar rótulos, certo? Portanto, desejo apenas apresentar algumas questões para você refletir. Elas podem se tornar parte do seu tempo devocional com Deus (você conseguiu espremer alguns minutos devocionais entre uma atividade diária e outra, não?). Se você gosta de manter um diário, estas questões podem ser tópicos para anotações. Ou, em vez de tentar colocar os seus telefonemas em dia, você pode simplesmente pensar a respeito delas enquanto espera sua filha sair do treino de vôlei, da aula de piano, do ensaio de teatro. Se você é uma típica extrovertida, que só consegue dar forma completa às ideias quando as expressa verbalmente (muitas vezes eu me encaixo nessa categoria), pode usar as questões como tópicos para discussão com outras mães em quem você confia. Qualquer que seja sua abordagem, espero que estas questões a conduzam a uma consciência clara do papel da sua autenticidade na educação de sua filha pré-adolescente.

- Em se tratando dos próprios filhos, você acredita que as mulheres possuem certa sabedoria especial? Que conhecem, instintivamente, a verdadeira identidade de suas filhas, mesmo que não corresponda ao que elas querem que as filhas sejam? Você experimenta esse tipo de sabedoria dentro de você, dando-lhe força e poder para educar sua filha de modo autêntico? Não obstante o que qualquer outra pessoa lhe diga, você tem essa experiência?
- Você tem aplicado a sua filha a sabedoria descrita acima? Aceita quem ela é ou tenta mudá-la de acordo com quem você acha que ela precisa ser para ter sucesso neste mundo? Sabe que, com a personalidade natural dela, será difícil ela se encaixar nos padrões, de modo que procura mudá-la para facilitar a vida dela? Ou procura maneiras de ajudá-la a ser quem ela é e, ainda assim, sentir que tem um lugar no mundo?
- Você separa tempo para cultivar seus próprios interesses? Cria espaço na agenda para ter momentos a sós com Deus? Faz questão de ter sua identidade respeitada? Ou está sempre disponível para atender a qualquer pedido? Planeja mais uma atividade para sua filha na hora do estudo bíblico que seria tão proveitoso para você? Pega-se desejando ir ao banheiro sem que alguém bata à porta e pergunte se você pode levá-la à casa da amiga? Pega-se desejando comprar uma passagem só de ida para as Ilhas Caimã só para poder pensar sossegadamente?
- Você se se esforça ao extremo para ser a mãe perfeita? Isso a faz sentir-se longe da perfeição e sempre aquém do ideal? Frustra-se com sua filha porque ela não permite que você seja a mãe perfeita? Ou aprende com seus erros? Permite-se ser humana? Não deixa que seus filhos a critiquem por não ser uma mãe infinitamente paciente, gentil e compreensiva quando eles são responsáveis por tirar você do sério?

• Se alguém lhe pedisse (como estou fazendo agora) para relatar algum episódio recente de sua filha que resumisse quem ela é, que episódio você escolheria? Teria prazer em contar essa história? Ela encheria seus olhos de lágrimas? Traria dor ao coração? Daria vontade de abraçá-la?

• Se você pedisse a sua filha para relatar um episódio recente seu que resumisse quem você é, ela seria capaz de fazê-lo? Ela conhece você bem o suficiente? Que episódio ela escolheria? Desafio você a perguntar para ela.

Está vendo como você é uma mãe incrível e como pode se tornar ainda mais incrível ao ser autêntica? Sua jornada é um exemplo para sua filha. Descobrir continuamente sua verdadeira identidade e vivenciá-la da melhor maneira possível é o modo mais eficaz de garantir que sua filha fará o mesmo.

Mãos à obra

É provável que eu repita a mesma coisa não menos que cinquenta vezes ao longo deste livro: não cabe a mim lhe dizer como ser a melhor mãe possível para sua filha pré-adolescente. Posso apenas oferecer alguns meios concretos de desenvolver abordagens que funcionem para vocês duas.

Usando o que foi dito acima, eis as sugestões que elaborei para conduzir sua minimulher à verdadeira identidade dela.

Dê-lhe espaço e tempo para refletir, experimentar e testar quem ela é

Você talvez imagine que precisa de um programa de computador que lhe ajude a entender quando o número de atividades extracurriculares de sua filha passou da conta, quais atividades contribuem para que ela se autodescubra, quais a deixam estressada, quais a ajudam socialmente e quais se encaixam na categoria de "porque todo mundo faz". Além do mais, há muitas oportunidades incríveis para as meninas hoje em dia, desde cursos que as ensinam a compor suas próprias canções até equipes esportivas que jogam em campeonatos nacionais e internacionais. E se, por sua causa, ela deixar de participar de algo extraordinário?

Na verdade, o único "programa" do qual você precisa é aquilo que você sabe sobre sua menina. Algumas se dão muito bem com uma agenda cheia, embora, ainda assim, eu aconselhe deixar pelo menos duas tardes livres por semana. Algumas definem logo que desejam se concentrar numa só atividade e se empenhar nela ao máximo. Outras simplesmente precisam de um bocado de tempo livre. Tome decisões de acordo com aquilo que você sabe. Procure não deixar as escolhas de outras mães determinarem como você e sua filha organizarão o tempo que ela tem antes ou depois da escola. (*Você* não precisa mais seguir a onda do resto da turma!)

Quando sua filha tiver tempo para refletir, faça todo o necessário para garantir que ela tenha privacidade. Seja sincera: você não gostaria de ter uma horinha livre para pensar sobre os acontecimentos do dia sem ouvir alguém gritar: "Vamos logo! A gente vai se atrasar!"?

Não a rotule

Nós, cristãos, somos extremamente culpados de rotular as pessoas com os testes de temperamento que fazemos nos grupos de estudo da igreja. "Ah, ela é fleumática. Não perde a calma com facilidade". "A minha filha é melancólica. Chora por qualquer motivo". Classificação de Myers-Briggs, Eneagrama de Personalidade, teste dos dons espirituais, aquela dinâmica em que você se compara a um animal, uma cor e sei lá o que mais. Tudo isso pode ser útil para trabalhar em equipe e conviver bem com adultos, e até mesmo para ajudar seus filhos a estudar para provas e fazer lição de casa. Mas meninas de 8 a 12 anos de idade, embora tenham uma natureza específica, ainda não a desenvolveram plenamente. É possível que ela seja espirituosa e tenha dado trabalho para os pais desde a sala de parto, mas dizer para ela: "Você é colérica, e isso significa... (para ser sincera, nunca entendi muito bem *o que* isso significa)", diminui consideravelmente a probabilidade de ela explorar *todos* os aspectos de sua identidade. Os "tipos" de personalidade são ferramentas úteis, e não rótulos que indicam o conteúdo de nossa alma. Nós, seres humanos, somos ricos e complexos demais para ser definidos com uma só palavra.

Ajude-a a se expressar corretamente

O fato de ela nem sempre saber como se expressar dá a você a oportunidade de ajudá-la a descobrir o que ela quer dizer, e a dizê-lo com palavras que curem em vez de magoar, levem as pessoas a se abrir em vez de se fechar, resolvam problemas em vez de transformá-los em incidentes internacionais. A ideia é ajuda-la a encontrar sua voz. Se ela costuma gritar quando é contrariada, vocês podem pensar juntas numa forma de ela apresentar sua argumentação sem criar caso com todos num raio de 100 metros. Se ela costuma emburrar, você pode ajudá-la a desamuar-se e pode mostrar que não há perigo em dizer o que está sentindo. Talvez ela nem faça ideia do que está sentindo e, muito menos, saiba como se expressar de forma produtiva. É aí que você entra em cena.

Uma das áreas em que eu acertei como mãe de uma pré-adolescente foi no modo de lidar com as crises de Marijean. Eu dizia: "Tudo bem, vamos descobrir o que está acontecendo". A meu ver, se eu conseguisse ensiná-la a identificar seus sentimentos e falar deles, em vez de descontar em quem estivesse ao alcance de sua língua, poderia ajudá-la a descobrir quem ela era *de fato*. Parece ter dado certo. Funcionava da seguinte forma: "Então quer dizer que a sra. Luzzie é idiota, todo mundo na sua classe é idiota e, pelo jeito, *eu* sou idiota porque a obrigo a ir pra escola. Como é bem provável que nada disso seja verdade" — pausa para ela fazer que sim com a cabeça, talvez de modo relutante — "será que aconteceu alguma coisa hoje que fez *você* se sentir idiota?". Normalmente, a pergunta desencadeava um dilúvio de lágrimas, algo preferível às crises quase apoplética de antes, e dava início a um esforço conjunto para determinar como ela poderia lidar com sua idiotice imaginária e tocar o bonde.

Tudo bem que Marijean era filha única. Em contrapartida, eu lecionava, dirigia um curso de teatro para crianças e procurava fazer decolar minha carreira de escritora. Usar essa abordagem com ela tomava um tempo que eu parecia não ter. Mas eu criava tempo. Eu *não* criava tempo para outras coisas, como lavar roupa, cozinhar refeições esplendorosas ou corrigir trabalhos de escola na mesma semana em que eram entregues. O dia tem um número limitado de horas. Reservar algumas delas para ajudar sua filha a encontrar sua voz me parece um bom emprego do tempo.

Quando ela se expressar de forma autêntica, ouça

Parece simples. Se ela é como muitas pré-adolescentes (inclusive a minha), ela nunca *para* de falar. Você não tem opção senão ouvi-la, certo? Na verdade, acho que a maioria de nós, mães, sabe muito bem como *não* prestar atenção. Ainda hoje, acontece de minha filha adulta me telefonar enquanto estou trabalhando e de eu me pegar respondendo: "Ã-hã. Verdade. Que coisa", sem fazer ideia do que ela está dizendo. Muitas vezes ligamos o piloto automático para manter a sanidade.

E, no entanto, não parece que temos um radar que chama nossa atenção quando nossas filhas dizem algo naquele tom de "estou com problemas"?

Você não tem a forte sensação de que precisa apertar o botão de pausa em tudo e descobrir o que está acontecendo? É nesses momentos que sua filha lhe mostra quem ela é, pela maneira como lida com o estresse, reage à mágoa e encara os problemas. Então você descobre que educá-la não consiste exclusivamente em criar regras e aplicá-las, embora também seja necessário fazê-lo. Antes, consiste em perceber quem ela é e instruí-la de maneira coerente com sua personalidade. Ela está lhe oferecendo um vislumbre de sua verdadeira identidade. Não o deixe passar despercebido.

Deixe-a errar

Pode ser que você resolva parar de ler por aqui, mas estou contando com a possibilidade de que você acompanhará meu argumento até o final. Conversamos sobre a falácia de que o *fracasso é inaceitável*. Você pode dar espaço para sua filha errar de maneiras que não a colocarão em perigo e talvez a manterão afastada dele no futuro.

Falemos primeiro sobre a diferença entre "proteger" e "esconder".

Proteger significa proporcionar um ambiente seguro. É cuidar para que ela se alimente bem e se vista de forma apropriada, de acordo com o clima, para não adoecer com facilidade. É não deixar que ela ande sozinha pelo shopping. É monitorar seu acesso à internet. É não permitir que os irmãos a machuquem com suas brincadeiras de meninos. A proteção nasce de seu amor profundo por ela e do desejo de que ela cresça forte e saudável.

Esconder é algo bem diferente. É impedi-la de entrar em contato com algo que lhe permita vislumbrar um caminho diferente daquele que você decidiu que ela deve seguir a todo custo. É ler todos os livros pelos quais ela se interessa antes mesmo de ela os abrir. É proibi-la de assistir a um filme, ouvir uma música ou acompanhar um programa de televisão que não tenha conteúdo explicitamente cristão. (Por acaso *existem* programas de TV com conteúdo cristão?) É exigir que ela mantenha a porta do quarto sempre aberta. É dizer para ela que não deve pensar em meninos antes de completar 18 anos.

Mães que escolhem esta segunda abordagem amam seus filhos intensamente. Seria ótimo se todos nós tivéssemos vindo de famílias nas quais a mãe se preocupava de modo tão impecável. As decisões dessa abordagem, porém, não nascem do amor, mas sim do medo. Embora educar filhos certamente seja uma tarefa assustadora, jamais deve ser norteada pelo medo de que um passo em falso acabe com a vida do filho, talvez por toda a eternidade.

Se você é uma mãe que escolhe esconder os filhos, talvez fique horrorizada com o que estou prestes a sugerir, mas peço encarecidamente que pelo menos ore a esse respeito, como uma possibilidade. É o seguinte: quando sua filha estava aprendendo a andar, você não a levantava cada vez que ela caía sentada em seu pequeno traseiro bem acolchoado pela fralda. Não dizia para ela: "Não solte da mesa ou você vai cair". Ela precisava tentar, cair e se levantar para tentar outra vez e, por fim, andar para a frente.

E ainda precisa.

Isso não significa que você deve dar de ombros e dizer: "Faça o que quiser, mas depois não venha chorar no meu colo se não der certo". Significa que quando as consequências de uma decisão infeliz não forem catastróficas, mas criarem uma oportunidade de aprendizado, você pode alertá-la: "Se você tratar sua amiga desse jeito hoje, é provável que ela não queira mais ter amizade com você amanhã" e deixá-la fazer a própria escolha. Talvez acabe em choro, mas quem neste mundo cresceu sem derramar pelo menos algumas lágrimas?

Também pode avisar: "Não vou ficar vigiando você para saber se terminou a lição de casa. A decisão é sua, mas se você não terminá-la, não vai à festa na casa da sua colega amanhã", e depois cumprir a promessa. Na segunda-feira de manhã, quando ela ficar sabendo que a festa foi o máximo, terminar lição de casa parecerá um sacrifício pequeno a ser feito para voltar a ficar com o resto da turma.

Cabe a você, evidentemente, identificar quais decisões é apropriado deixar nas mãos dela e quais você deve tomar. Quando minha filha tinha apenas 2 anos e eu estava cansada de discutir com ela o tempo todo (ela nunca fazia birra, mas questionava tudo), uma amiga minha que trabalhava na área de aconselhamento me mostrou uma técnica que usei com Marijean até o final do ensino médio.

Meu marido, Jim, e eu fizemos um cartaz no qual havia um quadro. Dentro do quadro, anotamos todas as coisas sobre as quais nem adiantava Marijean discutir, pois já haviam sido determinadas. Como ela não sabia ler, fizemos um desenho ao lado de cada item. Eram coisas do tipo: "Ir para a cama às 19h30", "Sentar-se à mesa enquanto come. Se você se levantar, é porque já terminou. Ponto-final". "Dizer 'por favor' e 'obrigada'". "Perguntar 'Por quê?', em vez dizer 'Não' quando a mandamos fazer algo". Era um quadro bem grande. Mas também havia espaço do lado de fora. Ali, ela podia colocar os itens que se referiam às suas decisões. Com qual brinquedo iria brincar. Qual, dentre três opções de roupas que mamãe havia colocado sobre a cama, iria vestir. Qual história iria ouvir antes de dormir.

Na maior parte do tempo, funcionava bem. Só precisávamos dizer: "Acho que isso está dentro do quadro" e, passados alguns minutos, as reclamações paravam. Ela também ficava satisfeita consigo mesma por poder fazer algumas escolhas. Acabou aquela história de "Eu quero este; quer dizer, aquele. Não, eu quero *aquele ali*!". "Foi você que escolheu, filha. Não tem mais conversa".

À medida que Marijean foi crescendo, o quadro foi diminuindo. Refazíamos o cartaz sempre que nos parecia apropriado, até não precisarmos mais dos desenhos, mas apenas da ideia de que algumas coisas ainda estavam em nossas mãos, enquanto outras cabiam a ela, plenamente ciente de que todas as decisões têm consequências, e não podemos culpar ninguém por elas.

Ao longo dos anos, Marijean e eu conversamos sobre o fato de que algumas meninas pareciam não ter um quadro desse tipo. Simplesmente passavam por cima dos pais, causando problemas a si mesmas e a outros. O potencial de uma vida livre e feliz era inexistente. Em contrapartida, outras meninas, não obstante a idade delas, tinham um quadro que ocupava o cartaz inteiro. É interessante como elas também causavam problemas a si mesmas e a outros, sem a possibilidade de experimentar uma jornada autêntica. Procuro não contar vantagem do nosso método, mas garanto que funciona.

As rédeas continuam em suas mãos. Você ainda pode intervir se as consequências de uma decisão que ela tomou ameaçarem ficar feias. Você é como a instrutora de autoescola que entrega a direção para a aluna, não interfere quando ela deixa o carro morrer e a observa enquanto ela derruba algumas balizas na hora de estacionar. No entanto, não a leva para dirigir na rodovia interestadual enquanto ela não está preparada, e está sempre pronta para colocar a mão no volante ou pisar no freio adicional no seu lado do carro. No devido tempo, bem mais adiante, deixa que ela dirija sozinha. Esse momento, contudo, nunca chegará se ela só ficar dando voltas dentro de um estacionamento.

Entenda que algumas das características de sua filha que mais irritam você agora podem se tornar as maiores virtudes dela no futuro

Ela questiona tudo o que você diz? É possível colocar limites (veja o diagrama apresentado anteriormente), mas não a reprima por completo. Talvez ela esteja a caminho de se tornar uma excelente oradora, ou uma advogada (para sustentar você em sua velhice). Ela tem uma opinião formada sobre todos os assuntos? Você pode ensiná-la a se expressar de modo apropriado, mas não há motivo para impedi-la de ter suas próprias ideias. Quem sabe ela está destinada a ser uma socióloga? Ela passa horas a fio sonhando acordada quando deveria estar arrumando a mesa? Claro que você deve orientá-la a cumprir suas responsabilidades, mas providencie para que ela tenha tempo reservado para sonhar. Grandes realizações sempre começam com grandes visões.

Acima de tudo, curta sua filha

A melhor maneira de instilar amor pela verdadeira identidade dela é simplesmente lhe mostrar que ela é verdadeiramente amada. Que você a valoriza. Que tem prazer em quem ela é, seja como for. Claro que você não vai rir de satisfação quando ela bater a porta do quarto porque você disse que não lhe dará um iPhone. Mas há momentos de sobra, provavelmente a maior parte do tempo, em que ela não se comporta como estagiária da Bruxa Perversa. É nesses momentos que você pode lhe mostrar quanta alegria ela lhe proporciona, não em função de algo que fez para "merecer" isso, mas simplesmente porque é sua filha.

Na pré-adolescência, ela experimenta certa medida de autoconfiança, talvez até o espírito de aventura típico de sua idade. Aproveite. Divirta-se em conhecê-la. Observe, ouça, reflita, procure entender quem Deus a criou para ser. E curta esse processo. Pura e simplesmente.

Para dar um exemplo, algumas das discussões que você terá com sua filha ao longo dos anos serão pesadas, mas a pergunta: "Quem você é de fato?" pode ser uma das mais leves de se explorar.

Que tal, numa dessas tardes que você passa levando e buscando os filhos de carro, você e sua minimulher perguntarem uma à outra:

- Se você fosse um cachorro, que raça seria? (Não a raça que você gostaria de ser, mas a que corresponde melhor a sua personalidade.)
- Se o papai fosse o *chef* de um restaurante, que prato você pediria ao garçom, para que o papai soubesse que foi você quem pediu?
- Que cor expressa melhor suas características pessoais?
- Se você pudesse fazer uma pergunta específica para Deus responder em voz alta, o que perguntaria?

A única regra nessa brincadeira é que ninguém pode dizer coisas do tipo: "Eu não acho que você seja um labrador. Acho que está mais para um chihuahua". O objetivo é descobrir o que sua filha sabe a respeito de si mesma. A diversão está nas surpresas.

Curta. Sim, curta.

Senhor, preencha a lacuna

Senhor Deus, obrigada por ter criado minha filha exatamente como o Senhor quer que ela seja. Ajude-me a entender a identidade que o Senhor planejou para ela. Guie-me para que eu possa conduzi-la rumo a essa identidade. Sei que não posso fazer isso por ela; portanto, por favor, preencha a lacuna entre aquilo que ela precisa para ser autêntica e aquilo que eu tenho a oferecer.

Muita obrigada, Deus. Graças sejam dadas ao Senhor. Amém.

2 *Sua filha é ela mesma ou é você?*

Ele [Jesus] perguntou: "Por que vocês estavam me procurando? Não sabiam que eu devia estar na casa de meu Pai?" Mas eles não compreenderam o que lhes dizia.

LUCAS 2.49-50

Perto do aniversário da filha, seria legal se ela e a mãe tivessem um dia só pras duas. As mães deviam fazer isso sempre, pra conhecer a filha.

10 ANOS

Quando Marijean tinha 8 anos, ela e eu visitamos uma amiga minha que não víamos desde que Marijean era bem pequena. Minha amiga e eu observamos enquanto Marijean interagia com as outras crianças. Depois de apenas uma hora, minha amiga se virou e me disse algo que fez meu mundo de mãe estremecer: "Ela tem os seus modos", ela disse, "mas tem o jeitão do Jim".

Pronto. Eu havia moldado, formado, burilado e refinado minha filha, e ainda assim ela estava se saindo igual ao pai.

Não me entenda mal. Não tem nada de errado em ser igual a Jim Rue. Tanto ele quanto Marijean são pessoas intensas, obstinadas, generosas e vigorosas que nunca deixam você em dúvida sobre o que pensam a seu respeito. Não existem dois indivíduos mais leais, fascinantemente comunicativos e cheios de amor pela vida. Quando estou com eles, sempre tenho motivo para rir, e quando ocorre uma crise, são as pessoas ideais para se ter por perto, pois assumem o controle da situação antes mesmo de o socorro chegar.

Contudo, o tempo tem mostrado que Marijean não puxou tudo do pai, nem é exatamente igual a mim. É ela mesma. Em vários sentidos, é uma combinação de seus pais, mas, em muitos outros, é absolutamente singular. Nem Jim nem eu temos sua facilidade de recuperação. Seu senso de humor cômico é diferente do nosso. E *onde* foi que ela aprendeu a lidar tão bem com finanças? Ela não é uma fotocópia dos pais.

Nenhuma filha é.

E, no entanto, muitas vezes tentamos educá-las como se fossem nossas miniaturas. Quer me acompanhar e ver como isso acontece?

Vamos esclarecer: ela não é você

Esse fato fica evidente logo cedo

Você sabe quem sua filha é desde as primeiras semanas da vida. Mal ela havia saído do ventre e deixou claro se gostava de se aninhar junto de você ou se preferia ficar na dela. Só levou alguns dias para perceber se ela seria sensível a ruídos altos ou se continuaria a dormir tranquilamente durante os fogos e rojões de Ano-Novo. Quando ela havia completado um mês, você já dizia coisas do tipo: "Vai ser geniosa" ou "É uma garotinha sossegada". Embora sua mãe talvez tenha afirmado que, quando bebê, você era exatamente igual a sua filha recém-nascida, não é verdade. Se você tem mais de um filho, sabe que cada bebê é diferente. E não apenas de todos os outros bebês, mas de todos os adultos também, inclusive de você.

Lembro-me de Marijean em seu segundo dia de vida, deitada nas pernas de Jim, encarando-nos com seriedade, uma pequena ruga entre suas sobrancelhas, olhos cheios de suspeita, como se quisesse dizer: "Se as coisas não melhorarem um bocado por aqui, eu volto para o lugar de onde vim. Não tô brincando".

Foi nosso primeiro vislumbre de sua intensidade, impossível de ignorar até hoje. A personalidade básica já está presente antes do nascimento em todos os bebês, e não tem nada a ver com qualquer coisa que você tenha feito ou deixado de fazer. Não importa se você ouviu música clássica, sertaneja ou jazz durante a gestação. Sua filha é quem ela é. E ela não é você.

Contudo, a personalidade da mãe influencia, de forma instintiva, o modo como ela educará a filha

Na infância, eu queria agradar todo mundo. Essa é uma característica de minha personalidade com a qual às vezes ainda tenho dificuldade de lidar. Elogios, aprovação e a ameaça de ser envergonhada eram instrumentos que "funcionavam" para me educar. Pelo menos essa abordagem me manteve no caminho certo e evitou que eu desse qualquer trabalho para minha mãe durante a pré-adolescência. Em retrospectiva, devo ter sido uma criança extremamente fácil de educar. Dei moleza demais para minha mãe.

Nada mais natural, portanto, do que imaginar que essa mesma abordagem funcionaria para minha filha. Até parece! Quando Marijean estava com 2 anos, eu já me perguntava: "Por que elogios e aprovação não a motivam? Por que ela precisa ter a última palavra (sim, aos 2 anos de idade) quando sabe que vai me dar vontade de jogá-la no vaso sanitário e apertar a descarga? Por que ela não se preocupa em agradar os outros?". Eu detestava essa característica de minha personalidade, mas seria *muito mais fácil* se, só de pensar na minha cara feia, ela se afastasse da parede e desistisse de rabiscá-la com o giz de cera.

Porém, quando ela completou 8 anos, minhas dúvidas se multiplicaram: "Por que ela não se preocupa com o que as colegas de escola pensam dela? Por que nem se abala com uma nota baixa na lição de casa? Como pode ouvir um dos meus sermões intermináveis e *ainda assim* dizer: 'Tá, mãe, mas isso não significa que você tenha razão'?".

Eu sabia que a forma de educar que havia funcionado para mim não era apropriada para ela. Mas além disso, o que mais eu sabia? Não conseguia entender alguém que não era motivado pela promessa de aprovação e pela ameaça de vergonha.

Pode ser que sua filha seja do tipo que faria qualquer malabarismo (talvez literalmente) para receber uma palavra de afirmação e, no entanto, você não distribui elogios, pois você mesma não sente muita necessidade de recebê-los. Talvez sua menina se saia melhor quando as regras são claramente definidas, registradas por escrito em três vias com firma reconhecida, enquanto você prefere improvisar. Isso não significa que você deva se tornar parecida com ela para educá-la bem. A meu ver, você só precisa entender qual método funciona para ela e, de algum modo, aplicá-lo usando suas características pessoais. Não entre em pânico. Darei sugestões em breve. Por ora, basta saber que ela reagirá melhor a um estilo de educação que leve a personalidade dela em consideração.

Mesmo que ela seja muito parecida com você, não é uma extensão sua

Você conhece o livro *A irmandade das calças viajantes*, que depois virou um filme?[1] Trata-se de um grupo de amigas adolescentes muito chegadas que compram um par de jeans que cai perfeitamente bem em todas elas, embora cada uma tenha um tipo físico bem diferente da outra (claro que é uma obra de ficção!). É assim que vejo a filha que dá a impressão de ser muito parecida com a mãe. É possível que ela tenha algumas de suas características: sua generosidade, seu sarcasmo mordaz, sua paixão por tudo o que é cor-de-rosa e cheio de fru-frus, sua maneira pragmática de encarar quase tudo na vida. Mas mesmo essas características adquirem um novo aspecto na personalidade dela. São igualmente fabulosas, mas diferentes.

Por exemplo, tanto Marijean quanto eu somos apaixonadas por crianças e, por algum motivo, elas também parecem gostar de nós. Contudo, quando eu vejo um bebê, fico toda boba e começo a gorgolejar, soltar gritinhos, e a falar que nem bebê — uma manifestação ridícula à qual nenhuma criança com respeito próprio deveria reagir. E, no entanto, elas respondem com seus próprios gorgolejos e gritinhos. Marijean, em contrapartida, sempre conversa com bebês no mesmo tom de voz e com a mesma expressão facial que apresenta quando fala com adultos. "E aí, cara?", ela pergunta a um garotinho, como se os dois tivessem feito faculdade juntos, e ele abre um sorriso cheio de baba de uma orelha à outra. Vai entender.

Talvez você e sua filha compartilhem uma espiritualidade profunda que ela expressa ao fazer todos os gestos da canção "O Senhor tem muitos filhos", enquanto você aproveita cada momento de sossego para meditar em silêncio. Talvez vocês sejam extremamente parecidas em termos de inteligência, mas ela tenha facilidade para matemática, enquanto você sabe tudo de história.

Claro que muitas dessas "semelhanças diferentes" se devem à idade. Sua filha talvez se torne advogada, ativista social ou líder na igreja como você, por causa das características que vocês têm em comum, mas é evidente que não demonstrará tais características dessa forma aos 10 anos de idade. Outras variações se devem à diferença de gerações. Sua geração, por exemplo, focalizava mais a realização individual, enquanto a geração de sua filha tem mais tendência a desenvolver os trabalhos em equipe, realizar esforços conjuntos e criar comunidades.

Não obstante o motivo, qualquer característica dela que faça você se lembrar vagamente de si mesma terá, sem dúvida, um aspecto singular. Da mesma forma, quando ela ficar mais velha e começar a tomar emprestadas suas roupas, você se perguntará se elas têm o mesmo caimento em você. (Só um aviso: elas *não* têm. Quem sabe é melhor manter sua filha afastada do seu guarda-roupas.)

O que dizem as minimulheres

Queria que minha mãe entendesse quem eu sou e o que eu visto e faço — coisas desse tipo.

10 ANOS

Em nenhum outro momento as diferenças entre mãe e filha ficam mais evidentes que na hora de comprar roupas

Tudo bem, eu sei que é óbvio.

Pode ser que você seja abençoada por ter uma filha que adora tudo o que você escolhe, ou concorda com todos os seus gostos porque quer agradar você.

Para todas as outras mães que não têm essa felicidade, fazer compras pode ser uma experiência que vai desde negociações cuidadosas até conflitos armados. Isso porque as roupas que sua filha veste expressam a personalidade dela, e ela escolhe seus trajes de acordo com esse fato mesmo antes de ter consciência dele. E por que ela deveria ser diferente de você nesse sentido? Quantas vezes você mesma não saiu às compras com uma amiga que lhe mostrou uma roupa e lhe perguntou: "Que tal este?", e você respondeu: "Não combina comigo".

Claro que você vai procurar para sua filha roupas do estilo de que *você* gosta. Mas não pode esperar que ela também se encante, especialmente se a personalidade dela for bem diferente da sua. É fácil se ofender quando ela torce o nariz para aquela blusinha linda que você lhe deu de presente, mas, a meu ver, é errado imaginar que ela expressou desagrado só para ser do contra. A maioria das pré-adolescentes ainda não entrou nessa fase. Ao escolher uma roupa, ela simplesmente quer se sentir à vontade, bonita e aceita. Mais adiante conversaremos sobre as razões pelas quais elas desejam se vestir como todas as outras meninas de sua idade. Por ora, basta saber que até isso faz parte de quem elas são. Para elas, é tão importante serem aceitas que sua filha é capaz de calçar Crocs roxas só porque todas as amigas têm sandálias desse tipo e cor, mesmo que, lá no fundo, ela as considere horríveis.

Em vez de se tornar um campo de batalha, o guarda-roupa de sua filha pode ser um excelente lugar para você descobrir algo a respeito dela que ainda não havia percebido. Para mim, foi difícil abrir mão das saias pregueadas e dos cardigãs lindinhos de Marijean quando ela tinha 9 anos e só queria usar *leggings* e blusas de moletom soltas (afinal, eram os anos 1980). Hoje, olho para as fotos antigas e acho que minha filha era uma graça, apesar dos dentes grandes e dos tênis de cano alto. Na época, essa diferença de gostos me ensinou que ela se preocupava muito menos do que eu com a aparência física, e as coisas que ela mais gostava de fazer e que lhe davam prazer exigiam a possibilidade de se movimentar livremente. Passei a admirar essa característica de Marijean e talvez até a invejá-la um pouco.

A mãe não deve tentar realizar seus sonhos por meio da filha

Todas nós queremos para nossos filhos coisas muito melhores do que aquelas que tivemos. Mas acredite em mim quando digo que você tem provido isso. Aos montes. Admiro sua geração imensamente pelos sacrifícios de tempo, dinheiro e vida pessoal que vocês fazem por suas filhas. É inspirador.

Devemos cuidar, porém, para não confundir "coisas melhores" com "coisas que eu queria".

Um exemplo extremo é o *reality show* horrível, no qual mães de meninas que nem entraram na pré-adolescência arrastam as filhas para concursos de beleza em todo o país. "Ela adora", dizem essas mães para a câmera, enquanto suas garotinhas gritam porque detestam o *babyliss*, os cílios postiços e, pensando bem, a própria mãe. Quase todas essas mães têm um rosto saudosamente belo e um corpo do qual deixaram de cuidar há muito tempo para se dedicar à "perfeição" da filha pequena. Gostaria que o entrevistador perguntasse: "Quantos concursos de beleza a senhora perdeu na sua época?".

A maioria de nós não chega a esse extremo, mas muitas se movem, inconscientemente, na mesma direção. Volta e meia, uma pré-adolescente comenta comigo: "Minha mãe me obriga a fazer aulas de piano porque ela nunca pôde fazer isso. E eu não gosto muito". Encontrei líderes de torcida em miniatura, revivendo os dias de glória de suas mães, quando é evidente que preferiam estar jogando futebol com os meninos; também conheci jovens tenistas que mal terminam os campeonatos e já estão de olho na quadra de basquete ou vôlei, tudo porque as mães nunca tiveram oportunidade de chegar perto de uma raquete.

Não estou dizendo que sua filha não deve ter a oportunidade de se sobressair em algo que você aspirava para si mesma. Eu sempre quis atuar no teatro, mas só consegui depois dos 30 anos. Uma vez que conclui a faculdade em dramaturgia, fundei com meu marido um teatro para crianças e comecei a lecionar artes cênicas no ensino médio. Marijean também mergulhou de cabeça em nossos projetos teatrais. No ensino médio, se destacou como atriz e, quando não estava ensaiando na escola, trabalhava em peças num centro comunitário. Eu deixei os palcos há muito tempo, e ela também, mas ainda temos em comum a paixão pelo teatro. É bom saber que passei esse gosto para ela. Se, contudo, ela não tivesse demonstrado interesse, eu teria ficado igualmente satisfeita por vê-la jogar futebol ou aprender a trabalhar com cerâmica. O que me encantava era o fato de ela ser criança. Nunca considerei seu envolvimento com o teatro um sonho para o futuro — nem meu, nem dela.

O que *estou* dizendo é que os verdadeiros sonhos vêm de Deus — da boca dele para a alma delas. Cabe a nós oferecer oportunidades para que corram atrás desses sonhos sem cair em algum extremo pré-adolescente ao longo do caminho. É muito mais divertido ver esse processo se desenrolar naturalmente e retomar os nossos sonhos para a nossa vida.

Vale a pena descobrir de que maneiras o estilo de aprendizado dela é diferente do seu

Você desempenha uma porção de papéis para sua filha: enfermeira, confidente, companheira de brincadeiras, oficial de liberdade condicional, mas, acima de tudo, sua mestra. Você está sempre lhe ensinando alguma coisa, seja a arte misteriosa de fazer que as roupas sujas cheguem ao cesto ou formas de lidar com um conflito com a melhor amiga. Você a ensina mesmo quando pensa que ela nem sequer tem consciência de que você existe. Acredite: ela está observando.

Uma vez que, durante esse período, você é a instrutora mais influente de sua filha no tocante às coisas da vida, não faz sentido entender como ela aprende e quanto o estilo dela harmoniza, ou não, com o seu? É, eu sei que disse que não gosto de categorizar as pessoas em tipos de personalidade. Mas o que estou prestes a sugerir é uma forma extremamente simples de entender, em linhas gerais, a sua abordagem ao ensino e o estilo de aprendizado de sua filha. Não se trata de uma fórmula rígida e exata. Na verdade, quase todos nós usamos uma combinação de estilos. Mas ter uma ideia geral pode ajudar a eliminar muitas batalhas desnecessárias. E é isso que queremos, certo?

Para simplificar, um grupo de professores da Brigham Young University atribuiu uma cor para cada tipo de função[2] da classificação tipológica de

Myers-Briggs.[3] Se você já está fazendo cara de tédio, anime-se. Não vou mais usar nenhum jargão técnico. Esta é minha interpretação, que emprego para ajudar pais que lecionam para os filhos em casa e que adaptei para você.

Estilos de aprendizado das pré-adolescentes

Azul

- Adquire informações por meio das emoções e dos instintos (tem a sensação de que algo é deste ou daquele jeito).
- Detesta magoar as pessoas e ser magoada (é possível que passe um bocado de tempo chorando durante a pré-adolescência).
- Prefere conversar sobre sentimentos, interações e os efeitos de acontecimentos sobre indivíduos (em outras palavras, muitas vezes ela lhe conta mais do que você quer saber sobre quem disse o quê para quem e por quê).
- Tem dificuldade em lidar com críticas (mesmo que você faça quinze comentários positivos e um negativo, ela se concentrará no negativo. E provavelmente abrirá o berreiro).

Ouro

- Adquire informações de modo extremamente organizado (raramente se esquece daquilo que você lhe disse, mesmo quando você *preferia* que ela não se lembrasse).
- Quer saber quais são as regras, qual é a estrutura. (uma vez que sabe o que é esperado dela, é bem provável que faça o que deve, talvez com mais eficiência do que você).
- Tem dificuldade em deixar as coisas fluírem e pensar fora dos parâmetros (uma das raras ocasiões em que *ela* chora é quando precisa realizar uma tarefa criativa).
- Normalmente faz as coisas da forma correta logo da primeira vez (e muitas vezes não entende porque os outros também não acertam de primeira, o que a torna insuportável para os irmãos, os quais ela vive corrigindo e delatando).

Verde

- Adquire informações de modo bastante lógico (sua pergunta predileta ainda é "Por quê?").

- Gosta de fatos, de saber como tudo funciona e de inventar coisas (não se surpreenda se ela desmontar a torradeira; isso não acontece só com meninos).
- Fará praticamente qualquer coisa que você pedir, desde que haja um motivo ("Porque eu disse que sim" é um convite para discutir com você, o que ela fará com prazer e talvez sairá vencedora).
- Aceita críticas diretas, desde que não sejam insultantes e, também neste caso, desde que tenham um motivo (ela chora *muito pouco* na pré-adolescência).

LARANJA

- Adquire informações por experiência (você pode se acabar de dizer para ela que o fogo é quente, mas ela só sossegará depois que colocar o dedo sobre a chama da vela uma vez).
- Gosta de se arriscar antes de fazer perguntas (prefere experimentar algo agora e só se preocupar depois se foi uma boa ideia ou não).
- Gosta de fazer coisas criativas que a permitam ver o mundo por ângulos diferentes (se lhe pedirem para fazer algo chato, ela se recusará ou encontrará outra pessoa para realizar a tarefa, algo que ela consegue com muita facilidade).
- Dá de ombros para críticas a menos que alguém (você) seja extremamente assertivo (ela *não* chora na pré-adolescência. Bater portas, sim. Chorar, de jeito nenhum).

O que dizem as minimulheres

Eu queria que minha mãe entendesse melhor minha personalidade, o jeito que eu faço as coisas, e não ficasse brava comigo quando não faço as coisas do jeito dela. Evitaria um monte de brigas.

10 ANOS

Estilos de ensino das mães

AZUL

- Cria a estrutura que lhe parece mais apropriada (essa estrutura está sempre presente, apenas muda de tempos em tempos).
- Adapta a rotina aos filhos (muitas vezes à custa de seu próprio ritmo).

- Entende tudo como algo pessoal (o que é ótimo em relacionamentos, mas um exagero quando se aplica ao modo de dobrar as roupas limpas).
- Destaca-se no ensino de aptidões relacionais e desenvolvimento pessoal (mas fica chateada se não consegue ajudar com a lição de casa de matemática).

Ouro

- Extremamente estruturada em todas as suas atividades (antes de ela ir dormir, a folha de horários das crianças está na porta da geladeira, com cores diferentes indicando as atividades de cada um, e as mochilas estão prontas e junto da porta).
- Adora rotina, especialmente a que ela cria (todo mundo tem hora de dormir, uma atividade programada depois da escola e dia certo para sentar-se no banco da frente do carro).
- É ótima para explicar regras de forma clara e concisa (se as filhas tiverem alguma dúvida, só precisam consultar a lista na porta da geladeira, ao lado da folha de horários).
- Sai-se muito bem na hora de ensinar conceitos absolutos e tarefas básicas que toda menina precisa saber (como colocar a louça na máquina de lavar, programar números no celular e dizer não para fofocas).

Verde

- Cria uma estrutura funcional e flexível (se alguém perde o ônibus escolar ou se esquece do lanche, não tem crise. Sempre há um plano B).
- Adapta sua rotina às tarefas do momento (não há tempo para cozinhar porque a filha só avisou hoje que tem um trabalho de ciências para entregar amanhã? Sem problemas. Tem pizza no congelador e, afinal de contas, não há coisa mais divertida que um trabalho de ciências!).
- Gosta de deixar a filha chegar às próprias conclusões (não é raro ouvi-la dizer: "O que *você* acha que deve fazer nessa situação, filha?").
- Não há pessoa melhor para ensinar como descobrir coisas (suas filhas sabem encontrar qualquer informação on-line).

Laranja

- Estrutura? O que é isso? (a filha sabe que nem adianta entregar para a mãe qualquer papel que precise ser assinado e devolvido à escola).

- Resiste à rotina e precisa se esforçar um bocado quando é necessário criá-la (suas filhas aprendem a esperar o inesperado).
- Gosta de criar "diretrizes" (precisamos mesmo chamá-las de "regras"?) quando surge uma situação complicada (as consequências que ela impõe para comportamentos inapropriados são extremamente criativas).
- Destaca-se no que diz respeito a permitir que suas filhas sejam absolutamente autênticas (o que significa que outras mães consideram essa mãe e seus filhos "um tanto esquisitos").

O que dizem as minimulheres

Ela age como se conseguisse ler meus pensamentos e pudesse dizer a razão de eu fazer alguma coisa. Mas, às vezes, não tem NADA A VER. É isso que me deixa mais frustrada.

11 ANOS

Não é difícil entender como a combinação de seu estilo de ensino com o estilo de aprendizagem de sua filha faz vocês duas trabalharem juntas como uma máquina bem azeitada ou causa um incêndio cada vez que você abre a boca.

- A mãe LARANJA pode acabar levando sua filha OURO ou VERDE à loucura com uma rotina variável, ou com a completa ausência de estrutura.
- A mãe OURO não entende porque a filha LARANJA tem tanta dificuldade em seguir as regras e facilitar a vida de todos, inclusive a dela própria.
- A mãe VERDE magoa com frequência sua filha AZUL hipersensível com explicações racionais para coisas que claramente desafiam a razão (como amigas, meninos e variações de humor).
- A mãe AZUL é capaz de matar sua filha OURO de vergonha com suas demonstrações calorosas de admiração e afeto na frente das amigas dela.

Mas...

- Junte uma mãe LARANJA com uma filha VERDE e o resultado será diversão e funcionalidade.
- Combine uma mãe AZUL com uma filha LARANJA e uma fará a outra rir e se sentir bem a respeito de si mesma.

- Coloque juntas uma mãe Verde e uma filha Ouro e haverá paz geral.
- Junte uma mãe Ouro com uma filha Azul e as duas serão capazes de criar um ministério da igreja na sala de estar.

O que acontece no lar em que mãe e filha têm o mesmo estilo?

- Azul + Azul pode ser uma estufa de emoções femininas ou um lugar onde todos se entendem.
- Verde + Verde tem o potencial para ser um laboratório (imagine Spock como a mãe de uma miniatura sua) ou o ambiente de uma proveitosa troca de ideias.
- Ouro + Ouro pode ser um esforço contínuo e estressante para fazer tudo certo, ou um estilo de vida tranquilo, que permite crescimento, diálogo e experiências (dentro dos limites do estilo Ouro, é claro).
- Laranja + Laranja: preciso mesmo comentar as possibilidades *dessa* combinação? O resultado é caos absoluto ou um ambiente de agradável realização de potenciais.

A maioria das filhas (e também das mães) é uma combinação de cores que as define como indivíduos ricos e encantadores. Ainda assim, descobrir quando e quais listras ou bolinhas entram em cena pode ser extremamente proveitoso para entender sua minimulher e perceber, mais uma vez, que ela *não* é você.

O que dizem as minimulheres

Minha mãe me ensinou que não há nada de errado em querer um tempo só pra mim. Somos oito irmãos e, de vez em quando (na verdade, quase sempre), a vida fica bem doida. Mas ela me mostrou que, quando isso acontece, é melhor fazer uma pausa de cinco minutos, sair da confusão toda e orar. Colocar a cabeça em ordem ao conversar com Deus e se lembrar de que ele não liga a mínima se tem brinquedos espalhados pra todo lado e se o banheiro está a maior bagunça — ele só quer meu coração e minha atenção.

12 anos

Do Pai celestial

Escrevi meu primeiro livro, em coautoria, *muitos* anos atrás. Chamava-se *Home, love it and leave it* [Lar: ame-o e deixe-o]. (Creio tenha que vendido cerca de sessenta cópias. Minha mãe comprou pelo menos umas trinta.) Era uma obra de não ficção para adolescentes na qual o conselheiro matrimonial e familiar David Wayne e eu tratávamos do fato de que não cabe aos pais lançar os filhos para fora do ninho quando chega a hora de se virarem por sua própria conta; é responsabilidade do jovem adulto abrir as asas e alçar voo. Nossa premissa se baseava em Gênesis 2.24: "Por essa razão, o homem deixará pai e mãe e se unirá à sua mulher". As Escrituras não dizem: "O pai e a mãe empurrarão o homem para fora e ele encontrará uma mulher para dar continuidade ao trabalho deles" (embora alguns homens pareçam imaginar que é assim que funciona). Cabe ao filho (ou à filha) deixar o lar.

Portanto, mesmo em termos bíblicos, educar os filhos constitui um longo processo de abrir mão. É um processo *lento*, e seus passos precisam ser apropriados para cada estágio da jornada de sua filha, mas o objetivo final é que, algum dia, ela se sinta confiante o suficiente para construir a própria vida. O tempo que você tem para ajudá-la a dar forma a essa vida é relativamente curto, e a pré-adolescência é a fase *ideal*. Você não a empurrará para fora. Mais adiante, o impulso de sair se intensificará e ela própria deixará o lar. A pergunta é: ela será autêntica o suficiente para fazer mais do que apenas "se virar" lá fora? Esse é o seu trabalho, e ele precisa estar em andamento *hoje*.

Seria uma tarefa assustadora se não fosse pelo fato de a identidade verdadeira, genuína e autêntica de sua filha já ter sido decidida. De acordo com as Escrituras, a essência de quem ela é foi preordenada. Davi, o salmista, expressa esse fato com grande beleza:

> Tu me criaste o íntimo do meu ser
> e me teceste no ventre de minha mãe.
> Meus ossos não estavam escondidos de ti
> quando em secreto fui formado
> e entretecido como nas profundezas da terra.
> Os teus olhos viram o meu embrião;
> todos os dias determinados para mim
> foram escritos no teu livro
> antes de qualquer deles existir.
>
> Salmos 139.13,15-16

É evidente, portanto, que a identidade de sua filha: a) foi determinada de antemão e; b) é singularmente dela e de mais ninguém, nem da mãe. Não significa que você pode jogar a toalha e declarar: "Eu não a entendo de jeito nenhum, mas ela é assim mesmo. O que eu posso fazer?". Existem certas atitudes que *todos* devem cultivar para estarem entre aqueles que amam, se doam e vicejam no mundo de Deus. É disso que trata o restante da Bíblia, certo? Significa, porém, que o *modo* como você ajuda sua filha a crescer "na estatura da plenitude de Cristo" é peculiar a *suas* "orações e testemunho",[4] da mesma forma que a manifestação do crescimento em sua filha é peculiar a ela.

Quando percebi essa realidade, experimentei liberdade extraordinária para mim mesma e para minha filha. Não precisava decidir quem ela devia ser. Não precisava moldá-la para ser como eu e, felizmente, o papel de Deus seria muito mais importante do que o meu no seu processo de autodescobrimento.

Graças a Deus por isso.

E você?

Não é estranho algumas de nós pensarmos, automaticamente, que nossas filhas terão reações semelhantes às nossas. É provável que nossas mães tenham pensado o mesmo a nosso respeito. Não sei quanto a você, mas várias das coisas que ouvi de minha mãe e que ficaram gravadas na memória reapareceram em alto e claro som durante a pré-adolescência de minha filha.

Frases do tipo: "Comporte-se, Nancy. Ninguém vai gostar de você se não for bem-comportada".

"Não fique se exibindo". E logo em seguida: "Quero que você toque piano para os nossos amigos quando eles vierem aqui, e não tem discussão".

O fim da história era: "Chorando de novo? Você é uma manteiga derretida".

Minha mãe, uma mulher admirável, era refinada, recatada e sabia controlar as emoções. Na verdade, não são características negativas, mas minhas tentativas de imitá-la me reprimiram por muitos anos. Eu procurava ser gentil e agradável com todos, sem exceção, o que muitas vezes exigia certo grau de falsidade e não poucas mentiras deslavadas. Tinha a tendência natural de desempenhar um papel, mas era acompanhada do hábito adquirido de me martirizar cada vez que me valia dos meus recursos teatrais. E quanto às lágrimas, em algum momento ao longo do caminho, eu esqueci como chorar.

Assim que me tornei mãe, endoideci completamente. Não queria que Marijean fosse "malcriada", como dizíamos em nossa casa. Ao mesmo tempo, contudo, não queria que ela se tornasse capacho de ninguém. Será que eu estava certa? Ou acabaria transformando minha filha numa megera? Será que os outros gostariam dela?

Percebi de modo bem claro que, apesar de dizer para mim mesma que era uma mulher adulta e independente, a voz de minha mãe continuava gritando dentro de minha cabeça. Se eu não desligasse o som, Marijean, que não se preocupava nem um pouco em agradar os outros, começaria um motim que se arrastaria até o final da adolescência.

Não me entenda mal. Eu também tinha gravadas na memória lições positivas de minha mãe.

- "É importante manter o contato com... (basicamente, todos os seus parentes e amigos)"
- "Já enviou uma mensagem de agradecimento por esse presente?"
- "Arrume bem a mesa toda vez que se sentar para comer (e não se esqueça de usar uma toalha bonita)."
- "Faça o seu melhor para tornar a casa um lugar agradável para sua família."
- "Onde quer que esteja, cultive novas amizades."
- "A igreja é o centro de sua vida."

Nenhuma dessas lições ia contra quem eu era; aliás, não são contrárias à identidade de ninguém. Portanto, compartilhei com Marijean as "lições de mãe" que promoveram minha alegria pessoal, bons relacionamentos e intimidade com Deus. Ao longo do caminho, aprendi duas coisas que desejo repassar para você.

Primeiro, as lições positivas adquirem um aspecto diferente a cada geração. Minha mãe usava uma toalha de mesa cor-de-rosa e porcelana com motivos florais. Eu prefiro porcelana branca e jogo americano amarelo. Marijean arruma a mesa com esteiras de bambu e cerâmica pintada à mão. Minha mãe ficaria contente. Talvez atônita, mas contente.

Segundo, as lições do tipo "minha mãe fazia desse jeito" que vão contra a natureza de sua filha a atormentarão por um bom tempo, exatamente como atormentaram você. Nem minha filha nem eu conseguimos nos fingir de felizes quando a situação está feia. Eu tentei e acabei no consultório de um terapeuta. Marijean não precisou chegar a esse ponto.

Então por que não enterrar um legado indesejável de uma vez por todas? O simples ato de reconhecer as frases que sua mãe deixou gravadas em sua memória e abaixar o volume para não ouvi-las (ou mesmo apagá-las, o que é quase impossível), ajuda mais do que você pode imaginar. A seguir, algumas questões para você refletir da sua maneira:

- Em que situações você "ouve" a voz de sua mãe em sua cabeça? (Chamando você pelo nome completo, é claro!)
- Você reage de forma instintiva a essas frases gravadas em sua memória? Os cabelinhos de sua nuca se arrepiam de irritação ou você se sente culpada o suficiente para seguir as instruções de sua mãe? (Só para ela deixar sua mente em paz.)
- Pensando bem, é possível que, sem querer, você esteja dizendo as mesmas coisas a sua filha?
- Você se ouve repetindo coisas que sua mãe dizia para você em sua infância e adolescência e que você prometeu que jamais diria aos seus filhos? (A começar por "Porque eu estou mandando".)
- Em termos mais positivos, há coisas que sua mãe lhe ensinou e pelas quais você ainda não a agradeceu? (A essa altura, sem dúvida ela já sabe de tudo o que você *não* gostou em sua educação.)

Hoje em dia, ninguém mais precisa ouvir gravações prontas, como se fazia no tempo das velhas fitas cassete. Agora, cada um pode criar sua própria lista de músicas prediletas num MP3. Da mesma forma, você, como mãe, também pode customizar aquilo que toca em sua mente. Tudo bem, eu sei que é uma comparação meio boba, mas deu para entender, não?

O que dizem as minimulheres

Eu encaro as coisas de um jeito bem diferente do das minhas irmãs. Acho que as mães precisam conhecer cada filho e perceber as diferenças. Minhas irmãs e minha mãe são superparecidas, e eu sou totalmente o oposto delas. É complicado.

10 ANOS

Mãos à obra

Agora que você concluiu o trabalho mais pesado, é hora da parte divertida. Abaixo, há sugestões para explorar quanto você e sua filha são diferentes e quanto têm em comum. Como você já deve ter suspeitado, devem ser escolhidas e personalizadas de acordo com vocês duas.

Façam uma lista de atividades divertidas

Pegue uma folha de papel e divida-a ao meio na vertical. No alto de uma das colunas escreva PARECIDAS e, no alto da outra, DIFERENTES. Junto com sua filha, pense em atividades que cada uma considera divertidas (a maioria das pré-adolescentes não vai achar isso sem graça!). À medida que conversarem sobre as possibilidades, coloquem-nas na coluna apropriada. Evite comentários do tipo: "Eu sei que você gosta de fazer bolo, mas eu preferia tomar uma injeção na testa a ir pra cozinha sem necessidade". Simplesmente coloque "fazer bolo" na coluna DIFERENTES e prossiga com a conversa. Espere o mesmo respeito de sua filha. Depois de anotarem todas as ideias, escolham uma atividade da coluna PARECIDAS e façam-na juntas. Vocês duas gostam de tomar sorvete? Reservem uma hora para bater papo numa sorveteria. Ambas gostam de música? Escolham uma canção predileta de cada uma e escutem juntas tomando um suco. Você descobriu que sua filha gostaria de aprender a cultivar flores como você faz? Deixe de lado o seu medo de que ela assassine suas orquídeas e mostre a sua menina como cuidar delas.

Façam algo que sua filha curte

Em outra ocasião, escolham uma das atividades da coluna DIFERENTES que sua filha curte e você não. Faça uma tentativa. É possível que você se surpreenda ao perceber como é legal jogar Dance Dance Revolution ou pintar as unhas dos pés de roxo. Participar de algo que sua filha curte, mesmo que esteja fora de sua zona de conforto, ajudará você a perceber em que aspectos vocês duas são diferentes.

Façam algo que você curte

Invertam e façam algo que você curte. Não espere, contudo, que sua filha se apaixone por *patchwork*, tênis ou poesia. Se isso acontecer, ótimo. O objetivo da atividade é levá-la a respeitar sua individualidade, assim como você demonstrou respeito pela individualidade dela. Talvez seja boa ideia estabelecer algumas regras: nada de revirar os olhos, de bocejar exageradamente ou de dizer que algo é "chato" ou "nada a ver". Essas regras valem para vocês duas.

Façam uma colagem
Peguem revistas velhas, duas tesouras, duas embalagens de cola e duas cartolinas ou folhas grandes de papel. Programem um alarme para avisar quando tiverem se passado dez minutos. Nesse tempo, cada uma recortará das revistas as fotos que interessarem. Não parem para analisar o motivo; se uma imagem chamar a atenção, separe-a. Quando o alarme soar, cada uma deve fazer uma colagem com as fotos que escolheu. Ao terminarem, coloquem os cartazes prontos um ao lado do outro. Ficará evidente de imediato como cada uma é maravilhosamente singular. Você nunca mais verá sua filha como uma fotocópia sua.

Faça uma lista de expectativas
Sozinha, faça uma lista de suas expectativas em relação a sua filha, com referência ao presente e ao futuro. Examine-as com honestidade para ver se alguma delas é conflitante com a identidade dela. Pode ser que você risque da lista *manter o quarto organizado* se sua menina for moleca e irrequieta, ou *participar de esportes* se ela for delicada e sonhadora. Você aliviará um bocado a pressão desnecessária para vocês duas.

Identifique o que precisa mudar
Enquanto realizam as atividades sugeridas, é possível que você também se depare com alguns obstáculos, comportamentos de sua filha que, apesar de todos os seus esforços, você tem dificuldade em aceitar. Você sabe, no fundo do coração, que a *sua* maneira de fazer as coisas será melhor para ela. Podemos chamar essas características de "NINGUÉM é assim, e ponto-final". Alguns exemplos:

- Ficar emburrada cada vez que alguém a contraria.
- Usar a timidez como desculpa para ser mal-educada.
- Ter acessos de birra.
- Fazer qualquer coisa para conseguir o que quer.
- Mentir.
- Tratar você como se fosse a assistente dela.

Não importa qual seja a cor da personalidade de sua filha, se ela é introvertida ou extrovertida, uma atleta de grande talento ou um prodígio musical, a filha do meio, filha única ou superdotada. Nada disso faz parte da personalidade natural, da constituição física ou do destino pessoal de ninguém. Simplesmente são errados. Você pode usar o estilo de aprendizado de sua filha para decidir como cortar esses comportamentos negativos pela raiz na pré--adolescência, mas faça-o.

O que dizem as minimulheres

Tem alguns livros, filmes e roupas que eu curto e que minha mãe detesta. Parece que eu tenho que gostar daquilo que ela gosta e detestar aquilo que ela detesta. Às vezes não sinto que ela entende que não gostamos das mesmas coisas que ela. Somos pessoas bem diferentes. Não tem nada a ver com moralidade ou valores. É uma questão de gosto. Eu amo minha mãe e não quero correr o risco de magoá-la se eu mostrar que detesto o tipo de música que ela gosta ou se ficar chateada por ela fazer pouco dos meus gostos.

12 ANOS

Claro que pode haver um motivo pelo qual sua filha, que até hoje sempre foi honesta, começou a contar mentiras das grandes. Descubra-o. É prudente, contudo, não usá-lo como desculpa para deixá-la impune. Há maneiras aceitáveis de expressar as emoções desagradáveis e, a meu ver, uma de suas tarefas mais importantes é ajudar sua filha a encontrá-las. Dizer: "Ela é assim mesmo" não tem cabimento quando ela transforma sua casa numa zona de guerra.

Façam um jogo de "e se"

As pré-adolescentes com as quais trabalho adoram brincar de "e se". É provável que, na idade delas, você também gostasse, embora talvez esteja um pouco enferrujada. Com certeza sua filha curtirá ajudá-la a "desenferrujar".

Algumas dessas situações hipotéticas podem deixá-la mais à vontade com a parte da identidade de sua filha que é diferente da sua:

- E se cada uma ganhasse mil reais para fazer o que quisesse?

- E se passássemos uma semana de férias, só nós duas? Para onde gostaríamos de ir? O que poderíamos fazer juntas?
- E se cada uma de nós tivesse a oportunidade de ajudar uma pessoa? Quem ajudaríamos e o que faríamos?
- E se cada uma pudesse perguntar para a outra algo que sempre teve medo de perguntar?

Senhor, preencha a lacuna

Deus misericordioso, confesso que houve ocasiões em que interpretei minha filha de forma errada porque vi a mim mesma em vez de ver minha menina, como o Senhor a criou. Guie-me, por favor, no processo de ajudá-la a descobrir sua identidade singular e a crescer a partir desse ponto. Sei que nem sempre vou conseguir fazer tudo o que devo. Por favor, preencha a lacuna entre minha capacidade limitada de compreendê-la e o modo completo como ela precisa ser compreendida. Em Cristo, nosso Senhor. Amém.

3 Por que minha filha não é ela mesma?

Ai de vocês, quando todos falarem bem de vocês, pois assim os antepassados deles trataram os falsos profetas.
LUCAS 6.26

Queria que minha mãe entendesse melhor como é difícil a gente ser aceita. Apesar de as pessoas sempre dizerem que vai dar tudo certo, é normal a gente ficar morrendo de medo.
11 ANOS

Já definimos que ser singular e autêntica é algo extremamente importante para a pré-adolescente. Agora é só você deixá-la se encontrar, certo?

Que bom seria se fosse tão simples! Bom para todas nós, mas especialmente para sua filha. Quando ela começa a perceber que tem identidade própria e começa a gostar da ideia de que suas preferências, interesses e idiossincrasias são só dela e de mais ninguém, o mundo ao seu redor limpa a garganta e diz, em linguagem pré-adolescente: "Meu, você é *suuuperesquisita*!".

É de se esperar que algo do gênero aconteça com a garota que dança conforme uma música bem diferente, por assim dizer (vamos tratar dessa questão de modo específico mais adiante). Mas será que a garota "comum" (sabe-se lá o que isso significa!) também corre o risco de ser tachada de esquisita?

Sim. A menina não precisa ser campeã de xadrez para ser rotulada como "diferente". Qualquer desvio da norma é considerado suspeito pelo universo pré-adolescente. Até a garota que define o que é legal tem de se esforçar para manter seu *status*.

Não são apenas as colegas que lhe dificultam o "ser ela mesma". Fatores que vão desde o modo como a escola é administrada até a forma como o evangelho é pregado podem levantar questionamentos acerca de sua identidade antes mesmo de ela conseguir defini-la com clareza.

E de modo não intencional, você pode ser um desses fatores.

Ao mesmo tempo, você é a pessoa que, mais provavelmente, notará quando ela não for autêntica. Você sabe distinguir melhor que qualquer um entre "filha sentindo-se à vontade" e "filha caminhando aos trancos e barrancos". Você já a observou numa festa onde ela conhece pouca gente? Ela não passa de uma sombra de quem você sabe que ela é, tentando decidir entre mergulhar de cabeça na diversão ou se esconder no banheiro? Por mais amável e sociável que seja, ela se faz de indiferente até ter certeza de que é seguro se aventurar? São raras as meninas de 8 a 12 anos que se lançam numa situação desconhecida como quem diz: "Cheguei! Agora podem começar a festa!". E se o fizer, será rotulada como "esquisita" no mesmo instante, e voltamos ao ponto de partida.

Que história é essa?

Vamos esclarecer: quais obstáculos ela enfrenta?

Há inúmeros obstáculos que impedem sua filha de vivenciar a identidade verdadeira que está começando a descobrir. Algumas dessas barreiras são externas, fazem parte de seu mundo. Podem ser coisas das quais você nem faz ideia, pois agora, quando está acordada, ela passa grande parte do tempo longe de você. Mesmo que ela saia de casa apenas para ir à escola, os elementos externos encontram um modo de chegar até ela e dificultam o comportamento autêntico.

Outros obstáculos podem estar dentro de casa. Também nesse caso, talvez sejam coisas das quais você não tem conhecimento, pois muitas vezes são veladas. Antes de prosseguirmos, peço que você lembre que a intenção aqui não é fazê-la olhar no espelho e gritar: "Eu sou a pior mãe do mundo! Minha filha vai passar o resto da vida em terapia!". Estamos falando de informações que podem ou não se aplicar a sua filha e a você. Portanto, nem pense em se culpar. Retenha aquilo que se aplica e use-o para se tornar uma mãe ainda melhor do que já é, congratulando-se por todos os tropeços que você tem evitado.

Lembre-se, também, de que cada menina enfrenta esses obstáculos num momento diferente e, em alguns casos raros, nem sequer depara com eles. Pode ser que sua filha passe tranquilamente pela pré-adolescência, tão segura de si que você se convence de que ela é um prodígio social; mas, ao completar 13 anos, ela se torna totalmente introvertida. Outras meninas lidam com a questão da identidade a partir dos 10 anos. Até mesmo a menina que não dá a mínima para a opinião alheia sabe que os outros não a entendem e a consideram estranha.

Obstáculo 1: ela é rotulada

Algumas de vocês se apressarão em dizer que protegem sua filha pré-adolescente o máximo possível de todas as coisas "do mundo", para que ela não seja exposta à cultura de hoje. Na verdade, porém, cada menina tem uma cultura, uma pequena sociedade dentro da qual ela cresce. Talvez sua filha passe boa parte do tempo numa escola cristã e na igreja. Ou numa escola particular de alto nível e em treinos esportivos. Ou numa escola pública e no curso de dança ou ginástica. Seu ambiente e as pessoas com as quais ela tem maior convívio constituem uma cultura para ela, e as expectativas dessa cultura influenciam de modo direto a liberdade que ela tem de se desenvolver como indivíduo ou a expectativa de que se encaixe nos padrões até nos mínimos detalhes.

Queira ou não, é provável que dentro desse pequeno mundo ela já tenha recebido um rótulo. Se você prestar atenção nas conversas dela com as amigas, talvez ouça comentários do tipo: "É aquela menina que entrega todo mundo pra professora". "Aquela menina" foi rotulada de "dedo-duro", portanto é melhor não confiar nela. É possível que a pobre coitada só tenha um forte senso de responsabilidade. Talvez sua filha tenha o mesmo senso de responsabilidade, mas esconda essa parte importante de sua identidade a fim de não receber o temido rótulo de "dedo-duro".

O mesmo se aplica à menina que anda sempre impecavelmente vestida (a "patricinha") e "àquela menina que vive levantando a mão na aula" (a "queridinha da professora"). Claro que os rótulos também podem ser lisonjeiros: "aquela menina dança superbem" (a "bailarina"); "a menina que tem o cabelo lindo" (a "gatinha"); ou "a menina que todo mundo quer imitar" (a "garota superdescolada"). As pré-adolescentes sabem elogiar e às vezes chegam a idealizar umas às outras, mas a garota colocada no pedestal da dança pode imaginar que não deve entrar na escolinha de futebol e é provável que a pequena estudiosa que tirou 7 na avaliação vá chorar escondido no banheiro.

Obstáculo 2: ela sabe como uma garota "deve" ser

Por mais protegidas que as pré-adolescentes sejam, elas descobrem como uma garota "deve" ser. Talvez suas amigas a aceitem de modo incondicional, mas ela teria de viver totalmente isolada do mundo para não fazer ideia das expectativas da cultura mais ampla em relação ao sexo feminino. Falaremos sobre a cultura da beleza num capítulo mais adiante, mas não se trata apenas da aparência que os outros esperam que ela tenha. A mensagem transmitida à sua geração de meninas é que elas precisam se sobressair em tudo o que fazem, ser aceitas por todos e possuir, vestir, fazer e dizer tudo o que é considerado bacana, seja lá o que for no momento.

Qualquer semelhança com o universo adolescente *não* é mera coincidência. E é aí que reside o problema. A pré-adolescente mal vislumbrou os primeiros sinais daquilo que a psicóloga Emily Hancock chama de "identidade original"[1] e já se vê obrigada a defendê-la ou a fazer concessões, pois, obviamente, não faz parte da identidade original de ninguém se sobressair em tudo o que experimenta, manter uma popularidade constante e estar na crista das tendências o tempo todo. Não existe um único ser humano que se encaixe nessa descrição! A adolescente já se conhece há mais tempo e tem a probabilidade um pouco maior de se apegar à sua identidade original, caso já a tenha encontrado. A garota de 8 anos, naturalmente despreocupada e, em geral, autoconfiante, corre risco muito maior de perder essa identidade, pois é mais influenciável, mais crédula e se magoa com mais facilidade. Sem incentivo e afirmação, a autoconfiança despreocupada pode desparecer antes de ela completar 10 anos.

Obstáculo 3: são os outros que ditam as regras

Quando dou curso sobre autenticidade para pré-adolescentes, sempre lhes pergunto por que é tão difícil serem elas mesmas. Várias meninas levantam a mão para responder, pois conhecem os obstáculos.

Uma pré-adolescente sabe o que geralmente é considerado bacana e o que não é. Ela pode até fazer permanente no cabelo, mesmo que ninguém mais use esse penteado, mas precisa estar preparada para ser chamada de tudo, desde "cabelo ruim" até "menina-poodle". Ela coleciona selos? Com certeza não vai contar para as meninas com iPods na mochila.

A opinião das Garotas Populares, mesmo que não sejam suas amigas, é extremamente importante para as pré-adolescentes. Trata-se de algo relacionado àquilo que é bacana ou não, mas num nível mais pessoal. Não é apenas uma questão de estar na moda; tem a ver com a possibilidade de ser aceita pelas pessoas que podem facilitar ou dificultar (e muito) sua vida. As adolescentes são peritas nisso e sabem fazer suas críticas de modo sutil. As pré-adolescentes ainda não têm esse tipo de refinamento, de modo que as decisões sobre quem perdeu o *status* muitas vezes são expressas de forma brutal. "Você é fedida. Não vai mais tomar lanche com a gente". "Sai pra lá, *nerd*". "Não sei por que, mas não vou com a sua cara." Quem afirma preferir que os outros sejam sinceros a seu respeito, sem dourar a pílula, nunca frequentou o ensino fundamental.

A pré-adolescente aprende rapidamente a esconder qualquer coisa que possa torná-la alvo de um ataque do Grupo Superdescolado. Isso não significa que, se sua filha é líder e tem uma porção de amigas, ela é automaticamente cruel. O *status* elevado apenas oferece essa tentação, sobre a qual conversaremos mais adiante. É bom saber, contudo, que as críticas escancaradas correm soltas no universo pré-adolescente e têm impacto tremendo sobre a autenticidade.

Mesmo que não liguem a mínima para os colegas em geral, as meninas muitas vezes se preocupam com a opinião das amigas. A melhor amiga é a mais sagrada das criaturas. Parte considerável da identidade da pré-adolescente está atrelada a essa pessoa especial que lhe serve de espelho. Em parte, ela sabe quem é por causa daquilo vê é refletido nessa amiga, sem a qual ela não pode viver. Claro que não se trata de algo consciente. Para ela, a situação é simples: se ela perder a melhor amiga, com quem ficará na hora do intervalo, ou dará risadinhas no banheiro, para quem telefonará para descobrir o que vão vestir hoje? Se perdê-la, é bem possível que fique sozinha, pois, quando a BFF some sem explicação, muitas vezes leva consigo as outras amigas. Falaremos mais sobre esse assunto na Parte 4, onde trataremos dos relacionamentos. Por hora, é importante lembrar que muitas pré-adolescentes escondem parte de sua personalidade para não correrem o risco de perder o *status* de melhores amigas.

Obstáculo 4: ela precisa esconder certas coisas

Toda pré-adolescente tem coisas que ela acredita que deve esconder. Isso se aplica àquilo que ela própria considera "ruim". Não é apenas uma questão de ser alvo de piadas ou sofrer exclusão. Seu medo é que "todos" descubram que ela é, de acordo com sua própria avaliação, uma pessoa horrível. Ela ainda chupa o polegar quando não tem ninguém olhando. Faz xixi na cama. Tem uma deficiência auditiva. Seus pais brigam o tempo todo (e ela imagina que, de algum modo, é culpa dela). Foi vítima de abuso sexual e não contou para ninguém. Simplesmente sabe que não é tão boa quanto outras pessoas e preferia morrer a deixar alguém descobrir isso.

É muito comum que, especialmente no começo da pré-adolescência, a menina não perceba quanto de si mesma ela enterra para que outros não descubram a "verdade" a seu respeito. Como resultado dessa tentativa de se esconder, é provável que ela tenha atitudes consideradas "esquisitas" pelos colegas e seja ainda menos aceita, sem conseguir entender a razão. Ouvir outros dizerem que ela é "uma chata" não a ajuda a descobrir o que a torna a desajustada da classe.

Obstáculo 5: ela imagina que precisa ser perfeita

Nem todas as pré-adolescentes são perfeccionistas. Sem dúvida, algumas mães gostariam que suas filhas o fossem, pelo menos por um dia ou dois! À primeira vista, podemos imaginar que seria maravilhoso educar a menina quase perfeita, mas toda mãe de uma pequena perfeccionista sabe que sua filha vive em constante agitação interior. "E se eu derrubar alguma coisa na roupa? E se eu não tirar 10 na prova? E se eu rir de um jeito esquisito? E se eu fizer perguntas demais? E seu eu não fizer perguntas suficientes? E se eu fizer as perguntas erradas?" Na busca por um alvo inalcançável, há pouquíssimo espaço para descobrir sua autenticidade.

Obstáculo 6: ela é inegavelmente singular

Se a perfeccionista ocupa um extremo, no outro encontramos a pré-adolescente que é tão (como diríamos?) atípica que você, mãe dela, se pergunta se um dia ela conseguirá se enturmar. É obcecada com literatura fantástica, ou com história, e tem a tendência de viver em seu próprio mundo. É incrivelmente inteligente, e não tem medo de dizer a todos quão ignorantes eles são. É um tanto mística, ou uma miniprofetisa que afasta as pessoas com seus pronunciamentos sobre o fim delas. Você a ama e até a entende, e tem certeza de que suas excentricidades serão de grande valia para o mundo algum dia. Mas, no momento, se preocupa com ela, e com razão. Embora a menina que parece não ligar a mínima para a opinião dos outros dê a impressão de ser a mais autêntica, no fundo, ela deseja aceitação e, se não houver equilíbrio em sua vida, ela nunca se sentirá parte de algo. Essa é a pré-adolescente que tem maior probabilidade de criar obstáculos para si mesma.

Obstáculo 7: ela tem uma deficiência física, mental ou emocional

O mundo é cruel com as pré-adolescentes que têm alguma deficiência física, distúrbios de aprendizado ou transtorno comportamental, como o TDAH. Ninguém tem mais dificuldade que elas em ser autêntico. Ninguém. Elas vivem num mundo que ainda não sabe como aceitá-las como "pessoas comuns" que são. Elas têm necessidades especiais, frequentam escolas e participam de programas especiais, mas seus colgas não as tratam como se fossem especiais. Tratam-nas como se fossem anomalias. É raro uma pessoa de qualquer idade conseguir ir além dessas diferenças e enxergar a verdadeira identidade.

Obstáculo 8: ela é superprotegida

Ao falar das próximas barreiras, sei que vou pisar em ovos, pois você provavelmente imaginará que estou apontando para o que você tem feito de "errado" em sua casa. Sinceramente, não estou. Minha intenção é apenas apresentar os frutos de meu aprendizado e também as conclusões de pessoas bem mais sábias do que eu para que você possa examinar suas próprias abordagens e ver se precisam de algum ajuste. Parto do pressuposto de que você não estaria lendo este livro se não estivesse à procura de ideias e apoio — e meu objetivo é lhe oferecer ambos.

É o seguinte: algumas coisas que acontecem no lar podem impedir sua filha de se sentir segura o suficiente para ser ela mesma. Um desses empecilhos é a superproteção.

Não estou falando de não deixar sua menina assistir a filmes proibidos para menores de 18 anos, ou ir a pé sozinha até a casa de uma amiga que mora a quase um quilômetro da sua casa, ou esperar por você do lado de fora da escola de dança sozinha à noite. A meu ver, mães responsáveis tomam esse tipo de cuidado. Também monitoram a filha quando ela entra na internet e conversam com os pais de uma amiga nova que a convida para passar a noite na casa dela. E gosto particularmente de ver mães que deixam suas filhas serem garotinhas pelo tempo que desejar e brincar de bonecas, vestir as roupas da mãe, fazer de conta que são a Mulher Maravilha ou dormir abraçadas à bola de vôlei. Em minha opinião, esse é o tipo de proteção que as meninas precisam receber da mãe.

Ao falar de superproteção, me refiro a não permitir que a filha faça escolhas. Mencionamos essa questão anteriormente, mas quero deixá-la bem clara. Sabemos que tivemos de nos debater e errar, e até sofrer um pouco a fim de crescermos, descobrirmos quem somos e alcançarmos a maturidade. (Se você é como eu, então ainda não chegou ao fim desse processo.) Mas é fácil esquecer que nossos filhos também precisam passar por essas etapas de desenvolvimento. Não podemos vivenciá-las por eles, assim como não podemos continuar a escovar os dentes deles. Podemos, sim, ensiná-los a como tomar decisões. É um desserviço, contudo, fazermos todas as escolhas por eles.

A superproteção exerce impacto imenso sobre a percepção deles acerca de si mesmos. A pré-adolescente cuja mãe sempre lhe diz o que vestir e ler, de quais atividades participar, com quais meninas fazer amizade e como usar cada minuto de seu tempo, coisas a respeito das quais ela poderia expressar sua opinião sem resultados trágicos, se tornará insegura a respeito de suas preferências, gostos e ideias. Buscará constantemente a afirmação de outros e as colegas terão muito mais influência sobre ela do que você gostaria. Pode crer.

Obstáculo 9: ela vive num lar com regras demais

Sei muito bem que é preciso ter regras em casa, pois, do contrário, o caos toma conta. Pré-adolescentes que já se sentem no direito de fazer tudo o que desejam tentam assumir o controle e, por vezes, são bem-sucedidas. Vi isso acontecer e não é nada agradável. Também sou a favor de estabelecer limites desde cedo. Os pais que esperam até as filhas chegarem à adolescência e depararem com escolhas potencialmente perigosas terão de lidar com sua rebeldia e seus protestos de que "Vocês não eram assim antes". Portanto, com certeza é importante definir regras desde já.

Contudo, em muitos lares cristãos que tenho observado, a tentativa bem-intencionada de educar filhos tementes a Deus resulta em regulamentos mais rígidos que os de um mosteiro. Não tenho como expressar essa questão melhor que Dan Allender, autor de *How Children Raise Parents* [Como os filhos criam os pais]:

> Um lar conservador, caracterizado por regras rigorosas, consequências claras e exigências elevadas em relação aos filhos [...] muitas vezes carece de calor, humildade, riso e lágrimas. Os filhos têm um bom desempenho, obedecem às normas e alcançam o sucesso por meio de trabalho árduo e perseverança. O que lhes falta é emoção, criatividade, divertimento e visão.[2]

O que lhes falta é liberdade para explorar aquilo que faz deles tudo o que podem ser. Os pais usam a Bíblia como um manual de instruções e a fé como um currículo escolar. Tudo gira em torno das regras que eles acreditam que Jesus definiu (ainda estou para encontrá-las no evangelho), e não em torno do relacionamento com Deus (que *com certeza* está no evangelho). Reveja o exemplo do diagrama no Capítulo 1. Algumas coisas precisam ser tratadas por meio de regras firmes. Outras podem ficar abertas para uma discussão respeitosa. Do contrário, corre-se o risco de educar filhos "genéricos", e não é isso que nenhum pai ou mãe quer de fato. A superproteção surge do medo que todos nós sentimos ao encararmos a tarefa de educar uma filha nos dias de hoje.

Obstáculo 10: a agenda dela é cheia demais

Já falamos sobre este assunto, de modo que não vou me repetir. É importante lembrar, porém, que em termos de obstáculos para a autenticidade este é um dos maiores. Desgastamos de tal modo a nós mesmas e a nossas filhas, na tentativa de lhes dar oportunidades e colocá-las em posição de vantagem, que não sobra muito tempo para processarem suas experiências e entenderem se elas refletem quem são. Ao se verem comprometidas com treinos esportivos, aulas de piano e tênis, ensaios do coral e programações da igreja no fim de semana, muitas vezes elas se sentem presas a todas essas atividades e reprimem qualquer sussurro do tipo: "Cansei de jogar futebol", "Preferia ler a estudar piano" ou "Acho tênis muito chato". Não querem ser "preguiçosas" ou "desistentes", mas ao deixarem de expressar seu descontentamento, se tornam inautênticas e infelizes, e aprendem a fazer coisas que deveriam ser divertidas, mas não são. Ninguém é capaz de brilhar em circunstâncias como essas.

Obstáculo 11: as expectativas dos pais são elevadas demais

É verdade que os pré-adolescentes, especialmente as meninas, têm facilidade em se superar. Quando elevamos o nível de expectativa, elas dão o melhor de si. Até certo ponto. Sua filha já vive numa época em que estar dentro da média não é aceitável. A competição para entrar numa boa faculdade e, se possível, com uma bolsa de estudos, é feroz, e os pais trabalham feito loucos para colocar seus filhos à frente. Não é difícil as exigências se tornarem excessivas e vermos nossos filhos se perderem num mar de notas, troféus, certificados, medalhas e prêmios. Tudo o que eles são está em exposição numa estante ou na porta da geladeira. Nenhum pai ou mãe deseja que algo assim aconteça. Sabemos que nossos filhos são muito mais do que isso tudo. Mas será que *eles* sabem?

Obstáculo 12: você se preocupa demais com o fato de ela não estar se enturmando

Aqui as coisas podem ficar um tanto confusas. Anteriormente, comentei que quando uma pré-adolescente é (qual foi a expressão que usei?) "atípica", pode ter dificuldade em descobrir sua verdadeira identidade e se ver separada de seus colegas, o que, no fundo, a deixa infeliz.

Agora digo que sua preocupação com o fato de ela viver separada dos colegas também pode ser um empecilho para ela desenvolver plenamente sua identidade?

Sim, mas estou me referindo ao tipo de preocupação que cria uma barreira específica. Aprendi algo a esse respeito quando pesquisei sobre TDAH em meninas, para um livro de ficção que escrevi para adolescentes. Os especialistas afirmam que, muitas vezes, quando as mães veem que as filhas não se enturmam por serem "diferentes", elas entram em pânico e "sem querer, transmitem às suas filhas a mensagem de que suas diferenças são fraquezas e motivo de vergonha".[3] Em vez de as ajudarem a encontrar o equilíbrio ao mesmo tempo em que procuram autenticidade como "não conformistas talentosas"[4], pode acontecer de essas mães ansiosas tentarem apagar completamente a individualidade intensa das filhas. Não que isso seja possível, mas o simples fato de tentarem pode causar estragos.

Obstáculo 13: os irmãos atrapalham

Embora a rivalidade entre irmãos seja tão inevitável quanto uma briga entre cachorros quando há somente um osso, permitir que os irmãos troquem comentários depreciativos a torto e a direito também pode dificultar o desenvolvimento da individualidade. Uma coisa é discutir de quem é vez de lavar a louça, e outra é dizer: "Você ainda brinca de boneca? É uma bebezinha". Ou "Mãe, não deixa ela usar essa calça. Não quero que minhas as amigas me vejam com ela vestida desse jeito. Vão pensar que eu também sou sem noção". A ideia de que "Você é esquisita" pode ser reforçada milhares de vezes no lar em que a menina está crescendo e tentando ser ela mesma.

Do Pai celestial

> Pois em Deus não há parcialidade.
> ROMANOS 2.11

Como comentei anteriormente, a Bíblia não é um manual de instruções, e a fé cristã não é um currículo escolar. Quando estava educando minha filha, houve momentos em que desejei que fosse o caso, mas agora entendo que é melhor assim. É muito mais gratificante e significativo (e por vezes inesquecível!) adquirir compreensão dos conceitos da Palavra de Deus e aplicá-los à criatura singular conhecida como "sua filha". De algum modo, a Bíblia se torna ainda mais miraculosa quando nos damos conta de que seus ensinamentos funcionam na vida de cada indivíduo único, sem obrigar todas essas vidas a se tornarem iguais.

Várias passagens das Escrituras tratam de como eliminar os obstáculos à autenticidade.

A primeira aparece no início deste capítulo:

> Ai de vocês, quando todos falarem bem de vocês, pois assim os antepassados deles trataram os falsos profetas.
>
> LUCAS 6.26

Jesus entende o que as pré-adolescentes enfrentam. Também mostra para nós que, como mães e pais, lutamos constantemente com a mesma coisa. A meu ver, isso significa que precisamos ter compaixão de nossas meninas quando elas começam a desejar que "todos fale bem" delas. Como mulheres, percebemos facilmente que autenticidade e popularidade dificilmente andam juntas, e somos dotadas de mais recursos para ajudar nossas filhas a entender qual dos dois é mais importante. O simples fato de saber que *obviamente* é mais virtuoso sermos honestas que benquistas não significa que será mais fácil viver de acordo com essa realidade. Nessa passagem, contudo, Jesus afirma que é possível. Podemos mostrar a nossas filhas como fazê-lo.

Mas apenas se nós mesmas *soubermos*. Também nisso Jesus não nos deixa na mão. Em Mateus 5.14-16 ele nos mostra o caminho de forma bastante clara.

> Vocês são a luz do mundo. Não se pode esconder uma cidade construída sobre um monte. E, também, ninguém acende uma candeia e a coloca debaixo de

> uma vasilha. Ao contrário, coloca-a no lugar apropriado, e assim ilumina a todos os que estão na casa. Assim brilhe a luz de vocês diante dos homens, para que vejam as suas boas obras e glorifiquem ao Pai de vocês, que está nos céus.

A luz à qual ele se refere é um *reflexo* daquilo que ele nos deu, e não daquilo que tentamos ser para nos destacar. Vejo nesta passagem três coisas que você pode incutir em sua filha.

Nunca esconda quem você é

Não esconder quem você é significa não deixar de levantar a mão na aula por medo de que os outros alunos a considerem uma *nerd*. Não cantar baixinho no coral por medo de as pessoas a chamarem de exibida. Não amassar seus desenhos só porque alguém pode dizer que são bobos.

Como mãe, seu incentivo (e não pressão), seus elogios sinceros e sua ajuda quando ela tiver de lidar com um apelido que colocaram nela criarão um ambiente seguro no qual era poderá sair do esconderijo. Um resultado favorável da sensação de segurança será a maior probabilidade de ela compartilhar sua fé de modo eficaz, algo que não fará se tiver vergonha de quem ela é.

Brilhe o máximo possível

Isso não é sinônimo de "seja a melhor em tudo o que fizer". Significa apenas "seja a luz mais autêntica possível em sua vivência diária". Em vez de simplesmente dar a sua filha a oportunidade de ser a jogadora de destaque do time de handebol ou de alcançar o nível 3 no curso de dança, também é preciso ensiná-la a abrir um sorriso de verdade, dar abraços de verdade, dizer palavras sinceras de estímulo, se interessar pelas pessoas e encontrar alegria nas pequenas coisas. Ela irradiará, a sua própria maneira, a luz que Deus faz brilhar sobre ela como pessoa, e não como aluna, atleta, artista ou filha obediente. Sua capacidade de apreciar quem sua filha é encherá de brilho o rosto e as ações dela.

Doe-se generosamente

Deixe-me esclarecer o que eu quero dizer para quem se doa com tanta generosidade a ponto de não saber dizer não, estar entupidas de compromissos e vivendo de cafeína e adrenalina. Não se trata de tempo. Trata-se de estar presente. Uma discípula minha me disse outro dia: "Admiro sua capacidade de me fazer sentir que, quando estou com aqui, sou a única pessoa em quem você precisa pensar, mesmo sabendo que você tem mais um milhão de coisas para fazer". É provável que ela tenha me dito isso num dia em que eu estava me saindo excepcionalmente bem. Não obstante, recebi o elogio com prazer, pois é assim que desejo que as jovens mulheres com as quais trabalho se sintam. Também é assim que nossas filhas querem se sentir. E Deus quer que elas tenham essa atitude com seus amigos, suas tarefas e no tempo com ele. De fato, você tem outras coisas para fazer além de ouvir sobre o drama pré-adolescente mais recente na vida dela. Mas se lhe der cinco minutos de atenção total, ela aprenderá a ter a mesma atitude em relação a outros.

Mesmo que você faça tudo isso, os obstáculos à autenticidade continuarão a existir. A sociedade ainda tentará dizer quem ela deve ser. Os amigos, os colegas descolados, os irmãos e, por vezes, até você (de modo subliminar) também. Mas ela estará muito mais preparada para derrubá-los, contorná-los ou ignorá-los se estiver refletindo, conscientemente, o amor do Senhor. Ajude-a a fazê-lo agora, quando ainda é algo empolgante, divertido e especial para ela. Como pré-adolescente, ela está num momento ideal de seu desenvolvimento para adotar o conceito de que Deus a ama e deseja vê-la resplandecer para ele. Incentive-a a aceitar essa verdade e prepare seus óculos escuros.

E você?

Há várias coisas sobre as quais eu gostaria que você refletisse enquanto se esforça para ser a aliada de sua filha na jornada em busca da identidade dela. Como sempre, interaja com estas questões da maneira que funcionar melhor para a sua identidade.

Lembre-se de uma ocasião em que...

A fim de despertar sua empatia, use seu senso de humor e pense numa ocasião em que você:

- Contou uma mentira para se enturmar ou não se sentir esquisita.
- Vestiu uma roupa igual à que todo mundo estava usando e não ficou nem um pouco à vontade.
- Foi a uma festa onde se sentiu uma alienígena.
- Não conseguiu pensar em nada para dizer quando alguém, com quem você desejava fazer amizade, puxou conversa.

- Fez pouco caso de alguém de quem você gostava porque estava com uma turma que provavelmente não aceitaria essa pessoa.
- Não disse algo que sabia, pois os outros poderiam pensar que você era uma sabe-tudo.

Se você conseguir rir de si mesma agora, mas, ao mesmo tempo, se lembrar da dor que a situação lhe causou na época, será capaz de ter compaixão de sua filha e até de dividir com ela essas experiências. É verdade que as pessoas gostam de compartilhar desgraças.

As questões a seguir são um pouco mais pesadas, mas se você se dispuser a refletir a respeito delas, creio que será proveitoso. Você alguma vez negou sua autenticidade e:

- assumiu uma personalidade completamente diferente da sua?
- ofendeu-se e culpou outras pessoas por a reprimirem?
- passou um longo tempo sem se sentir inteiramente à vontade?
- perdeu sua ligação com Deus?
- se sentiu incapaz de descobrir o seu propósito?
- acabou fazendo o que todos esperavam que você fizesse?
- rebelou-se contra as expectativas dos outros sem saber quais eram as suas?
- sofreu de anorexia, bulimia, depressão, raiva constante ou se tornou compulsivamente ativa?

É possível resistir à opinião geral?

Se alguma vez você disse ou se sentiu tentada a dizer a sua filha: "Não se preocupe com o que os outros pensam", pergunte-se honestamente se você conseguiria viver de acordo com esse conselho o tempo todo. Procure se lembrar da última vez em que ficou chateada consigo mesma por não ter dito ou feito o que precisava, pois teve medo das opiniões de outros. A ideia não é você se culpar. Trata-se apenas de outra maneira de entender as situações que sua filha está enfrentando.

Para praticar sua autenticidade, experimente:

- Criar uma lista de cinco (ou talvez até dez) coisas que você faria se ninguém fosse considerá-la esquisita. Fotografar insetos? Tentar andar de skate? Tirar o pó do velho toca-fitas e ouvir músicas dos anos 1980 usando polainas? Deixar seus filhos prepararem o jantar sob sua supervisão? Escolha um dos itens, coloque-o em prática e curta ao máximo.

- Imagine como seria educar seus filhos como se ninguém a estivesse observando.

Mãos à obra

Tenho certeza de que, só ao ler os obstáculos, você já pensou em formas de ajudar sua filha a superá-los e a ser autêntica. Caso você ainda esteja desnorteada, ofereço sugestões para você considerar e, quem sabe, escolher algumas para experimentar. Estão organizadas de acordo com os obstáculos específicos que sua pré-adolescente talvez enfrente, para que você possa dedicar atenção particular àquilo que se aplica a ela.

Ela insiste em ser um clone das outras meninas

Se você mal consegue identificar qual das meninas é sua filha quando a turma desce do ônibus escolar, então ela se encaixa nesta categoria, o que, na verdade, não é algo inteiramente negativo. Primeiro, até certo ponto, desejar o que "todo mundo" tem faz sentido neste estágio do desenvolvimento. Ela quer os mesmos sapatos, tiaras e blusinhas que toda a população pré-adolescente feminina porque para ela é de suma importância se sentir parte do grupo. Conforme comentamos anteriormente, é a primeira incursão dela no mundo em que as pessoas não precisam amá-la. Ela está, com razão, tentando encontrar um lugar seguro nesse mundo e o primeiro passo é parecer que já está enturmada. É possível que nós mesmas estejamos fazendo algo parecido quando doamos para uma instituição assistencial aquele blazer com ombreiras e compramos um novo, do tipo que "todo mundo" usa agora.

Segundo, quando ela chega à escola ou à igreja com um aspecto semelhante ao das outras garotas, evita ser separada em termos visuais, o que aumenta a probabilidade de poder expressar outras partes de sua personalidade de forma autêntica. Se ela não for considerada "esquisita" quanto ao seu modo de vestir, é possível que suas amigas não a considerem "esquisita" quando ela disser que prefere passar a tarde fazendo pinturas em vez de ensaiar uma coreografia com a turma no quintal.

A situação se torna problemática quando ela imagina que precisa acompanhar todas as tendências do momento. É possível ajudá-la a mudar essa convicção, expressa em frases do tipo: "Mas, mãããe, elas não vão querer falar comigo se eu usar essa roupa horrorosa!". Contudo, obrigá-la a vestir roupas que a farão "pagar o maior mico", e parecer uma desajustada que caiu de para-quedas no meio da turma, não é a abordagem mais recomendável. Ninguém consegue mostrar os melhores aspectos de sua identidade quando outros estão apontando e rindo como só as pré-adolescentes sabem fazer. Dessa forma, você não a ensinará como ser forte, mas sim, como passar o maior vexame. O objetivo é permitir que ela se pareça com o resto da turma, mas incentivá-la a manter sua individualidade dentro do grupo. Para isso, você pode:

- Definir um limite para os gastos na próxima compra, e também para o número de vezes que se farão compras.
- Tornar divertida a busca do estilo dela (falaremos mais sobre isso nos próximos capítulos).
- Conversar com ela a sós caso a observe falando, rindo, franzindo a testa e jogando o cabelo para trás exatamente como as amigas fazem, se você sabe que esses gestos são forçados.

Parte da "clonagem" tem a ver com pessoas que as pré-adolescentes consideram seus modelos. As roupas que "todo mundo" quer muitas vezes são estilizadas de acordo com a moda de celebridades adolescentes. Querer um traje igual ao da Hannah Montana não significa que sua filha está tentando ser alguém que ela não é. Recomendo, porém, que você fique de olho nas celebridades que ela admira. Até agora, Taylor Swift e Miley Cyrus não caíram na mesma armadilha que Lindsey Lohan e Britney Spears, de modo que não há nada de errado em sua filha querer imitar parte do visual delas. Fique atenta, porém, se as celebridades favoritas dela rasparem a cabeça ou forem presas por dirigirem alcoolizadas.

Uma vez que ela está predisposta a admirar certas pessoas, é um excelente momento para incentivá-la a buscar modelos ainda melhores. Muitas pré-adolescentes amam ler biografias. Clara Barton, Florence Nightingale, Corrie ten Boom, Maya Angelou e Eleanor Roosevelt, por exemplo, são personalidades cativantes, que oferecem excelentes exemplos de vida.

Outro passo é envolver sua filha em algo maior do que ela e do que seus desejos materiais e sua obsessão por ser aceita. Realizar trabalho voluntário com a família, apadrinhar uma criança carente e ajudar na igreja são atividades que não apenas desviam os pensamentos dela da preocupação de dizer-

-fazer-vestir a coisa certa, mas também fazem aflorar virtudes maravilhosas que ela nem sabia que tinha.

A "fase clone" normalmente passa, mas enquanto dura pode fornecer várias oportunidades de aprendizado.

Ela parece depender da aprovação das amigas, especialmente da melhor amiga

Algumas questões sobre as quais você precisa refletir:

- Há outras atividades que ela gostaria de realizar, mas deixa de lado porque a melhor amiga não participa delas?
- Ela sempre cede às decisões da amiga sobre o que fazer no tempo que as duas passam juntas?
- Ela abandonou relacionamentos ou diversões anteriores para passar mais tempo com a melhor amiga? Ela parece satisfeita ou tem reclamado, discutido e respondido atravessado mais do que o normal?

Se as respostas gerarem alguma preocupação, converse com sua filha sobre o que você tem observado e pergunte se ela percebeu algo parecido. As pré-adolescentes têm a capacidade misteriosa de se distanciarem de si mesmas e se analisarem de forma muito mais objetiva que suas irmãs adolescentes. Ela está descobrindo a introspecção[5] e, com a devida orientação, pode criar gosto por ela. As meninas que acompanham meu blog para pré-adolescentes participam avidamente quando eu peço para comentarem que cor expressa melhor a personalidade delas ou como elas reagem quando alguém as magoa. Sua capacidade de avaliar os próprios sentimentos e atitudes põe no chinelo alguns adultos que eu conheço. Portanto, essa é a fase perfeita para processar junto com elas quanto suas atitudes expressam dependência da melhor amiga e quanto revelam uma parte nova de si mesmas que ainda estão descobrindo.

Ela dá sinais de não gostar de si mesma

Quando Marijean estava na pré-adolescência, apresentou alguns comportamentos perturbadores, entre leves e moderados, que não condiziam com o modo como a estávamos educando: acessos de raiva quando alguém lhe dizia que ela era bonita, resistência atípica a se vestir bem (exceto com fantasias), e recusa total em melhorar qualquer coisa em sua aparência, por medo de que chamasse muito a atenção das pessoas. Tendo em vista sua autoconfiança e interesse pela vida em outras áreas, esses comportamentos causavam perplexidade. Mais tarde, quando ela estava com 21 anos, duas primas, de 12 e 15 anos revelaram que o pai delas havia abusado das duas a vida inteira. No meio das coisas dele, foram encontradas fotografias pornográficas de nossa filha quando ela estava com 3 anos.

Ela não tem recordação alguma da situação, mas, em retrospectiva, isso explica sua aversão na pré-adolescência a qualquer atenção voltada para seu corpo, bem como outras questões que surgiram durante a adolescência. Jim e eu queremos crer que nossos acertos em sua educação evitaram que os efeitos dessa experiência traumática fossem ainda piores. Se tivéssemos tomado conhecimento do fato, porém, poderíamos ter provido para ela a ajuda necessária. Teríamos lidado com algumas coisas de forma diferente. E talvez ela não teria enfrentado o problema de odiar o próprio corpo.

Não estou sugerindo que, se sua filha demonstra raiva ou tem atitudes prejudiciais para si mesma, significa que sofreu abuso sexual. No entanto, indica que algo não está em ordem. Os itens abaixo, mesmo que não pareçam ser de proporções monumentais para você, apontam para fatores que podem levá-la a se voltar contra si mesma:

- raiva inexplicável;
- distúrbios do sono;
- queixas de dores físicas sem causa médica;
- olheiras;
- letargia geral;
- choro sem razão;
- regressão a comportamentos anteriores.

Detestar a si mesma não é parte normal da pré-adolescência. Se ficar evidente que sua filha está enfrentando esse problema, converse com ela (com todo tato) sobre o que a está incomodando. Se os relacionamentos, os estudos e o bem-estar geral têm sido afetados, não hesite em buscar a ajuda de um profissional. É uma perda imensa ela se detestar numa das fases mais alegres de sua vida.

Ela é perfeccionista

Seu boletim escolar é repleto de notas 10, sua aparência é impecável e ela coleciona realizações espetaculares para alguém de sua idade, mas nunca está completamente satisfeita. Além disso, atormenta todos ao redor com sua ansiedade a respeito de suas falhas, coisas que outros nem conseguem perceber. O que fazer? Você não pode dizer para ela: "Daqui para a frente quero que ver algumas notas 7 e 8 no seu boletim" ou "Não precisa se esforçar tanto nos treinos de ginástica". O desejo de sua filha em buscar a excelência faz parte de quem ela é. Não constitui, porém, *toda* a sua identidade. Sugiro, portanto, que você crie oportunidades de ela fazer coisas que: a) sejam divertidas e não exijam bom desempenho (jogos que dependam do acaso e brincadeiras não competitivas, como pular corda e subir em árvores) e; b) *ninguém* precisa ser um especialista para se divertir (escrever um diário, assistir a filmes, ler, brincar de fazer penteados, construir castelos de areia). Ela precisa de um bocado de atividades nas quais não seja avaliada. Tudo o que ela puder fazer por simples prazer a ajudará a diminuir a pressão que exerce sobre si mesma.

Crises são uma ocorrência esperável numa perfeccionista, mas não deixe que ela se fixe nos supostos fracassos. O que deu errado? Pode ser corrigido? Muito bem. Bola pra frente. Ajude-a a valorizar os erros. Aproveite e avalie se você não tem dado exemplo de perfeccionismo ou expressado espanto quando ela não se sobressai.

Ela tem necessidades especiais

Dificuldades que sua filha encarou sem maiores problemas até o segundo ano agora a fazem sentir-se uma aberração da natureza. Isso se deve, em grande parte, à reação de outras crianças às quais ninguém ensinou que pessoas com deficiências também têm sentimentos. Embora você possa e deva defender os direitos de sua filha de receber educação acadêmica, não há como controlar as reações dos colegas, mesmo quando eles a impedem de sentir-se à vontade para ser autêntica. Você pode, contudo, ajudá-la das seguintes formas a assumir o controle de seus atos:

- Não associe toda a personalidade dela à sua dificuldade de andar, ao problema de fala ou à dislexia. Essas coisas exercem certo impacto sobre a vida dela, mas ao mantê-las em seu devido lugar, você pode ajudá-la a ver a si mesma não apenas como "a menina que fala (anda, respira) de um jeito esquisito".
- Quando precisar batalhar pelos direitos dela, não anuncie aos quatro ventos. Se tiver de reclamar com o diretor da escola sobre a falta de rampas

para a cadeira de rodas ou de legendas nos recursos audiovisuais usados em sala de aula, não o faça na frente dos colegas dela. Ela quer que eles a vejam como alguém normal. Em vários sentidos ela é normal, portanto dê-lhe essa oportunidade, em vez de sempre chamar a atenção para os aspectos que não são normais para todos.

• Entenda que é extremamente importante para ela ser como as outras meninas em todos os sentidos possíveis: nas roupas, nos objetos pessoais, no linguajar, na música. Ela já sabe o que a torna diferente. A fim de se sentir segura o suficiente para se desenvolver como indivíduo, ela também precisa descobrir o que a torna semelhante.

Ela é (como diríamos?) excêntrica

Supostamente, a menina que menos se esforça para se enturmar é a mais autêntica. Em alguns casos, é verdade. Cabe à mãe, porém, verificar se a filha não está usando sua atitude de "eu não sou igual ao resto" como escudo para não ser magoada. Uma amiga minha de 9 anos me disse que ela queria ser esquisita. Quando eu lhe perguntei em que sentido ela se considerava esquisita, ela não soube dizer, mas afirmou que queria ser assim. Depois de investigar um pouco mais a fundo, descobri que ela não estava na mesma fase de interesses que suas colegas do quarto ano em termos de roupas, meninos (*meninos*?!) e "outras coisas" (iPods, jogos etc.). Uma vez que acompanhar a turma era a única forma de ser aceita, e ela não tinha esperança alguma de conseguir fazê-lo, decidiu simplesmente "ser esquisita" e agir como alguém que não entraria para a turma "não esquisita" nem que eles implorassem. Se você tem certeza de que sua filha está apenas fingindo ser uma "aberração", pode ajudá-la a encontrar sua normalidade e se sentir bem com ela.

Primeiro, incentive-a a participar de atividades em família, e não se concentrar apenas em seus próprios interesses. Atividades conjuntas no lar, como varrer folhas do quintal, escolher o recheio da pizza, brincar de jogos de tabuleiro, ajudar a fazer compras e torcer pelo time de futebol servem para conscientizá-la de que pertence a um grupo, algo que ela pode transferir para o seu mundo. A ideia de que "eu sou boa o suficiente para fazer parte deste grupo" pode ser de grande ajuda.

Converse com ela sobre o que é necessário para participar das coisas de seu mundo. Determine, então, se ela deseja mesmo preencher essas expectativas. Pergunte se ela não está indo ao outro extremo para não correr o risco de falhar. Seria, talvez, o caso de desenvolver amizades com outras meninas que também não querem ser clones pré-adolescentes, e curtir essas amizades?

Não lhe diga que ela está certa e os "outros" estão errados. Mas não também tente convencê-la de que ela precisa dançar conforme a música dos outros ou se calar, pois o mundo é assim mesmo e ponto-final. A verdade está em algum ponto entre esses dois extremos: ajustar-se o suficiente para se relacionar com os outros sem perder, contudo, sua identidade singular.

É bem possível que sua filha seja, de fato, um caso à parte. Que coisa mais bacana! Minha filha era (e ainda é!) uma garota assim e, embora em alguns momentos tenha sido difícil para ela, o esforço para manter sua individualidade sem se alienar a transformou numa jovem sensível e inigualável. Estas são, portanto, minhas sugestões:

- Converse com sua filha sobre os motivos pelos quais as pessoas não a entendem, e treine com ela reações que a tornarão menos "esquisita" aos olhos de outros e também permitirão que ela compartilhe seus dons e talentos.
- Ensine-a a respeitar o direito de outros serem "normais"; só porque as outras meninas não são artistas, não entendem tudo de computadores ou não têm amplo conhecimento sobre a vida no tempo da Guerra Civil não quer dizer que sejam superficiais.
- Ajude-a a encontrar outras meninas com as quais ela tenha interesses em comum.
- Deixe claro que não há nada de errado em ser igual a todo mundo em alguns aspectos.
- Ajude-a a entender que, no futuro, será cada vez mais aceitável ser "diferente", mas alerte-a para o fato de que os últimos anos do ensino fundamental são o período mais doloroso para quem não se encaixa nos padrões.
- Mostre para ela que, no futuro, à medida que seu círculo social se expandir, é bem possível que ela encontre outras pessoas com personalidade ou interesses semelhantes aos seus e que provavelmente também são rotuladas de "diferentes".

Você sabe que a protege demais

Se sua garotinha que até pouco tempo atrás não se queixava de nada agora reclama que todas as outras mães deixam que as filhas escrevam comentários num blog apropriado para a idade delas, fiquem sozinhas em casa por dez minutos ou participem de uma festa do pijama de uma colega, sem precisar de uma certidão negativa dos pais de todas as meninas que estarão lá, pode ser hora de você analisar o seu quociente de proteção. O nível de supervisão necessária muda constantemente, mas o ingresso na pré-adolescência acontece sem grandes alardes, de modo que talvez você não tenha percebido que sua filha é capaz de lidar com um pouco mais de liberdade e confiança do que aos 6 ou 7 anos de idade. A meu ver, o fundamental é você perguntar a si mesma: criei esta regra para mim ou para ela?

Por exemplo:

• Não deixá-la navegar na internet quando e como bem entender visa inteiramente à segurança dela; não deixá-la nem entrar na internet lhe poupa o trabalho de instalar filtros e monitorar os sites que ela visita.

• Conhecer os pais da amiga que a chama para dormir na casa dela é uma forma de evitar dificuldades com as quais ela ainda não está preparada para lidar. Proibi-la de dormir na casa das amigas é uma forma de você poupar tempo e, talvez, evitar o embaraço de conversar com gente que não conheça.

• Deixar que ela passe tempo com meninos dentro de um grupo permite que aprenda fazer amizade com o sexo oposto sem grandes dramas; proibi-la de sequer pensar em meninos (como se fosse possível impor uma proibição dessas...) lhe permite continuar a imaginar que sua garotinha não está crescendo.

Se você conseguir soltar as rédeas aqui e ali, verá a autoconfiança de sua filha aflorar. Afinal de contas, você está confiando nela em áreas nas quais ela demonstrou o desejo de ser confiável. Diga-lhe que a confiança é merecida e algo de que ela provavelmente não abusará. Se abusar, como consequência automática, ela perde o privilégio. E você desfruta da vantagem de não precisar controlar cada detalhe.

Você teme não ter uma regra para cada situação

E ela testa os limites de cada uma dessas regras! As regras existem para que os mais jovens saibam quais são os limites, o que, por sua vez, os faz sentir seguros. Quando uma pré-adolescente se queixa de que uma regra é "totalmente injusta", deixou de se sentir segura e passou a se sentir presa. É hora de analisar se ela ainda precisa da regra.

Procure fazer uma lista de todas as regras que você definiu para ela. Todas. Identifique quais não são mais necessárias usando esta regrinha básica: *Quais seriam as consequências se eu a deixasse decidir essa questão por conta própria?*

Digamos que a regra seja: *O horário de dormir é 20h30.* Se você deixá-la determinar a hora de apagar as luzes, as manhãs se transformarão num campo de batalha. Ela dormirá em cima dos livros na escola e ficará com o sistema imunológico enfraquecido. Essa regra, portanto, precisa ser mantida. Porém, dependendo da personalidade dela, pode ser o caso de deixá-la ficar acordada até tarde algumas noites, só para mostrar como é difícil ser funcional sem o devido descanso. Com isso, você deixa claro que suas regras são fundamentadas em motivos válidos, e chama a atenção dela para a necessidade de cuidar de si mesma, coisa que terá de fazer em algum dia (falaremos mais sobre isso no capítulo 8).

E quanto à regra: *As portas dos quartos devem permanecer abertas?* Se você lhe permitir determinar quando quer a porta aberta e quando precisa de privacidade só para pensar, sonhar e ser, ela experimentará liberdade saudável, ficará menos irritadiça e não precisará agir às escondidas. Um possível meio-termo seria: *As portas dos quartos devem permanecer destrancadas, mas todos devem bater antes de entrar.* Deixe claro que essa regra existe por motivos de segurança. É óbvio que também vale para a porta do seu quarto.

Pode ser prudente anunciar o fim de uma regra de cada vez para ter a oportunidade de avaliar como o processo de tomar decisões se encaminha. É sempre ótima ideia elogiar sua filha pelas decisões acertadas. Deixar que ela aprenda com as decisões menos felizes é uma ideia ainda melhor. Afinal, você já sabe que as consequências não serão trágicas.

Mais uma coisa: estabelecer regras rígidas demais é garantia de fracasso, como Paulo deixa claro em Romanos 8. No capítulo 7, ele fala do dilema de não fazer a coisa certa que deseja, mas fazer a coisa errada que ele não quer. No capítulo 8 ele oferece a solução: concentre-se em Deus, e não em seguir as regras. Em Romanos 8.3, ele diz que a lei "fora incapaz" por "estar enfraquecida pela carne". Deus "condenou o pecado na carne" em nós, "que não vivemos segundo a carne, mas segundo o Espírito" (v. 4) e, *desse* modo, acabou com o controle que o pecado exercia.

Portanto, além de regras necessárias para o bom funcionamento da casa ("substituirás o rolo de papel higiênico sempre que ele acabar depois de o usares"), você pode incluir conversas sobre o que Jesus faria em determinadas situações, sobre como o povo de Deus na Bíblia lidou com problemas complicados, ou sobre como o amor de Deus afeta o comportamento de cada um. Sua filha poderá dizer não apenas "Eu sigo as regras", mas "Eu sei fazer o que é certo".

Ela tem várias atividades depois da escola

Algumas meninas se desenvolvem bem nessa situação; então, como saber se ela tem atividades demais? Estes são os sinais mais comuns de que é hora de reavaliar a agenda dela:

- É comum ela parecer cansada bem antes do horário de dormir. Em geral, as pré-adolescentes precisam ser escoltadas para a cama, a menos que tenham jogado uma partida importante, feito uma apresentação de dança ou passado o dia num parque de diversões. Fadiga contínua não é normal.
- Vive irritada. Esse mau-humor é típico de crianças pequenas cansadas ou adolescentes angustiadas. A pré-adolescência costuma ser um período caracterizado por bom-humor e disposição, a menos que algo não esteja em ordem.
- Cria pretextos para não participar até mesmo de atividades que ela escolheu. A energia inesgotável das pré-adolescentes normalmente as torna dispostas a tudo, mas até quem vive no maior pique tem limites.
- Queixa-se de indisposições físicas que desaparecem como por mágica quando ela tem algum tempo livre. É possível que não esteja "fingindo", mas, sim, que seu corpo esteja se rebelando contra o ritmo excessivamente intenso.

O problema é que a ideia de não se envolver nas mesmas atividades que as amigas pode ser assustadora. Você é a pessoa perfeita para ajudá-la a ver a situação com clareza. Sugiro que mostre para sua filha a lista de todos os compromissos dela e que vocês conversem sobre quais ela curte de fato. Se há atividades que ela não considera divertidas, mas que envolvem todas as suas amigas, calcule com ela o número de horas que ainda terá com as amigas mesmo sem fazer aulas de sapateado ou violão com elas. Diga-lhe que a ajudará a fazer programações divertidas com a turma, pois, com menos atividades, ela terá mais tempo para curtir as amizades.

Já que estamos falando de atividades extracurriculares, não se preocupe se ela mudar de ideia com frequência a respeito do que deseja fazer. Uma de minhas sobrinhas pede que a filha escolha uma atividade por semestre para fazer depois aula. A atividade sempre muda de um semestre para o outro. A menina, agora com 11 anos, já treinou beisebol e futebol. Conquistou medalhas em natação e agora está treinando basquete. Depois de experimentar o mundo da dança, escolheu fazer um curso de costura. Minha sobrinha não se preocupa se, um dia, a filha será capaz de dar continuidade a alguma coisa. Afinal, ela tem 11 anos. E ela curte imensamente a igreja e as amigas e gosta de brincar com seu irmãozinho, coisas das quais não dá nenhum sinal de querer desistir. É uma das pré-adolescentes mais versáteis e bem ajustadas que conheço (mesmo levando em consideração meu viés de tia coruja). O conselho de minha sobrinha: não compre equipamentos para essas atividades; sempre que possível, alugue-os.

É natural e saudável sua filha ter o desejo de experimentar versões de si mesma, inclusive no seu tempo livre. Um dia ela sobe em árvores, no dia seguinte quer usar um colar de pérolas para ir à escola. Ela não terá tantas oportunidades de fazer esse tipo de experiência se tiver sempre alguma atividade estruturada que limita a exploração. Claro que não estou dizendo para largar tudo, pois esportes e outras atividades contribuem para desenvolver inúmeras qualidades de grande valor. Mas pode-se dizer o mesmo de aprender a usar bem o tempo livre.

O que dizem as minimulheres

Quando minhas amigas e eu dormimos na casa uma da outra, fazemos uma brincadeira de mudar totalmente, só pra ver como é. Tipo, uma das minhas amigas não é superfeminina, mas ela deixa a gente maquiá-la, fazer *babyliss* no seu cabelo e ensinar uma coreografia. Ela ainda é meio moleca, mas agora ela usa uma pulseira de vez em quando e ninguém fala: "Não tem nada a ver com você, porque você joga futebol". Eu acho legal que a gente faça isso.

11 ANOS

Talvez você imagine que ela ficará entediada, e é possível que ela se queixe de tédio no início. É o momento de sugerir que ela explore algumas opções.

Você tem uma caixa de roupas velhas que elas e as amigas podem usar para brincar de desfile de moda? Peça para criarem três visuais totalmente diferentes e desfilá-los para você. Tem uma porção de materiais para artesanato em casa? Ajunte-os todos e desafie sua filha (e as amigas dela) a desenhar ou pintar três cartazes sobre "Minha vida futura" para cada uma. Quer tirá-la do sofá? Desligue a TV, mostre onde tem uma pilha de revistas e peça para ela fazer uma colagem com fotos de atividades que chamam sua atenção. Incentive-a a usar a imaginação, como fazia quando era pequena, com as devidas adaptações para a pré-adolescência, e veja como ela usa sua liberdade para explorar sua verdadeira identidade.

E mais importante: não permita que a opinião de outros interfira na decisão de deixar sua filha ter tempo livre. Quando outra mãe disser: "Você não tem medo de ela ficar pra trás?", sorria e ofereça-lhe um pedaço de chocolate.

Se você ainda não estiver convencida do valor dessa abordagem, analise o seu próprio nível de estresse. De acordo com Elium e Elium, autores de *Raising a Daughter* [Criando uma menina], uma das queixas mais comuns de pais de pré-adolescentes é a necessidade de "não parar um segundo sequer o dia todo".[6] Pense em todo esse estresse, junto com o milhão de outras coisas que você faz, e pergunte a si mesma: "Será que eu adoraria largar metade disso tudo e ter um momento tranquilo para desfrutar um bom café sentada à mesa em algum lugar, e não dentro do carro?". Você fará um grande favor não apenas a si mesma, mas também a sua filha se ensiná-la como desacelerar, passar tempo sozinha e regular o ritmo de suas atividades.[7]

Você percebeu que suas expectativas não são muito realistas

Como mudar isso? Talvez de maneira diferente da que você imagina:

- Não compare sua filha com outras meninas da mesma idade, nem mesmo em pensamento. Contente-se com quem ela é.
- Não a rotule. Muitas meninas da idade dela são apaixonadas por esportes, cavalos e aquele moletom que não querem tirar nem para lavar. Essas mesmas meninas também se empolgam quando você as leva para tomar chá, deixa que escolham a cor do esmalte para as unhas dos pés (por mais que você odeie "rosa chiclete"), as ensina a tricotar ou permite que arrumem a mesa como acharem melhor. A única coisa que você pode, de fato, esperar

de uma pré-adolescente é que ela tope experimentar qualquer atividade, especialmente se ninguém tiver lhe dito que ela nunca será superfeminina ou que é desengonçada demais para gostar de esportes. Ainda não se sabe ao certo que tipo de pessoa ela se tornará. Para dizer a verdade, esse processo não tem fim. (Aos 57 anos, eu, que sou uma desengonçada e vivo com o nariz enfiado nos livros, tive aulas de surfe e aprendi esqui aquático. Correção: eu que *era* uma desengonçada...)

• Analise o que você espera de si mesma (aparência impecável, casa perfeitamente organizada, relacionamentos sem conflito, vida cristã sem pecado e filhos com comportamento exemplar etc.) e não projete isso em sua filha. Se você for menos dura consigo mesma, terá mais facilidade de ser menos exigente com ela também.

Você se preocupa que ela não esteja se enturmando

Isto se aplica à mãe das meninas que se desenvolvem fisicamente antes ou depois das outras meninas, ou que são superinteligentes, talentosas acima da média, ou um tanto excêntricas. A primeira coisa que você precisa perguntar a si mesma é se a pessoa que está infeliz é sua filha ou você. Nem todas as meninas querem viver cercadas de amigas. Nem todas sonham em aparecer sob os holofotes, mesmo que esse fosse o sonho da mãe. É possível que sua filha rejeite a superficialidade que vê ao seu redor e se contente com uma ou duas amigas com as quais tenha afinidade. Se ela de fato não se importa de não fazer parte da turma, você também não deve se preocupar!

Se ela dá sinais de estar *completamente* sem amigas e insatisfeita, se você percebe que ela é *totalmente* excluída, é outra história. Nesse caso, reforce para ela a ideia de que não há nada de errado em ser autêntica. Em seguida, ajude-a a identificar e corrigir comportamentos que afastam as pessoas (conversaremos sobre isso mais adiante). Reafirme, contudo, a essência dela, e ela desenvolverá sua própria forma de expressão.

Qualquer que seja sua abordagem, não tente obrigá-la a ser como todo mundo, dê espaço para que ela tenha arestas, idiossincrasias e preferências incomuns dentro dos limites dos bons modos, da segurança e dos padrões morais. Afinal de contas, não queremos que nossas filhas sejam "picolés de chuchu". Abacaxi com hortelã é um sabor bem mais interessante.

Ela sofre gozações demais dos irmãos

É normal haver certa troca de gozações entre irmãos e irmãs, mas não permita que os outros membros da família zombem dela ou a critiquem por ser ela mesma ou por estar tentando descobrir quem ela é. Ao defendê-la, você mostrará que é sua aliada nesse processo. Trata-se de algo diferente de tomar partido. Deixe claro que as regras de respeito valem para todos, inclusive para ela. Alguns exemplos:

- Se a gozação não for divertida para ambas as partes, é hora de parar. E ponto-final.
- Não é permitido menosprezar as ideias de ninguém. É possível discordar sem desrespeitar a pessoa.
- É absolutamente proibido insultar a pessoa e chamá-la disto ou daquilo.
- As seguintes palavras são proibidas para se referir a alguém: *idiota*, *bobo*, *tapado*, *fracassado*, *bicha*, *esquisito* e *retardado*.

Não sou contra a imposição de uma penalidade cada vez que alguém desrespeita as regras, mas o objetivo final é que a pessoa peça desculpas com sinceridade e, é claro, mude o comportamento.

* * *

Para qualquer filha pré-adolescente, por mais segura de si e bem ajustada que ela seja, a melhor coisa que você pode fazer como mãe é ser seu exemplo de autenticidade. Valorize sua própria individualidade. Viva de forma a expressar sua verdadeira identidade, ao praticar a bondade, a consideração, a compaixão e a aceitação do caráter singular de cada pessoa, especialmente de sua filha. Não se esqueça: ela está observando você.

Senhor, preencha a lacuna

Deus de toda graça, meu coração fica apertado quando penso nos obstáculos para que minha filha se torne tudo o que o Senhor a criou para ser em cada momento de sua vida. Perdoe-me pelas barreiras que eu mesma criei, inclusive (*pense em uma ou mais barreiras específicas*). Acima de tudo, preencha a lacuna entre os obstáculos que ela terá de superar para alcançar a autenticidade e minha capacidade de ensiná-la a como superá-los. Por meio de Jesus Cristo, nosso Senhor. Amém.

Parte 2

Eu acho você linda

Na vida real

Ela sempre foi "despreocupada", por assim dizer, com a aparência. Desde os 2 anos, é uma briga fazê-la tomar banho e ela só penteia os cabelos sob ameaça de ficar de castigo para o resto da vida. Não que ela não queira ser uma graça. Ela pensou que já fosse, pois todos, desde a avó até a moça no caixa do supermercado disseram que ela é. Estava sempre pronta a sorrir para a máquina fotográfica, vestir o maiô, ou pôr aquele chapéu ridículo na festa de aniversário dos outros.

Até que um dia ela sai do banheiro com os olhos marejados de lágrimas e diz: "Eu odeio minhas roupas. Meu cabelo é horrível. E nunca cheiro bem!".

As lágrimas se transformam em soluços altos e, por alguns instantes, você fica sem ação. Quando finalmente você pensa numa forma de consolá-la, diz algo do tipo: "Que é isso, minha filha? *Eu* acho você linda".

Você percebe, então, que disse algo errado, pois ela a encara com raiva, o rosto vermelho, os olhos inchados e a alma despedaçada e diz: "Você tem *obrigação* de dizer isso porque é minha mãe!".

A choradeira aumenta, talvez se ouça uma porta bater. Você se pergunta: "O que acabou de acontecer?".

Esses são os sons de sua filha pré-adolescente descobrindo que "beleza" é mais um item na lista de motivos para ela se descabelar.

Sua minimulher pode estar em qualquer estágio da consciência da beleza considerado "normal" para a faixa etária de 8 a 12 anos:

- Ainda não liga a mínima para a aparência. É possível que nunca se preocupe muito com seu visual, mas em algum momento perceberá que ele importa.
- Ainda acha divertido comprar roupas e se arrumar para uma ocasião especial, mas normalmente volta para casa com a aparência de quem não passou na frente de um espelho nem viu um pente o dia inteiro. (Lembro-me de minha própria experiência no quarto ano, quando ouvi uma das "Meninas Estilosas" comentar: "A Nancy Naylor nunca penteia o cabelo".)
- Dá sinais de que não se sente à vontade com sua aparência (talvez queira usar um chapéu o tempo todo), mas se preocupa com o que pode acontecer se fizer algo para mudá-la (se recusa a mudar o corte de cabelo por medo de que as pessoas reparem).
- Desenvolveu uma fixação pela aparência e vive perguntando por que não pode usar maquiagem ou experimentar sapatos de salto alto.
- Deixa claro que se considera a mocinha mais linda de toda a história da humanidade e já assumiu o papel de *femme fatale*.
- É obcecada com sua suposta feiura e tem certeza de que é tão horrível que deveria usar um saco de papel na cabeça.

Não importa onde sua beldade esteja nessa ampla gama de possibilidades, certas questões de beleza estão surgindo no mundo dela. É normal ela:

- Querer ter o mesmo visual das amigas (tratamos dessa questão anteriormente).

• Preocupar-se mais com a aparência do que antes. Essa preocupação varia desde um infarto do miocárdio por causa de uma espinha microscópica até uma impressão vaga de que, ao usar leggings, não fica com o mesmo visual que sua melhor amiga magricela.

• Admirar meninas mais velhas (não necessariamente você!) e fazer pequenas coisas para tentar se parecer com elas. Aos 12 anos, Marijean de repente queria usar o mesmo xampu que sua prima linda de 19 anos.

• Começar a se comparar com outras meninas, especialmente se elas são consideradas superdescoladas.

• Ter gostos mais definidos do que antes; roxo não é mais apenas sua cor predileta, ela *precisa* usá-la.

• Ficar dividida entre a sua aprovação sobre a aparência dela e a aprovação das amigas.

• Reagir de modo mais explosivo às gozações dos irmãos sobre sua aparência.

Qual é seu papel nesse novo ato da vida de sua filha? É o papel principal. Quando ela demonstra interesse pela aparência de alguma das maneiras indicadas acima, é sinal de que começou a formar uma imagem de si mesma como mulher. Qualquer coisa que você fizer ou disser em relação à aparência dela se tornará parte dessa imagem.

Embora eu tenha vivido a pré-adolescência cinquenta anos atrás, creio que minha experiência ainda é um bom exemplo. Quando vejo fotos minhas dos 8 aos 12 anos, tenho a impressão de que poderia ter sido uma gracinha de menina. Olhos castanhos grandes, sardas no nariz, um sorriso enorme. O que não ajudava era o meu cabelo. Em todo esse período de cinco anos, o comprimento das minhas madeixas não passou dos 5 centímetros. Não estou exagerando. O corte de cabelo extremamente curto não era apropriado para o formato de minha cabeça e rosto. Parecia um menino. Sentia-me como um menino. E o que é pior, as outras crianças zombavam de mim por causa disso.

No sexto ano, quando os hormônios entraram em cena, meu cabelo se tornou encaracolado, o que coincidiu com um estirão de crescimento que incluiu meu nariz. Mesmo olhando pelo ponto de vista objetivo de uma mulher adulta, vejo aquelas fotos dos últimos anos da pré-adolescência e penso: "Que judiação. Por que fizeram isso com você?".

Por fim, eu cresci e me tornei quem sou hoje, e venci a batalha por um corte de cabelo um pouco mais longo, embora, até terminar o ensino médio e sair de casa para fazer faculdade, ele sempre fosse bem mais curto do que o comprimento considerado elegante e feminino hoje em dia. Foi só depois dos 30 anos que comecei a me considerar uma mulher atraente. Nunca havia experimentado o prazer de me sentar à frente do espelho e escovar meu cabelo ou jogá-lo para trás num gesto faceiro, ou de prendê-lo todo encaracolado no alto da cabeça para a festa de formatura e, de algum modo, isso fez diferença.

Coitada da minha mãe, ela não fazia ideia de que estava dando espaço para eu me considerar uma figura desajeitada e nada feminina. Preste atenção, porém, no seguinte: no fim das contas, você não determinará a aparência de sua filha, mas exercerá a influência mais marcante no modo como ela se sentirá a respeito dessa aparência.

E isso faz *toda* a diferença.

4 *O que ela vê quando se olha no espelho?*

Eu te louvo porque me fizeste de modo especial e admirável. Tuas obras são maravilhosas! Digo isso com convicção.

SALMOS 139.14

Desde que eu me conheço por gente, minha mãe sempre me diz que eu sou linda. Acho que ela acredita mesmo que eu sou. Não estou dando uma de exibida ao falar isso, né?

12 ANOS

Ainda sinto uma pontada em meu coração de mãe quando me recordo das palavras que Marijean me disse aos 11 anos. Usei-as na situação apresentada na introdução desta parte: “Eu odeio minhas roupas. Meu cabelo é horrível. E nunca cheiro bem!”.

Eu reagi de maneira diferente da mãe mencionada no exemplo. Para dizer a verdade, fiquei feliz da vida porque minha filha começou a se preocupar em não parecer uma menina abandonada e, mais que depressa, a levei ao *shopping*, onde escolhemos algumas roupas lindinhas e eu a deixei comprar o perfume que quisesse. Se não me falha a memória, ela escolheu um chamado *Teen Spirit*. Na volta, passamos na farmácia e compramos um kit para fazer permanente em casa (lembre-se de que eram os anos 1980) e gastamos o resto do dia transformando seu visual. Foi a maior diversão.

Mas se eu tivesse de lidar com a mesma situação novamente, faria de outra forma. Na época, não percebi que essa crise, na realidade, não indicava um interesse súbito pela aparência. Era sinal de que ela se achava feia, fedida e nem um pouco descolada. Se pudesse voltar a fita, trataria dessas questões primeiro.

É o que vamos fazer agora. Muitas de vocês já sabem como lidar com essa situação, mas espero que, ainda assim, encontrem informações úteis para lidar com sua linda minimulher.

O que dizem as minimulheres

Além de minha mãe me lembrar com frequência de que eu sou bonita (é, eu sei que a opinião dela é suspeita, mas ainda assim me deixa contente), às vezes, quando eu estou toda arrumada, ela também comenta com meu pai ou com nossos amigos: "Olha só como nossa filha está linda hoje!".

12 ANOS

Vamos esclarecer: desafios relacionados à beleza

Conforme comentei anteriormente, mais cedo ou mais tarde toda pré-adolescente observa que sua aparência importa. Trata-se de algo normal, saudável e, em geral, encantador. O sonho de fazer compras juntas, arrumar o cabelo e pintar as unhas é o que leva muitas mães a quererem ter uma filha.

Duas coisas, porém, impedem essa experiência de ser "a coisa mais divertida do mundo", como diriam as próprias minimulheres:

1. A atual cultura da beleza; e
2. A autoimagem distorcida que essa cultura incute nas meninas.

No momento, você é a única pessoa na vida de sua filha capaz de ajudá-la a passar pela pré-adolescência com um conceito claro, preciso e belo de si mesma como mulher. Você ainda tem essa influência. Trata-se de algo é tão forte que, de forma inconsciente, você pode levá-la a criar um conceito distorcido, autocrítico e bastante doloroso de si mesma. Felizmente, estimular a autoimagem positiva não é uma missão impossível, desde que você entenda, de antemão, cinco questões:

O que é a cultura da beleza

Conforme comentei, sua filha teria de crescer dentro de uma caverna para não ter consciência alguma do conceito atual de beleza. Os padrões de beleza mudam, como fica evidente quando vemos fotos de nossas avós, mães, e até de nós mesmas, quando éramos jovens e preocupadas em andar na última moda. Nos anos 1930, minha mãe usava chapéus e saias retas que iam até a metade da canela. Nos anos 1970, eu usava minissaias tão curtas que me recuso a mostrar as fotos para as adolescentes que aconselho! Se você é dos anos 1980, sabe que cabelo armado, ombreiras enormes e brincos maiores ainda compunham um visual fantástico. (Queria que a moda das ombreiras voltasse, pois faziam a cintura parecer mais fina...) Se retrocedermos ainda mais, ao período rafaelita, veremos que mulheres gordinhas, roliças, cheias de curvas voluptuosas eram consideradas absolutamente deslumbrantes. Gostaria de saber quando *essa* moda vai voltar.

Infelizmente, a imagem de "beleza" da sociedade de hoje é um ideal impossível para cerca de 98% das mulheres. Magreza impecável, com algo em torno de 14% de gordura corporal. Seios grandes (e se você conhece alguém magrinha que usa sutiã tamanho 44 ou 46 sem ter recorrido ao silicone, deve conhecer muito mais gente do que eu). Cabelo liso, grosso e brilhante, preferencialmente loiro, que desce em cascata até as costas sem qualquer vestígio de pontas duplas. Lábios tão carnudos que mais parecem sofás-camas. Unhas de uma perfeição que só se pode obter com visitas semanais à manicure. E por fim, dentes perfeitos de um tom branco resplandecente que não existe na natureza e é capaz até de cegar alguém.

Ninguém tem essa aparência. Modelos de revistas que supostamente têm esse visual não têm essa aparência. Dizem que Cindy Crawford comentou certa vez: "Nem *eu* me pareço com Cindy Crawford quando acordo!". O Photoshop faz milagres. Sabe aquela foto minha na contracapa? Pedi ao fotógrafo que não retocasse nada. Exceto os dentes. Será que dava para clareá-los só um pouquinho? Eu bebo muito chá...

O que dizem as minimulheres

Minha mãe não me dava sermões sobre usar roupas discretas. Eu aprendi vendo o exemplo dela. Ela nunca vestiu roupas chamativas. Eu observei isso e comparei com outras mulheres que usavam roupas vulgares e concluí que, tipo, "eu não quero ser assim".

12 ANOS

Todo mundo concorda que é ridículo esperar que nossa aparência se aproxime desse padrão. Ainda assim, ele está sempre debaixo do nosso nariz. Não imagine que sua filha também não repara nele. No curso sobre beleza que ofereço a pré-adolescentes, peço que recortem de revistas fotos de garotas que elas consideram bonitas. Em seguida, elas fazem uma colagem juntas e descrevem todas as características que mencionei. Então eu pergunto: "Alguém aqui se encaixa nesse padrão?". Segue-se um acesso de risadinhas, pois é claro que a maioria delas ainda nem tem quadris, e os sutiãs são um sonho distante. "Isso significa que vocês não são lindas?", pergunto. E a resposta é um "Não!" alto e claro.

Faça a mesma pergunta para um grupo de adolescentes e a reação será bem diferente. Daí a urgência de interagir com sua filha pré-adolescente a esse respeito antes que ela perca a noção de como as expectativas da sociedade são absurdas e comece a tentar preenchê-las. Mesmo que ela ainda esteja no segundo ciclo do ensino fundamental, você já terá de correr atrás do prejuízo. Lembre-se de como você se sentia sobre sua aparência no quinto, sexto e sétimo ano. Multiplique por dez, para compensar por aquilo que o tempo apagou da memória e o modo como os tempos mudaram, e você terá uma ideia daquilo que sua filha enfrenta.

A boa notícia é que as coisas melhoraram um pouco no universo da moda, o maior responsável por perpetuar a imagem de beleza absurdamente magra. Depois que três modelos sul-americanas morreram de problemas de saúde associados à anorexia em 2006, organizações ligadas ao setor da moda na Espanha e na Itália proibiram que modelos com índice de massa corporal abaixo de 18 (o índice mínimo considerado saudável é 18,5) desfilassem. Oficiais do governo espanhol e estilistas também concordaram em não exibir nas vitrines das lojas roupas menores que o tamanho 40.[1]

A má notícia é que essa prudência ainda não chegou aos Estados Unidos. Embora algumas modelos tenham se encarregado de tornar sua profissão mais saudável, muitas agências norte-americanas continuam a exigir um visual emagrecido. De acordo com a dona de uma agência de modelos: "Faço qualquer negócio para encontrar jovens magros demais. Tenho 42 modelos em minha agência e procuro fazê-los perder peso. Pra ser sincera, *gostaria* que alguns deles desenvolvessem anorexia".[2]

Essa distorção também chega, por meios indiretos, às nossas pré-adolescentes. Estudos mostram que meninas de 5 anos já entendem que o corpo da mulher deve ser perfeito. Aos 9 anos, começam a comparar seu corpo com o padrão corrente e ver se estão à altura ou não. "Aliás", comentam Elium e Elium, "até 80% das meninas de 9 anos das classes média e alta se preocupam com dieta e com o próprio peso".[3]

"Queria que minha mãe entendesse como é grande a pressão hoje em dia para a gente parecer uma modelo esquelética", uma leitora escreveu para mim. Sua idade? 12 anos.

De onde elas *tiram* essas ideias?

Isso nos leva à segunda questão que você precisa entender.

A influência dos adultos sobre a cultura da beleza

Ficamos horrorizadas quando nossas filhas de 8 anos se acham gordas, ou escolhem roupas que a maioria das mães considera provocante, ou "morrem de vontade de usar maquiagem", como me disse uma garota de 10 anos. Mas como Howe e Strauss observam em seu livro *Millenials Rising*, "poucos adultos se mostram particularmente chocados com os sujeitos de 30 anos que os escrevem, os de 50 anos que os produzem e os de 70 anos que lucram alto com eles".[4]

Os autores se referem, é claro, aos lançamentos da indústria cinematográfica, embora seja possível dizer o mesmo de quase toda a mídia. Não são as crianças que criam padrões de beleza inalcançáveis para si mesmas. São os mesmos adultos que deveriam protegê-las. Eles comunicam as mensagens que afetam a autoimagem das meninas e, infelizmente, seu valor próprio. E essas mensagens estão por toda parte. Por mais absurdo que pareça, são proclamadas em volume máximo nos comerciais de televisão que, supostamente, anunciam sabonete, margarina ou comida para cachorro. Estão nos *outdoors* gigantescos que, com certeza, nossas filhas veem do banco de trás do carro. Há programas infantis em que as personagens femininas são esbeltas. Há revistas que trazem mais anúncios de cosméticos e moda que artigos.[5]

Também neste caso, por mais que você tente, é extremamente difícil proteger sua filha de todos os meios de comunicação que lhe dizem: "Querida, se você não tiver um visual como este, é melhor dar um jeito de melhorar ou dar o fora daqui".

A influência das colegas

Já falamos (provavelmente até enjoar!) do poder "da turma", e essa influência também abrange as questões da aparência. É natural a pré-adolescente se comparar com as colegas. Todas nós fizemos o mesmo nessa fase. Linda Porter (ainda me lembro do rosto dela) sempre foi a menina mais bonita do terceiro ano do ensino fundamental em diante, e eu sabia que não era tão adorável quanto ela (não com aquele meu penteado!). Mas não me lembro de nenhum grupo grande de meninas que fazia o resto se sentir como lixo de sarjeta. Infelizmente, as coisas mudaram. Trataremos em mais detalhes dos relacionamentos entre as meninas na Parte 4. Por ora, saiba que existe grande probabilidade de pensamentos como estes atravessarem a mente de sua filha:

- O cabelo dela é mais loiro que o meu.
- Os cílios dela são mais longos que os meus.
- Minhas roupas não são tão *fashion* quanto as dela.
- Ela não precisa usar óculos horrorosos como eu.

Trata-se de algo razoavelmente normal. O que não é normal é a importância que o resultado dessas comparações parece ter hoje em dia: pré-adolescentes que querem fazer luzes no cabelo, pedem para usar rímel e imploram para colocar lentes de contato. Coisas que faziam parte apenas do universo das adolescentes invadiram o mundo pré-adolescente, no qual as meninas são jovens demais para desenvolver essa fixação com a aparência, apesar do fato de que ela mudará completamente em um ou dois anos.

Em geral, os meninos também não colaboram. Volta e meia alguma menina dessa idade me diz que não liga a mínima para a opinião dos meninos, mas é impossível não ficar sabendo qual é a opinião deles, pois eles pensam em voz alta. Se você também tem meninos, sabe que eles estão passando por seus *próprios* desafios da puberdade e muitos pensam que precisam ser engraçados o tempo todo. O problema é que seu senso de humor muitas vezes é bem diferente daquilo que a menina e suas amigas consideram divertido. Garotos pré-adolescentes acham hilariante chamar uma menina de quatro-olhos quando ela precisa usar óculos, ou tapar o nariz quando ela se aproxima deles. Embora qualquer menina pré-adolescente que se preze lhe dirá que meninos assim são uns MSARs (Malas Sem Alça Ridículos), é provável que ela se magoe com os comentários, e que sua autoimagem perca um ou dois pontos.

Sua influência como mãe

O erro que eu mais me arrependo de ter cometido na educação de minha filha foi ter lhe dado um exemplo nocivo de imagem corporal. Não tenho prazer algum em compartilhar isso com você, pois foi meu pior momento, mas faço-o porque considero de suma importância você saber o poder que seu exemplo pode ter.

Eu tinha 30 e poucos anos quando Marijean era uma pré-adolescente de 9 ou 10 anos. Jim e eu estávamos fazendo faculdade de dramaturgia, o que implicava participarmos do Nevada Repertory Theater, frequentar as aulas e estudar em casa. Nós dois tínhamos empregos de meio período para sustentar nossa pequena família e dirigíamos um teatro infantil profissional sem fins lucrativos. Entrementes, eu também tentava manter à tona minha carreira recém-iniciada de autora. É, eu sei. Loucura total. Graças ao estresse, comecei a perder peso e, por algum motivo, no meio do caos de minha vida, imaginei que essa era uma área que eu conseguia controlar.

Vivia à base de Diet Shake e Coca Zero durante o dia, fazia uma hora diária de ginástica do programa da Jane Fonda, andava só de bicicleta em vez de usar o carro e, ao jantar com a família, comia pouco mais que Gandhi. Com quase 1,74 metros de altura, cheguei a pesar 50 quilos. Fotos minhas daquela época mostram uma figura esquelética e exausta. A única coisa que "se destacava" no meu corpo eram os ossos.

Eu imaginava que mantinha meus hábitos anoréxicos bem escondidos. Muitas pessoas me elogiavam por meu porte esbelto, o que me tornava ainda mais determinada a perder um quilo ou dois. Ninguém dizia: "Você está bem? Parece que acabou de sair de um campo de concentração". Jim expressava certa preocupação, mas estava tão envolvido quanto eu em nosso ritmo de vida frenético, de modo que não foi difícil tranquilizá-lo com minhas afirmações de que me sentia ótima.

O que dizem as minimulheres

Nunca parei pra pensar naquilo que minha mãe acha da minha aparência. Ele nunca me disse claramente: "Você é bonita". Eu faço dança e, um dia, a gente comentou sobre quem tinha corpo de dançarina. Quando eu falei que eu não tinha, ela nem tentou negar ou dizer alguma coisa pra me animar. Meio que ignorou o comentário.

12 ANOS

Ao que parece, Marijean foi a única que notou o que estava acontecendo. Só descobri muitos anos depois que ela sabia que a lata sem rótulo na qual eu havia escrito "Sustagem" era, na verdade, Diet Shake. Que ela me via franzir a testa cada vez que me olhava no espelho. Que ela me ouvia resmungar em voz baixa que estava "me sentindo gorda". Algum tempo atrás ela me contou que, desde aquela época, começou a ver no espelho seu próprio corpo robusto e saudável de menina de 10 anos e pensar: "Se minha mãe acha que *ela* é gorda, deve pensar eu sou uma orca".

Além do abuso sexual que ela sofreu quando era pequena, essa era a outra razão pela qual ela só usava moletons soltos, considerava um suplício vestir um maiô, e tinha uma atitude do tipo "sou uma come-dorme sem salvação" quando alguém sugeria que ela praticasse esportes. Tudo isso antes de completar 11 anos.

Embora meus comportamentos anoréxicos tenham persistido por apenas dois anos e não tenham causado maiores estragos ao corpo além da manifestação precoce de osteoporose, mantive o que minha terapeuta competente, Glenda Allen, chama de "mentalidade anoréxica". E Marijean também. Quando chegou à adolescência, entrou numa montanha-russa de perda e ganho de peso, acompanhada de uma nuvem de autodepreciação constantemente sobre sua cabeça e só conseguiu se estabilizar por volta dos 25 anos. E, no entanto, ela sempre foi uma jovem bonita, com um corpo lindo. Assumo a responsabilidade pelo fato de ela raramente ter conseguido curtir isso.

Como Glenda Allen me disse: "O que influencia não é o que você faz ou mesmo diz a respeito dela, mas o que você diz a respeito de si mesma".

Nada a acrescentar.

A influência do cristianismo

Pouco tempo atrás, dei uma palestra num chá para mães e filhas numa igreja muito agradável em que todas as mães e suas pré-adolescentes estavam "nos trinques", com penteados impecáveis, unhas feitas e bolsas estilosas. Era um prato cheio para mim, pois o grupo havia pedido que eu falasse sobre "beleza interior".

— Quantas de vocês já ouviram alguém dizer que a aparência não é importante? — perguntei.

Muitas levantaram as mãos. Até aí, tudo bem.

— Quantas de vocês acreditaram nisso? — perguntei em seguida.

As mãos continuaram levantadas. Aliás, mais algumas apareceram.

Certo. Não era exatamente a reação que eu esperava.

Conclui que as meninas estavam apenas respondendo de modo a agradar a mães. Por isso, pedi que as mães fechassem os olhos e repeti a pergunta. As meninas ficaram sem ação. Olharam sem jeito umas para as outras e para as mães que não podiam vê-las. Cerca de metade manteve a mão levantada. A outra metade parecia prestes a chorar.

Minha vontade era gritar: "Não tem nada de errado em ser honesta!".

Será que elas acreditavam de verdade que a aparência não é *nem um pouco* importante? Ou estavam imitando o que haviam aprendido com essas mesmas mulheres cristãs que poderiam muito bem ter saído daquele chá para ir a uma sessão de fotos e receber cachês de modelo?

Na realidade, eu não deveria ter ficado surpresa. Vi a mesma coisa acontecer repetidamente em cursos, eventos e bate-papos on-line. Professoras de escola dominical, pastores bem-intencionados e mães escrupulosas parecem ter interpretado equivocadamente para as pré-adolescentes as passagens das Escrituras que tratam da aparência.

Em Mateus 6.25, por exemplo, Jesus diz: "Não se preocupem com sua própria vida, [...] nem com seu próprio corpo, quanto ao que vestir. Não é a vida mais importante que [...] a roupa?". Adultos cristãos dizem às suas ouvintes inocentes: "Isso quer dizer que não importa nem um pouco que tipo de roupa você veste". Trata-se de uma mensagem confusa quando os adultos que a transmitem se encontram paramentados em trajes da última moda. Além do mais, não é esse o significado da passagem. Jesus está dizendo que as roupas não definem *tudo* que somos. Nem sequer são a coisa mais importante a nosso respeito. Ainda assim, porém, são algo com que precisamos lidar. Se a pré-adolescente não entender isso, sairá da escola dominical se sentindo uma pecadora consumada, pois se importa com aquilo que veste. Ou então pensará: "Melhor desistir de tentar ser uma boa cristã, pois sou um caso perdido".

As aves do céu e os lírios do campo também geram interpretações equivocadas e confusão desse tipo (Mt 6.26-30). Jesus diz: "Busquem, pois, em *primeiro lugar* o Reino de Deus e a sua justiça, e todas essas coisas lhes serão acrescentadas" (Mt 6.33, grifo da autora). Ele não diz: "E fiquem à vontade para andar feito uns molambentos, com o cabelo desgrenhado". Lemos em 1Pedro 3.3-4 que "A beleza de vocês não deve estar nos enfeites exteriores [...]. Ao contrário, esteja no ser interior". Pedro afirma que Deus está mais interessado em nosso modo de viver que em nosso modo de vestir. Isso não é sinônimo daquilo que algumas meninas ouvem de suas professoras, a saber, que é errado sequer pensar "nos enfeites exteriores". Que meramente cogitar sobre o assunto as torna fúteis. Não é o que vejo no texto. Vejo uma passagem de acordo com a qual a beleza importa um bocado, que devemos ter a beleza que é "demonstrada num espírito dócil e tranquilo, o que é de grande valor para Deus". O tipo de beleza que não vem de um corte de cabelo moderno e brilho labial, mas que ainda assim precisa estar presente.

E também há o outro extremo, que observei em igrejas nas quais a aparência da mulher é considerada reflexo direto e singular de sua devoção a Deus. É a interpretação de Provérbios 31 que reflete o verdadeiro significado da passagem com a mesma exatidão que a Casa dos Espelhos num parque de diversões. A esposa exemplar ali descrita sem dúvida é um ideal ao qual a mulher deve aspirar em termos espirituais. Uma exegese *literal* nos levaria a concluir que precisamos ter um guarda-roupa lotado de trajes esplendorosos que devemos vestir enquanto preparamos o café da manhã, vendemos um campo, remendamos casacos de inverno e mantemos todos em nosso lar ocupados e produtivos. Tenho minhas suspeitas de que vários programas de emagrecimento cristãos, nos quais fica implícito que estamos aquém das expectativas de Deus quando temos alguns quilinhos a mais, são resultado direto desse tipo de distorção das Escrituras.

A mesma fé que deveria manter livre o caminho para a jornada de nossas filhas também pode colocar nele algumas armadilhas.

Considerando-se tudo o que está acontecendo no mundo, nenhuma pré-adolescente teria a mínima chance de entrar na adolescência com uma imagem positiva de sua própria beleza se não tivesse uma conselheira para ajudá-la a examinar todas as mensagens que chegam até ela e descartar aquelas que são nocivas, cruéis e absolutamente falsas. Você é essa conselheira. A seguir, vamos construir a base para sua abordagem partindo, é claro, de nosso Deus.

Do Pai celestial

Ofereço-lhe este conteúdo da mesma forma que o apresentei às minimulheres que leram o livro *The Skin You're In.* São os mesmos textos das Escrituras e as mesmas explicações. Tudo igual. E, ainda assim, se aplicam a você, que agora é uma pré-adolescente alguns centímetros mais alta.

> Você acredita em Deus, certo? Acredita que Deus está no controle, pois ele é perfeito, sim? Então concorda com tudo o que Davi diz a respeito de Deus no salmo 139:
>
> Deus sabe tudo a seu respeito (v. 1-4);

Deus está em toda a parte (v. 5-12);
Deus criou o "íntimo do [seu] ser" (v. 13).

E se acredita nisso, então pode dizer como Davi: "Eu te louvo porque me fizeste de modo especial e admirável. Tuas obras são maravilhosas! Digo isso com convicção" (v. 14).

Você foi criada para ser especial e admirável. Está escrito na Bíblia. Deus a teceu com amor, um fio de cada vez. Ele pensou em você e você *veio a existir*.

Você nasceu do pensamento precioso de Deus. Não foi do pensamento de uma agência de modelos (embora, teoricamente, não haja nada de errado em ser modelo). Não foi do pensamento de uma Garota Superdescolada (embora muitas Garotas Superdescoladas sejam bem legais). Nem foi do pensamento daquele garoto (que nem ele próprio entende!). Não foi nada disso. Foi simplesmente do pensamento de Deus.

Você é uma pessoa linda. Pode crer.

E Deus não quer apenas que você *saiba* que é linda. Deus quer que você mostre isso, não rebocando o rosto com maquiagem nem gastando um zilhão de reais em roupas, mas brilhando de dentro para fora. Jesus falou disso em seus ensinamentos.

Você pode (e deve) deixar o "pensamento precioso" de Deus se evidenciar onde ele brilhe como uma luz. Seja plenamente a pessoa bela que Deus a criou para ser, para que outros vejam Cristo em sua vida e sejam atraídos para perto de você. Então você poderá amá-los e lhes mostrar mais das obras de Deus. Ninguém consegue fazer isso quando esconde a beleza de seu ser.

Tudo bem... pode perguntar. Você sabe que está morrendo de curiosidade: "Mas será que algumas meninas não são mais 'preciosas' que outras? Será que algumas não 'brilham' mais forte naturalmente?".

Faça o seguinte: visualize Deus criando uma bebezinha. Agora imagine Deus, cujas obras são maravilhosas, dizendo: "Ops, não criei a pequena Megan tão preciosa quanto a pequena Brittany. Detesto quando isso acontece".

Nada a ver, não é? Cada ser minúsculo que Deus cria carrega suas impressões digitais. É formado com amor e recebe "fôlego de vida", acompanhado de dons singulares e brilho especial. Cada criança é um original (e não uma réplica), é uma obra de arte de Deus. E cada uma é de valor inestimável.

E isso inclui você, um Pensamento Precioso. Você foi feita de modo especial e admirável. Sua parte na história é revelar essa beleza de dentro para fora. É uma jornada. Você está preparada para começar?[6]

É o que digo às meninas. Espero que você também leve essas palavras em consideração.

E você?

Quer sua filha reconheça ou não, ela aprende a ser linda (ou não) com você. Portanto, o próximo passo é centrar devidamente sua visão de si mesma e de sua filha. Você se dispõe a seguir as duas sugestões abaixo? (Como sempre, da maneira que lhe parecer mais natural, seja escrevendo num diário, fazendo um mural ou conversando com uma amiga enquanto tomam café — com chantilly.)

- Primeiro, descreva sua filha para si mesma. Como você a vê? Existe algo que você considera pouco atraente? O quê? Em que sentido ela é bela?
- Agora descreva-se para si mesma. Como você classifica sua beleza? Existe algo em sua aparência que você gostaria (muito) que fosse diferente? O quê? De que maneira sua beleza se manifesta?

Mesmo que você não goste da ideia deste exercício, faça um esforço para realizá-lo. Nenhuma das sugestões a seguir fará sentido se você não tiver um contexto dentro do qual trabalhar. Se lhe parecer uma atividade narcisista, pode ser uma boa ideia voltar e ler novamente o último item da sessão *Vamos esclarecer* no início deste capítulo.

O que dizem as minimulheres

Eu tenho medo. O que ela vai dizer quando eu perguntar alguma coisa, tipo, se posso usar maquiagem? Acho que é porque ela nunca me incentivou a contar coisas ou fazer perguntas sobre qualquer assunto.

12 ANOS

Mãos à obra

Tudo o que estou prestes a sugerir requer tempo e atenção, do mesmo tipo que você dedicou a sua filha quando ela era bebê e precisava que você a alimentasse, trocasse as fraldas e brincasse com ela. Tenho certeza de que você nunca dizia: “No momento, *não* tenho tempo pra essa menina!”. Então por que dizê-lo nesta fase da vida dela? Ela precisa de você.

Ouça

Ouça pra valer. A maioria de nós não é tão boa nisso quanto imagina. Se eu tivesse uma gravação de algumas de minhas conversas com minha filha, é provável que ficasse com vontade de me enrolar na posição fetal. Mas, com um pouco de conscientização, todas nós podemos melhorar nesse aspecto.

Crie pelo menos um pouco de tempo para conversar a sós, regularmente, com sua filha. "É difícil eu conseguir um tempo a sós com minha mãe", uma pré-adolescente confidenciou, "pois eu tenho um monte de irmãs. Se a gente vai a algum lugar, uma das minhas irmãs sempre vai junto". Pode ser complicado criar momentos só para vocês duas, mas há coisas que provavelmente ela não dirá na frente de outras pessoas. Talvez vocês se sintam mais à vontade para conversar enquanto fazem alguma coisa juntas, como andar de carro, lavar louça ou dobrar roupas, mas é melhor não tentar espremer um "momento mãe e filha" enquanto você lê seus e-mails, envia uma mensagem de texto para o marido ou preenche o formulário de declaração de imposto de renda. Pense na última vez em que você tentou se comunicar com seu marido enquanto ele assistia a um jogo de futebol e você vai entender do que eu estou falando.

Prepare-se, pois talvez ela dê a impressão de que não sabe exatamente o que quer dizer. Quanto mais velha ficar, mais frequentes serão as respostas do tipo: "Sei lá" ou "O que *você* acha?". Trata-se apenas de um sinal de que ela precisa de uma injeção de autoconfiança. Se você lhe garantir que nada do que ela disser será tachado de "bobo" ou "errado", que você não irá responder com cara de "Tá falando sério? De onde você tirou essa ideia?!", é mais provável que ela expresse aquilo que está morrendo de vontade de perguntar e que se sinta menos insegura.

Não se apresse em julgá-la. Se ela lhe perguntar sobre maquiagem, calças superjustas ou tatuagens, não significa que ela está pensando em usar um desses itens. Só está pedindo sua opinião. Ouvir tudo o que ela tem a dizer não é sinal de que você concorda ou de que está fazendo vista grossa. Está apenas respeitando o direito dela de ter uma opinião, um desejo e um pouco de curiosidade. De modo recíproco, mais cedo ou mais tarde ela respeitará o seu direito. (Pode ser boa ideia pedir que ela a avise quando estiver prestes a tratar de algo que possa chocá-la, dizendo: "É o seguinte, mãe. Promete que não vai ter um piripaque...".)

Aguente as pontas, mesmo que ela comece a entrar em território para o qual você não esperava que ela seria arrastada tão cedo. Aliás, quanto sua filha se abrirá com você dependerá de quanto você está disposta a ouvir!

Planeje uma conversa sobre o que é belo e feminino

Esta pode ser uma das melhores conversas que você terá com sua pré-adolescente se permitir que seja, verdadeiramente, um diálogo. Não se trata de obrigá-la a sentar e ouvir a sua versão, que resultará em mais um conjunto de regras para ela acrescentar à lista. Trata-se de definir juntas "o que é belo". Como fazê-lo? Tenho três sugestões.

Primeiro vocês podem lamentar o fato de que, a julgar pelas conversas por aí, as únicas meninas consideradas bonitas são as que se parecem palitos, têm pele perfeita e já se vestem hoje de acordo com as tendências da moda que foram lançadas ontem. Sem dúvida vocês podem concordar quanto a isso. Em seguida, juntas, vocês podem pensar em garotas e mulheres que vocês conhecem e consideram bonitas. Todas elas se encaixam na descrição acima? Vocês constatarão que não. Descobrirão que as mulheres que vocês relacionaram são pessoas que vocês amam. São bonitas porque vocês as amam. Esse pode ser o ponto de partida para a sua definição de beleza feminina.

Segundo, façam a atividade de colagem descrita no capítulo 2. Na sequência, pode ser interessante fazer uma colagem de todas as pessoas que vocês relacionaram no exercício acima. Comparem as duas. Não será preciso dizer mais nada.

E por fim, quem sabe você pode ler com ela *The Skin You're In* [mencionado anteriormente]. É um livro feito para "experimentar", e não apenas ler, dividido em seções curtas, para caber naqueles pequenos momentos que você criar para a sua filha. Aproveite!

Defina parâmetros

Agora que vocês chegaram a um acordo sobre o que torna uma garota ou mulher bonita, é possível definir alguns parâmetros para o que é aceitável. Será uma forma de evitar muito choro e ranger de dentes (para você *e* sua filha), e também permitirá que sua filha se sinta mais à vontade para conversar com você.

Se vocês concordaram que a mulher fica mais bonita quando se mantém o mais natural possível, você pode simplesmente recordar esse fato caso sua minimulher decida que é bacana usar lápis para os olhos aos 9 anos de idade.

Se vocês duas definiram, antes de ir às compras, que 5 centímetros acima do joelho é curto o suficiente, você poderá lembrá-la disso quando ela tirar do cabide aquela microssaia. Se vocês fizeram um acordo de que ela pode comprar apenas um item *fashion* (ou seja, que sairá de moda antes de ficar pequeno), ela o selecionará com o maior cuidado. Definir parâmetros é uma excelente maneira de ajudar você a escolher suas batalhas. É mesmo um problema sério ela resolver que só quer usar cor-de-rosa? Por que ser sarcástica e dizer que ela se parece com um algodão-doce ambulante?

O que dizem as minimulheres

Se eu tento conversar com minha mãe, ela me esculhamba só porque perguntei sobre maquiagem e roupas *fashion*, então eu nem gosto de conversar com ela.

11 ANOS

Permita que ela experimente variações dentro desses parâmetros

Ela vai querer saber como esse conceito de "belo" se aplica a ela. Falaremos mais adiante sobre deixá-la brincar com maquiagem e fazer penteados em casa. No momento, me refiro a dar a sua filha a oportunidade de exercitar maneiras de se sentir bonita de seu jeito singular. Para isso, você pode arrumar a mesa de jantar com porcelanas e velas e avisar que todos terão de vir jantar em trajes sociais. Ou fazer um chá da tarde completo, só com vocês duas, vestidas com todo requinte (se possível, incluindo luvas e chapéus). Ou caminhar juntas ao amanhecer, deixando que o vento acaricie seu rosto. Ela não saberá o que significa, verdadeiramente, ser bela se não experimentá-lo. Quando o fizer, é mais provável que queira recriar a experiência repetidamente e deixar de lado as coisas que não têm nada a ver com ela.

Use todas as chances para reforçar a confiança dela em seu charme especial

Isso não significa uma ladainha sem fim de elogios verbais que logo perderão o impacto e a farão revirar os olhos. Que tal dizer algo positivo a respeito de seu visual quando ela for bem-arrumada para a igreja? Ou uma expressão ocasional de surpresa quando ela entrar no carro: "Quase não a reconheci quando a vi saindo de casa! Você cresceu da noite para o dia". Ou quem sabe você pode fotografá-la jogando bola, pescando ou observando alguma obra de arte que acabou de concluir. Todo mundo é belo quando está fazendo algo que curte. Você nem precisará dizer. Ela perceberá.

Evite elogios vazios

Não faça elogios ou comentários vazios, como o que aparece no começo desta seção ("*Eu* acho você linda"), especialmente se alguém tiver acabado de humilhá-la ou se ela estiver se sentindo feia sem motivo. É melhor ajudá-la a descobrir por que está chateada e elaborar um plano, ou simplesmente colocar pipoca no micro-ondas e assistir a um filme que levante os ânimos. Dizer: "Eu não sei o que você vai fazer quando tiver um problema *de verdade*" obviamente está fora de cogitação.

Acima de tudo, cuide do que você diz a respeito de si mesma

Não é possível inculcarmos uma imagem positiva, saudável e realista de beleza em nossas filhas se nós mesmas não demonstrarmos essa imagem. Você pode passar o dia dizendo para sua menina que ela é linda exatamente do jeito que ela é, mas no instante em que você se colocar na frente do espelho e declarar: "Eu tô horrorosa. *Preciso* perder pelo menos uns 10 quilos", suas palavras de afirmação para ela irão ralo abaixo. Procure evitar todas estas atitudes, não apenas na frente de sua filha, mas em qualquer momento, para o bem dela e para o seu:

- Reclamar de como você está gorda.
- Dar um piti se alguém aparecer em sua casa quando você estiver sem maquiagem e com o cabelo desarrumado.
- Queixar-se de ter de usar uma roupa fora de moda porque você não tem dinheiro para renovar o guarda-roupa.
- Fazer questão de que você e sua filha estejam perfeitamente arrumadas antes de sair de casa, mas deixar que seu filho ande por aí parecendo um morador de rua.
- Criticar tudo o que você não gosta em si mesma: sobrancelhas grossas demais, lábios finos demais, quadril largo demais, ombros estreitos demais. Enquanto você se critica, sua filha junta munição para usar contra a própria imagem.

- Agir como se cuidar da beleza fosse uma luta contra a natureza. Se você equiparar os cuidados pessoais a um trabalho chato, privará a si mesma e a sua filha de uma das alegrias de ser mulher.

Se essa lista acima lhe parece a coisa mais desafiadora que eu sugeri até agora, separe um tempo para se dedicar a algo que faz você se sentir linda. Agora. Aliás, bonitona, faça isso sempre.

Senhor, preencha a lacuna

Pai santo, grande Criador, obrigada por formar minha filha de maneira tão linda e maravilhosa. Perdoe-me se prejudiquei de algum modo a imagem que ela tem de si mesma. E, por favor, preencha a lacuna entre aquilo que ela precisa ver quando se olha no espelho e o que eu posso fazer para ajudá-la a amar o que ela vê. Em nome de Jesus. Amém.

5 *Hora de ela assumir os cuidados pessoais*

> Acaso não sabem que o corpo de vocês é santuário do Espírito Santo que habita em vocês, [...] e que vocês não são de si mesmos? Vocês foram comprados por alto preço. Portanto, glorifiquem a Deus com o seu próprio corpo.
>
> 1Coríntios 6.19-20

> Minha mãe sempre diz que, quando eu tenho um problema, eu devo falar pra ela. Mas eu queria que ela simplesmente dissesse: "E aí, quer experimentar um corte de cabelo diferente, ou comprar umas roupas novas?". Eu me sinto supermal de ter que sempre pedir as coisas. Quero que ela se interesse por tudo que tem a ver comigo.
>
> 12 anos

Quer sua filha não tenha interesse algum em se arrumar, quer seja obcecada pelo espelho, ou seja uma pequena beldade que testa todos os limites, mais cedo ou mais tarde os cuidados com a aparência física ficarão inteiramente nas mãos *dela*. Isso significa que na pré-adolescência ela estará em algum lugar da ponte entre a fase em que você amarra os cadarços dos sapatos dela e a fase em que ela compra os próprios sapatos. E você será sua guia nesse percurso extenso.

Espero que a esta altura esteja claro para você *por que* a relação dela com a aparência precisa ser saudável, forte, positiva e centrada em Deus. Vejamos agora *o que* você pode fazer, em termos físicos, para ajudá-la a atravessar essa ponte, sem atirar uma de vocês ou ambas por sobre o parapeito.

Aliás, se você não estiver sorrindo (ou talvez dando risadinhas, feito uma pré-adolescente) até o final deste capítulo, significa que não alcancei meu objetivo, que é de ajudá-la a tornar a travessia uma experiência divertida, daquelas de soltar gargalhadas até perder o fôlego, para você *e* sua filha.

Vamos esclarecer: "beleza" e "pré-adolescente" não são termos contraditórios

Lidar com a questão da aparência *não será* nem um pouco divertido a menos que você saiba o que esperar da pré-adolescência. É provável que sua filha apareça com algumas ideias que a tirarão do sério (tipo: "Você quer *o quê*?!") se não estiver preparada. São questões que surgem com frequência entre os 8 e os 12 anos. Lembre-se, como sempre, de que estamos falando das características "comuns". Pode ser que você ainda não tenha visto (ou, em casos raros, nunca veja) essas características em sua filha. Mas estar avisada é estar preparada!

Autocrítica

A maioria das meninas se acha uma graça — porque é mesmo. *Ainda* é assim quando a garota completa 8 anos, mas ela em algum momento na pré-adolescência, começa a encontrar defeitos em seu encanto. A capacidade de examinar e analisar, que se desenvolve de modo natural nessa fase, não se limita aos trabalhos de ciência e à investigação do que há de errado com os meninos. Mais cedo ou mais tarde, a maioria delas volta a atenção para si mesma. É possível que você ouça sua filha dizer:

- Sou gorda.
- Meus lábios são gigantescos.
- Meu cabelo é nojento.
- Detesto minhas sardas (orelhas, narinas).
- Eu não queria ter o nariz igual ao do papai.
- Eu queria me parecer com a Miley Cyrus.
- Eu nunca vou me parecer com a Miley Cyrus.
- Acho que eu odeio a Miley Cyrus.
- Acho que eu *me* odeio.

Não se espante se, dois segundos depois, ela lhe disser que adora ser loira (ou ruiva, ou ter cabelos cacheados), ou simplesmente sair alegre e saltitante para brincar no quintal. De qualquer modo, *intermitentes* avaliações críticas de si mesma no espelho do banheiro (enquanto os irmãos batem à porta até quase derrubá-la) são esperáveis.

O que dizem as minimulheres

Minha mãe não me deu muitos conselhos sobre beleza. No geral, ela diz que é pra eu usar roupas que sirvam bem, mas que não fiquem justas a ponto de destacar todas as gordurinhas.

10 ANOS

O corpo em estágio intermediário

Costumava ser tão simples. Quando ela era bebê, o tamanho das roupas era indicado em meses: *3 meses*, *6 meses*, *12 meses*. Depois passou a ser em anos: *2 anos*, *3 anos*, *4 anos*, até a pré-escola. Daí em diante, as coisas começaram a se complicar. O tamanho 6 anos serve na cintura, mas fica curto demais. Mais tarde, o tamanho 8 anos fica perfeito na parte de cima, mas as pernas parecem estar saindo do pescoço. Está na hora de comprar roupas para pré-adolescentes, mas os modelos são sofisticados demais para uma garota de 10 anos.

É absolutamente normal que a tempestade de hormônios no corpo da menina cause várias permutações interessantes que se recusam a seguir a numeração das confecções. Mas provar roupas pode se tornar uma experiência desanimadora, na qual aquele traje *fashion* que "todo mundo" está usando não cai bem com sua barriguinha ou com os quadris que acabaram de aparecer do nada. Não é raro ocorrer uma crise de choro dentro dos provadores. É igualmente comum, porém, a menina não ter percepção alguma de que certo visual não é o ideal para ela. Você nunca sabe o que esperar, e varia de uma hora para outra.

Se o corpo de sua filha é, de fato, diferente do "padrão", se ela é mais alta ou mais baixa que todos em sua turma ou foi a primeira a ser visitada pela "fada dos seios", é possível que, de tempos em tempos, se fixe nessa característica e se recuse a acreditar que não está condenada à esquisitice para o resto da vida.

Desejo súbito e inexplicável de parecer adolescente

Conversamos sobre como o universo do *marketing* tem feito pressão para que a faixa dos 10 anos ocupe o espaço que antes era das adolescentes de 15 anos. Oitenta por certo das mães entrevistadas num estudo observaram que o estilo das roupas para meninas é provocante demais.[1] É uma contingência de nossos tempos. Existe, porém, um desejo *natural* nas pré-adolescentes de serem "crescidas". Ele pode se manifestar em sua paixonite por um dos Jonas

Brothers, no uso redobrado de gírias e na convicção de que a maquiagem é a chave para o sentido da vida.

Em outro estudo recente, 35 a 54% das pré-adolescentes afirmaram que não são jovens demais para usar batom, rímel e sombra.[2] Mesmo que sua filha prefira que pintem o rosto dela numa festa de criança a usar brilho labial "de verdade", em algum momento ela começará a imaginar como seria se arrumar, paquerar, fazer escova no cabelo e passar lápis nos olhos como uma garota de 16 anos. É perfeitamente normal ela querer fazer experiências com o pincel de blush nessa fase.

O que dizem as minimulheres

Quando eu compro roupas novas, deixo de me sentir feia e me sinto bonita. Eu sei que eu não devia ser assim, mas é o que acontece. Queria que minha mãe entendesse que as roupas não são a única coisa importante pra mim, mas que elas importam de verdade.

11 ANOS

Confusão quanto ao recato

Enquanto *você* já está preocupada se o decote de sua filha pré-adolescente é revelador demais (assim que surgir algo para revelar), ela ainda não se vê como um ser sexual. Pode parecer alucinada por meninos, imitar danças e rebolados que passam na televisão, e implorar para comprar calças superjustas que deixam à mostra a etiqueta da calcinha, mas não faz isso tudo porque deseja ser sexy. Por mais precoce que seja o desenvolvimento de seu corpo, ela ainda não tem noção do que é ser sedutora. Em grande parte, essas atitudes têm a ver com a imitação de todas as coisas adolescentes sobre as quais tratamos anteriormente. Se ela arregalar os olhos para você como se tivesse aparecido mais uma cabeça no seu pescoço quando você se recusar a comprar um microshorts para ela, não significa que está a caminho de se tornar uma dançarina exótica. Ela ainda não entende mesmo.

Ansiedade extremamente real causada por "percalços de beleza"

É possível que sua filha tenha aquela pinta na face desde que nasceu ou use óculos desde os 4 anos sem se queixar, mas não é raro esse detalhe se transformar repentinamente em obsessão na pré-adolescência. Ninguém na família jamais fez gozações sobre seu olho preguiçoso, mas de repente ela quer arrancá-lo fora. E será que daria, por favor, para remover aquela verruga microscópica de seu dedo? Ou corrigir suas orelhas de Dumbo?

Até mesmo as mudanças pelas quais *todas* as meninas estão passando podem lhe parecer mais imensas e assustadoras que o King Kong. Sempre achei uma crueldade do destino que, exatamente quando a garota está começando a cuidar de sua aparência, a puberdade entre em cena e traga consigo uma série de "percalços de beleza": espinhas, cabelo oleoso, ganho de peso e pernas peludas. Pensando bem, sofremos percalços semelhantes na meia-idade, mas a essa altura, esperamos ter a sabedoria e a experiência necessárias para lidar com eles. Quem é capaz de encarar esses desafios sem perder a pose aos 10, 11 ou 12 anos?

Certo interesse pelos cuidados básicos

Aquelas horas que ela passou observando você tonificar o rosto e fazer as unhas quando ela era uma adorável garotinha servem de aquecimento para a ocasião em que ela própria terá vontade de cuidar da própria beleza, mas não necessariamente com regularidade, na pré-adolescência. A vida é cheia demais de outras coisas importantes como festas do pijama, melhores amigas, e manobras para se esquivar de sua vez de lavar a louça. É possível, contudo, que você a pegue olhando demoradamente para os anúncios de cosméticos em revistas ou cheirando o creme que você passa no rosto à noite. As mais molecas podem não se animar com o acréscimo de condicionador à rotina de lavar os cabelos, mas não se engane. Lá no fundo, elas gostam de ver o cabelo macio e sedoso.

Perguntas sobre assuntos delicados

Talvez você seja pega de surpresa (ou fique horrorizada) com perguntas do tipo: "Afinal de contas, o que tem de errado em colocar um *piercing* no umbigo?", "O que você diria se eu fizesse uma tatuagem?", "Por que os adultos odeiam quando os jovens pintam o cabelo de verde?". Mas não há necessidade de pensar num exorcismo, nem de passar um sermão. Trata-se apenas de uma pergunta sobre algo que ela não consegue entender completamente e, para ela, você ainda é especialista de plantão em todos os assuntos. Quando ela vai à lanchonete com você, vê uma moça com uma porção de argolas no nariz. O adolescente que faz os pacotes no supermercado tem os braços quase cobertos de tatuagens. Essas pessoas sorriem para ela e conversam com você, de modo que ela sabe que não são assassinos em série. E, no entanto, também sabe que você não aprova *piercings* e tatuagens. É natural ela querer saber do que se trata. O fato de ela perguntar não significa que esteja pensando em escapulir para o primeiro estúdio de tatuagens que vir pela frente.

Talvez você esteja pensando que isso tudo é "normal", mas também é um tanto assustador. E se ela sair dessa fase querendo se vestir igual a uma funkeira ou...?

Tudo bem, veja por este ângulo: depois que sua filha completou 2 anos, era comum ela soltar um "Não!" sonoro, ou outras expressões de contrariedade. Nem por isso você concluiu que ela sofria de transtorno negativista desafiante. Também não correu com ela para o psicólogo só porque ela dominou a arte de fazer birra. Você sabia que era uma fase. Podemos supor, sem perigo algum, que o mesmo se aplica quando ela manifesta agora os sinais descritos acima. Ela não é fútil e superficial nem está fadada a transformar a pele num mural. Só está sendo uma pré-adolescente. E assim como você a ensinou que era inapropriado ter acessos de birra quando ela estava na pré-escola (quantas vezes você se trancou no banheiro durante *aquela* fase?), também pode ajudá-la a lidar com as questões da pré-adolescência. Para começar, vamos dar uma espiada em algumas orientações divinas.

Do Pai celestial

A passagem de 1Coríntios que se refere ao corpo como "santuário", citada no início deste capítulo, costuma ser usada com referência a não vandalizá-lo com comportamentos promíscuos. Faz sentido no contexto, uma vez que Paulo está dando uma bronca nos cristãos de Corinto por se dissiparem numa vida libertina.

A meu ver, porém, é um equívoco ater-se à interpretação "Não se entreguem ao sexo ilícito", e guardar esta passagem das Escrituras para depois que você tiver "a conversa" (ou planejar usá-la no lugar da conversa!). O "santuário" ao qual Paulo se refere não são apenas os órgãos genitais de sua filha. Também é a sua cabeleira dourada. Seus lindos olhos castanhos. Suas mãos, que em breve serão capazes de fazer movimentos graciosos. Aquela falha lindinha entre os dois dentes da frente, motivo de aflição pré-pubescente interminável. Por que não transmitir para ela desde já a ideia de que ela pode honrar a Deus ao honrar seu rosto, sua graça, seu jeito de ser, que são partes tão importantes de seu corpo quanto sua sexualidade? Se ela chegar à vida adulta certa de que, quando manifesta a beleza que Deus lhe deu, também manifesta o próprio Deus, essa convicção servirá de alicerce para toda a sua existência física.

"Vocês foram comprados por alto preço", Paulo escreve aos coríntios equivocados. "Portanto, glorifiquem a Deus com o seu próprio corpo" (v. 20).

Amém?

E você?

Esta é a autoavaliação que ofereço às pré-adolescentes no livro *The Skin You're In*, chamada de "É a minha cara". Pode ser esclarecedor você fazer o mesmo *quiz* só para colher mais informações enquanto você e sua pequena beldade atravessam a ponte.

Eis o que eu digo às meninas:

> Seja honesta consigo mesma ao ler estes possíveis pensamentos. Coloque uma estrela (*) ao lado daqueles que passaram por sua cabeça por, tipo, mais de dois segundos. Mesmo que você não *acredite* no pensamento, mas ele a cutuque de vez em quando, coloque uma estrela ao lado. Não há resposta certa ou errada, nem boa ou má. Só há você.
> (Mães: o teste foi ligeiramente alterado para vocês, mas sem qualquer mudança de sentido.)

Quizz "É a minha cara"

— Sou gorda.
— Não sou atraente.
— Não sou de se jogar fora, exceto por ___________ (*parte do corpo*).
— Sou alta (baixa) demais para ser considerada bonita.
— Herdei o(a) ___________ (*parte do corpo*) de minha mãe/meu pai/minha tia, o que não é legal.
— Detesto ter de usar ___________ (*óculos, sutiã com enchimento, o uniforme sem graça da empresa*).
— Meu desejo secreto era ser bonita o suficiente para aparecer na capa da revista ___________.
— Seria *impossível* me deixar bonita o suficiente para aparecer na capa de uma revista (por mais que retocassem minha foto).

— As pessoas que dizem que eu sou bonita só estão tentando me fazer sentir bem.
— Quando alguém deixa implícito que não sou bonita, eu concordo plenamente.
— Não me esforço muito para melhorar minha aparência porque sei que não fará grande diferença.
— Se eu fosse mais bonita, é provável que tivesse mais amigos.
— Eu sinceramente não ligo muito para a minha aparência. Não sou do tipo superfeminino.

Se você marcou de 11 a 13 estrelas, parece estar tendo dificuldade em ver sua beleza.

Se você marcou de 4 a 10 estrelas, é como a maioria das garotas de sua idade, que variam entre a ideia de que não são de se jogar fora e a certeza de que são aberrações da natureza.

Se você marcou de 0 a 3 estrelas, consegue ver com frequência a pessoa linda que você foi criada para ser.[3]

É apenas algo para você refletir, mãe. (Confissão sincera: hoje eu marquei duas estrelas. Pergunte-me de novo amanhã...)

Mãos à obra

Agora, vamos à parte divertida!

É verdade! Ajudar sua filha a refinar a beleza natural dela não exige nem deve envolver qualquer coisa que se assemelhe a trabalho árduo. Por isso, cada uma das sugestões que ofereço aqui inclui uma comemoração, uma festa ou uma forma divertida de fazer descobertas. Em meus encontros encantadores com pré-adolescentes em eventos e cursos, descobri que elas topam quase qualquer atividade, desde que tenha o potencial de ser divertida. Na maioria das vezes, as mães também mergulham de cabeça com elas. Eu mesma tenho acessos de riso só de vê-las baterem palmas, dançarem e se atirarem juntas em cima de sapos infláveis voadores (só vendo para crer). Muitas mães me enviaram e-mails para falar das conversas incríveis que tiveram com as filhas no carro no caminho de volta para casa.

Eu só abro um sorriso.

Não há motivo para fazer a descoberta da beleza que está florescendo nessa fase parecer mais um enterro que uma festa. Secar o cabelo e encontrar a roupa certa para vestir podem ter se tornado tarefas sem graça para você, mas: a) ainda têm um ar de aventura para sua filha, que, não muito tempo atrás, estava brincando no parquinho; e b) será que você não gostaria de recuperar um pouco do charme de sua vida também?

Então, vamos lá. Deixe para fazer sermões, se preocupar e pegar no pé de sua filha por outras coisas e dance com ela até o outro lado da ponte.

A seguir, algumas sugestões:

Autocrítica

Se sua filha transformou em ciência a detecção de imperfeições visíveis a olho nu somente para ela, ou se desenvolveu uma fixação por algum aspecto físico que a desagrada, é hora de você fazer papel de detetive. Enquanto você não conseguir identificar o que a está tirando do sério, ela continuará a se martirizar (ou a martirizar você). É extremamente improvável que ela chegue e diga para você: "Eu choro durante o jantar toda noite porque outras meninas tiram um barato de mim por eu ser tão gorda. Eu tô tentando não comer, mas tenho fome!". É mais provável que ela se desate em lágrimas enquanto você serve a macarronada e deixe a seu encargo descobrir o que aconteceu.

O primeiro passo é encarar as reações dela de modo realista. Nenhuma destas afirmações é verdadeira:

- Ela está exagerando.
- Ela está com algum problema emocional ou psicológico.

Trata-se apenas de uma oportunidade de aprendizado. Portanto, faça um quizz como este com ela:

"Tudo bem, Júlia (Carol, Laura, Ana...), escolha uma letra:

a) Uma MHM (Menina Horrivelmente Maldosa) ou um MSAR (Mala Sem Alça Ridículo, que não exclui os irmãos) fez gozação de você hoje.
b) Eu disse alguma coisa que fez você se sentir feia de doer, embora não fosse minha intenção, mas às vezes acontece, pois meus filhos roubaram meus neurônios.
c) Você tem uma prova oral e está morrendo de medo de falar na frente da classe toda.
d) A ____________________ (*insira o nome da melhor amiga*) virou o centro das atenções dos garotos (ou das Garotas Superdescoladas, ou da Aluna Nova Bonita) e você ficou de escanteio.

e) Todos os itens acima.

f) Nenhum dos itens acima."

Se ela escolher "f", é provável que deixe escapar a verdadeira "razão", se ainda não o tiver feito. Obviamente, não estou sugerindo que você memorize o *quiz* acima palavra por palavra, mas, se quiser, fique à vontade! Sugiro apenas um exercício de múltipla escolha, adaptado a sua personalidade e a de sua filha. A ideia não é ser leviana. É usar um modo animador e não ameaçador de lhe apresentar as possíveis causas desse ódio de si mesma a fim de que: a) ela possa enxergar que os pensamentos negativos a respeito de si mesma não correspondem à realidade, mas são apenas reações; e b) possa aprender a descobrir o que está acontecendo dentro dela sem você precisar lhe dizer (pois é muito provável que ela não vá acreditar em você de qualquer maneira; afinal, "Você não *entende*, mãe!").

Até uma simples pergunta do tipo "As MHMs andam perturbando você de novo ou tem outro motivo para você estar com o rosto escondido no capuz?" a levará a pensar numa causa que vai além de "Minhas espinhas parecem lepra!". O segredo é um tom compreensivo e o máximo de bom humor que você puder usar sem desprezar a dor temporária que ela está sentindo. Num momento mais tranquilo, você pode até pedir que ela a ajude a formular um *quiz* para essas ocasiões. Algumas minimulheres que eu conheço criaram algumas alternativas sucintas: Ataque das MHMs, Alerta contra os MSARs, Encheção da IMV (Irmã Mais Velha), Problemas com as BFFs, entre outras.

Uma vez identificada a razão, é provável que a autocrítica diminua à medida que vocês tratem juntas do problema real. No fim das contas, talvez ela simplesmente esteja pronta para cuidar melhor da aparência e queira ajuda para arrumar o cabelo, mas esteja com medo de pedir. Ótimo. Essa é a solução mais fácil e mais divertida de todas.

O que dizem as minimulheres

Minha mãe tem a maior noção de estilo, mas às vezes fico super a fim de alguma coisa que eu curto bastante.

10 ANOS

O próximo passo é voltar o foco de sua filha para os aspectos positivos, e não para aquilo que ela imagina que está acabando com a vida dela. Não adianta você querer destacar o que ela tem de mais bonito. Sem dúvida a reação será: "Você tem obrigação de dizer essas coisas porque é minha mãe!". Também não adianta dar a impressão de que é um prêmio de consolação: "Tá, você é nariguda feito um tamanduá, mas tem um sorriso lindo" (ou pior, "sabe tocar piano maravilhosamente bem"). A melhor abordagem é levá-la a valorizar suas melhores qualidades por sua própria conta. É algo divertido que fazemos no curso de beleza. Chama-se "Você acha que não é bonita? Olhe direito!".

1. Coloque-se na frente de um espelho de corpo inteiro, com papel e caneta na mão (canetas de gel colorido dão o tom perfeito à atividade).
2. Olhe com honestidade para a pessoa no espelho, cada detalhe, desde o redemoinho que faz seu cabelo espetar de um jeito engraçado até os dedos dos pés, com aqueles fiapos da meia entre eles. Se vir alguma coisa que não agrada, simplesmente ignore. Concentre-se em cada coisa linda, por menor que seja (garanto que há itens de sobra na lista de toda menina e de toda mulher).
3. Anote cada característica bonita — cabelo brilhante, sobrancelhas que só faltam falar, dentes brancos como leite — tudo, sem exceção.
4. Sorria para a garota no espelho como se quisesse ser sua melhor amiga. Acrescente à lista novos itens que aparecerão quando você sorrir desse jeito.
5. As participantes se reúnem e cada uma lê sua lista para as outras.[4]

Alguém pode perguntar: Isso não é vaidade? Minha resposta sincera é "Não". Ter consciência da própria beleza a fim de fazê-la aflorar não é o mesmo que se considerar a última bolacha do pacote. Agora, chamar a atenção de todos ao redor para esse fato ("Você não acha as sardas no meu nariz a coisa mais linda?") é ser exibida, mas não é isso que você está fazendo. Curtir a beleza que Deus lhe deu é uma forma de honrá-lo, semelhante a desfrutar o esplendor que ele colocou numa rosa, num cavalo negro, no nascer do sol na praia. Apreciar discretamente aquilo que Deus fez por você é dar a honra devida ao seu nome.

O que dizem as minimulheres

Quando a gente tá comprando roupas, minha mãe sempre diz: "O importante é ser confortável!". Isso porque ela sempre usa jeans e roupas desse tipo. Eu queria comprar umas saias, ou um vestido. Acho que eu sou mais feminina do que ela.

10 ANOS

Corpo em estágio intermediário

Você pode dizer a sua filha, com toda honestidade, que ela vai crescer e mudar de forma um bocado antes de chegar à maturidade completa, de modo que não deve entrar em pânico pelo fato de ser bem mais alta que todos os meninos. Talvez ela até acredite em você. Mas é muito mais divertido e eficaz tirar o foco de sua forma atual e ajudá-la a desenvolver seu estilo pessoal. Observamos anteriormente a possível tendência de ela querer se parecer com uma gêmea idêntica da melhor amiga, mas mesmo dentro dessas limitações, ela pode encontrar aspectos singulares de si mesma. Eis uma atividade que ajudará você a conduzi-la em direção ao seu próprio visual:

1. Olhem juntas uma revista para adolescentes ou o site de uma loja de roupas. Enquanto conversam, incentive-a a fazer uma lista de itens que ela escolheria se não precisasse levar o preço nem a opinião dos outros em consideração. As pré-adolescentes mais velhas talvez argumentem que isso é impossível, mas a maioria das meninas entre 8 e 12 anos acaba se envolvendo com a atividade. Sua parte consiste em ouvir, olhar e observar, e não dizer: "Nem sonhando!" ou "Não tem nada a ver com você!". Ninguém disse que vocês iam comprar alguma coisa, e o importante na atividade não é o que você pensa, mas o que ela pensa. À medida que surgir uma noção de estilo, peça para sua filha descrevê-lo. Pode ser útil oferecer várias alternativas, por exemplo: esportivo, romântico, criativo ou requintado.

2. Aproveite as fotos para fazer uma colagem de um estilo com o qual ela possa sonhar. As pré-adolescentes com as quais eu faço esse exercício nas oficinas adoram contemplar o visual que criaram e ficam admiradas de como ele é diferente do visual que viviam copiando da melhor amiga. O mais bacana de tudo é que a diferença parece não importar.

3. Façam juntas um cartão que ela possa levar consigo da próxima vez que vocês forem às compras. Anotem no cartão uma lista dos "requisitos" definidos por ela para que uma roupa seja bacana. Alguns pontos básicos podem ser:

- Que contribua para eu me sentir parte do grupo (e não uma fracassada).
- Tenha o meu estilo (não me dê a impressão que eu estou vestindo a blusa de outra pessoa).
- Realce minhas melhores qualidades (em vez das características que eu não gosto tanto no momento).
- Que eu não considere bacana só porque foi comprada numa loja grife.

Na parte de trás do cartão, anote as suas diretrizes:

- Saias podem ficar até ______ centímetros acima do joelho.
- Os decotes podem ficar até ______ centímetros abaixo da clavícula.
- Os jeans podem ficar até ______ centímetros abaixo do umbigo e só ser justos o suficiente para ___________.

Tudo resumido e anotado. Para eliminar as discussões no provador, é só mostrar o cartão.

O que dizem as minimulheres

Quando eu tinha 9 ou 10 anos, morria de vontade de usar um monte de joias e maquiagem e ter o mesmo visual que minha mãe. Agora que posso usar mais maquiagem, sei que ela não me faz mais bonita do que eu costumava ser! Foi legal minha mãe não ter me deixado crescer rápido demais nesse sentido.

14 ANOS

Desejo de parecer adolescente

Quando você a vê de olho no seu brilho labial, é tentador dizer: "Você quer crescer rápido demais. Precisa continuar a ser uma garotinha". É verdade, queremos que elas aproveitem aquilo que é apropriado para a idade delas e não entrem antes da hora em terreno para o qual não estão preparadas. Mas olhar adiante é algo natural para todos nós. Por mais que gostemos do momento que estamos vivendo, também nos preparamos para o que virá pela frente. Quando você estava grávida, imagino que tenha lido sobre como cuidar do bebê ou tenha começado a reparar na maneira que suas amigas preparavam a mamadeira dos filhos. No momento, estou aprendendo o máximo possível sobre menopausa! Ao dar uma espiada numa revista para adolescentes ou ouvir as conversas da irmã mais velha ao telefone, sua filha não está, necessariamente, tentando entrar logo na adolescência. Está apenas se preparando. O que também significa que não é hora de ceder e chamar a consultora da Avon para ir a sua casa.

O que poderia ser mais divertido que brincar com os acessórios da adolescência sem precisar lidar com as angústias dessa fase? Há maneiras saudáveis de fazê-lo.

Uma delas é organizar em casa uma "Noite da Maquiagem" para sua filha e as amigas. Todas as meninas trazem espelhos e qualquer maquiagem que possa ser aplicada com o dedo ou com cotonetes. Você e sua filha ficam encarregadas de providenciar lenços de papel, toalhas etc., e revistas com *looks* de maquiagem. As meninas podem aplicar maquiagem umas nas outras como quiserem, experimentar visuais diferentes, dizer umas para outras que estão "liiindas" e tirar fotos. Depois todas lavam o rosto, comem um lanche saudável e voltam à sua aparência natural com memórias de muita diversão e um vislumbre de como ficarão quando (e se) chegar a hora de usarem maquiagem mais sofisticada. Transformar o uso de maquiagem numa brincadeira de festa evita que se torne algo misterioso e sério que precisam fazer a fim de se sentirem maduras. *Tá legal, isso aí a gente já experimentou. Qual é o próximo programa? Quer assistir "Shrek" de novo?*

O que dizem as minimulheres

Quando vejo outras meninas da minha idade desfilando por aí como se fossem um quadro que o Picasso acabou de pintar, fico grata porque minha mãe me ensinou que usar maquiagem é legal, mas sem exageros.

14 ANOS

Respeito divino

Quanto mais velha a pré-adolescente, maior a probabilidade de ela querer saber por que não pode usar uma camiseta decotada com a frase "Agite antes de usar" estampada na altura do busto. Não sei se dizer: "Porque Jesus não quer que você se pareça com uma funkeira!" é a resposta mais eficaz. É verdade, é claro, mas talvez você vá mais longe usando outra abordagem.

De vez em quando, sou convidada a dar palestras sobre recato, e sempre aviso que não faço apresentações sobre o tema em si. Em vez disso, prefiro tratar de respeito próprio ou, melhor ainda, respeito divino. Quando uma menina honra quem Deus a criou para ser, de verdade, ninguém precisa lhe dizer para não sair por aí desfilando com algo que não tem nada a ver com ela. Nenhuma menina gosta, de fato, de compartilhar seu corpo com todo mundo que deseja vê-lo. Isso é resultado de bagagem adicional que se acumula em decorrência de abuso e outras experiências, inclusive da cultura. Se ela estiver sendo autêntica, não vai nem pensar em anunciar algo que não está à venda.

Portanto, se ela quiser saber o motivo de não poder comprar a minissaia que deixa as nádegas à mostra quando ela se curva, essa é a única ocasião em que você pode responder: "Essa roupa não tem nada a ver com você. Aliás, você vale muito mais do que esse visual sugere". Nenhuma menina vai dizer: "Eu *não* valho mais do que isso!". Considerando-se todo o trabalho que você tem realizado para ajudá-la a ser autêntica e quanto vocês duas têm se divertido juntas no processo de descobrir o estilo dela, é provável que ela nem pergunte por que não pode usar um "modelito prostituta".

O que dizem as minimulheres

Nem sempre eu entencia quando eu perguntava pra minha mãe se ela gostava da minha roupa e ela respondia: "Tá curta demais...". Agora, acho que eu entendo. Ela me ama e não quer que eu sofra.

13 ANOS

Percalços de beleza

Quer sua filha tenha uma deficiência física evidente ou uma pequena anomalia a respeito da qual de repente começou a se descabelar, ou mesmo se está apenas se acostumando às mudanças imprevisíveis de aparência resultantes da puberdade, é importante você, como mãe, encontrar o equilíbrio entre não fazer caso do desconforto dela ("Não seja boba, ninguém percebe isso") e transformar a questão em algo patológico ("Precisamos arrumar esses dentes antes que ela desenvolva problemas de autoestima que a atormentarão para o resto da vida"). Você não tem a impressão de que tudo na educação de sua pré-adolescente parece um espetáculo de equilibrismo?

Neste caso, não se trata de algo tão difícil de colocar em prática, especialmente se você ensinar sua filha como encontrar esse equilíbrio. Recomendo às pré-adolescentes com as quais trabalho que apliquem a Oração da Serenidade aos "percalços de beleza":

> Deus, por favor, ajude-me a entender o que pode ser mudado e o que não pode ser mudado.
> Mostre-me como fazer as mudanças possíveis, mesmo que sejam pequenas.
> Ensine-me a aceitar o que é impossível de mudar e talvez até, de algum modo, usar essas coisas a meu favor.

Suponhamos que ela imagine ter o nariz mais longo de toda a galáxia, que os colegas (especialmente os meninos) a chamem de Pinóquio e que ela esteja prestes a sentar a mão em alguém. Juntas, vocês podem discutir as seguintes perguntas e pensar em respostas:

- *É possível mudar seu nariz?* Só com cirurgia plástica. Além do mais, as outras partes do rosto ainda não terminaram de crescer. Daqui a um ano, sua aparência estará bem diferente. É possível mudar os Malas Sem Alça Ridículos? De jeito nenhum. Então o negócio é franzir seu nariz lindo para eles e deixá-los falando sozinhos.
- *Como melhorá-lo um pouco?* Reparta o cabelo de lado e não o deixe muito achatado no alto da cabeça. Escolha cores que destaquem seus olhos.
- *Como aceitá-lo e usá-lo a seu favor?* É uma característica de família, então se orgulhe dela. Em vez de chamá-lo de "Tromba Gigante", encontre outra maneira de descrevê-lo. Nobre? Forte? Cômico? Majestoso? Use esse nome para ele em sua mente e você começará a pensar nele de forma diferente, especialmente quando algum MSAR pensar que está inovando ao chamá-la de Pinóquio pela quadragésima quinta vez.

Você pode aplicar a Oração da Serenidade a óculos, aparelhos ortodônticos (que deixaram de ser o terror de outros tempos desde que começaram a ter opções de cores e se tornaram símbolo de *status*. Quem diria?), ser alta, ser baixa, ou ter problemas de pele. (No momento, eu uso a mesma oração para cabelos grisalhos, pés de galinha ao redor dos olhos e o fato de quase tudo estar despencando.)

Outra maneira de ajudar sua filha a encarar de modo realista "defeitos" de qualquer espécie é fazer a seguinte atividade divertida:

1. Estenda um pedaço grande de papel *craft* no chão e peça para sua filha se deitar sobre ele.
2. Trace o contorno dela no papel.
3. Dê-lhe giz de cera colorido, canetas hidrográficas ou lápis de cor (não use a cor preta) e peça para desenhar dentro do contorno todas as características de que gosta em si mesma, ou nas quais nem pensa, ou ainda, das quais ninguém tira um barato. Incentive-a a tornar a figura o mais linda e colorida possível.
4. Dê-lhe o giz de cera, caneta hidrográfica ou lápis de cor preto e peça para ela desenhar aquilo que considera um defeito.
5. Olhem juntas para a figura pronta. É provável que você nem precise destacar que há muito mais partes coloridas do que pretas. Pode ser que haja imperfeições, mas não são páreo para toda a beleza colorida.

Talvez você se preocupe que toda essa atenção dirigida às imperfeições dela, sejam elas imaginárias ou reais, levem-na a se concentrar nelas, mas descobri que acontece justamente o contrário. Essas questões são extremamente importantes para sua filha e ela quer ser levada a sério. Se você a colocar numa situação na qual ela não pode conversar sobre o problema, ele não será resolvido e continuará a perturbá-la. Se você conseguir ajudá-la a minimizar ou lidar com o que a incomoda e, ao mesmo tempo, entender que ela não apenas poderá curtir os aspectos mais agradáveis de ser menina, mas também saberá como fazer isso por conta própria no futuro, quando os seios parecem crescer fora de controle, ou ocorrerem as crises de acne, ou ela passar pela fase de tropeçar e esbarrar em tudo. Você a ensinará a não ser obcecada com a aparência. Essa obsessão só se manifestará se ela tiver de conviver com as gozações.

Mais um detalhe. Se você observar uma mudança na aparência dela que não seja atraente — uma erupção de espinhas nas costas, uma pinta no ombro ou os primeiros sinais de que ela terá quadris iguais aos da sua sogra — e ela ainda não tiver reparado ou não parecer se incomodar, por favor não chame a atenção dela para essa alteração. Para quê? Se você precisar tratar do assunto (por exemplo, se uma pinta mudar de tamanho ou textura), sugiro que você converse com ela sem estardalhaços, em particular, com a maior naturalidade possível ("Tá vendo essa pinta, filha? Acho que seria bom a gente mostrá-la para o médico, só por precaução").

Perguntas sobre questões delicadas

Lembre-se de que a frase: "O que tem de errado em fazer uma tatuagem?" é apenas uma pergunta, e não uma indicação de que num futuro próximo sua filha aparecerá com o corpo coberto de desenhos coloridos. A meu ver, a primeira resposta deve ser de cunho prático. Quem faz tatuagens ou coloca uma porção de *piercings* corre o risco de pegar doenças como hepatite C. A resposta seguinte pode ser interpessoal. Quer seja certo ou errado, uma pessoa com tatuagens grandes ou tantas argolas na orelha que mais parece uma mola, cria uma primeira impressão que deixa algumas pessoas desconfiadas, especialmente professores e, mais tarde, possíveis empregadores, sem falar em donos de lojas, policiais e pais de outros jovens. Essa é uma decisão que as pessoas tomam quando fazem tatuagens grandes, e é uma decisão permanente. A resposta mais importante pode ser uma conversa não sobre os motivos para *não* fazer uma tatuagem, colocar um *piercing* no umbigo ou pintar o cabelo da mesma cor que a cabeleira do Ronald McDonald, mas o que leva as pessoas a fazerem essas coisas. Juntas, vocês podem conversar com algumas pessoas que fizeram essa escolha, ou que estão pensando em fazê-la, e compilar uma lista. É provável que ela inclua:

- Quero ser diferente.
- O corpo é meu e eu tenho direito de fazer com ele o que eu bem entender.
- É minha forma de expressar que estou cansado de ouvir todos me dizerem quem eu devo ser.
- Eu gosto de chocar as pessoas, especialmente os adultos que me controlam.
- Se as pessoas quiserem saber quem eu sou de verdade, vão ter de olhar além da aparência. Não quero conversa com ninguém que julga pela aparência.
- Quero que as pessoas reparem em mim.

O potencial para usar essas informações numa conversa com sua filha é imenso. Pode levar a inúmeras conclusões às quais vocês chegarão juntas. Por exemplo: a quem o corpo dela pertence de fato, o que é a verdadeira singularidade e como lidar com problemas de maneiras saudáveis, e não rebeldes. Cabe a você decidir se permitirá tatuagens, *piercings* ou cabelos roxos, mas, a esta altura do campeonato, ainda não é preciso ditar as regras como se você fosse o sargento e ela um pobre recruta. Afinal de contas, ela só fez uma pergunta.

Cuidados básicos com a beleza

Não obstante o lugar em que sua filha está naquela ponte da qual falamos, em algum momento na pré-adolescência é hora de formar hábitos de cuidado e higiene pessoal. É evidente que você já enfatizou, desde que ela era uma criaturinha minúscula, a importância de pentear o cabelo, tomar banho com frequência e usar roupas limpas, e é provável que tenha sido mais bem-sucedida com ela nesse departamento do que com os meninos de sua família. Agora que o corpo dela está mudando, assunto sobre o qual falaremos mais na próxima parte do livro, alguns cuidados pessoais novos se tornam necessários. Ensiná-los à sua pré-adolescente não precisa ser mais um item na lista de coisas sobre as quais você precisa pegar no pé dela. Como disse, cuidar da pele e lixar as unhas podem ser, para você, tarefas chatas que precisam ser espremidas entre as mil outras coisas que você tem para fazer. Para sua filha, porém, são novidades e têm o potencial de ser muito legais. Que tal tornar essas tarefas divertidas para ela criando um Quadro de Beleza?

No blog, chamamos a nossa tabela de "E aí, bonitona?". Escolhi algumas categorias para colocar do lado esquerdo do quadro, mas você pode adaptá-lo às necessidades e gostos de sua filha. Os itens indicados são básicos, mas se sua filha é do tipo "princesa", pode ser que queira acrescentar cuidados mais minuciosos. Os itens com asteriscos, por exemplo, são opcionais. Talvez você se surpreenda de eu ter incluído o uso de hidratantes nessa idade, mas, uma vez que os raios solares estão se tornando mais nocivos e há mais toxinas no ar, nunca é cedo para começar a proteger a pele, não apenas por uma questão de beleza, mas também de saúde.

Em algum momento todos os dias							
Tomar banho							
Lavar o cabelo							
* Usar condicionador							
* Depilar pernas e axilas							
Pentear o cabelo ainda úmido							
Usar hidratante em todo o corpo							
Limpar debaixo das unhas							
Beber quatro copos de água							
Fazer trinta minutos de atividade física							
Lavar as mãos com frequência							
Todas as manhãs							
Lavar o rosto							
Usar hidratante com filtro solar							
Pentear o cabelo							
* Fazer escova no cabelo							
Todas as noites							
Lavar o rosto							
Usar hidratante							
Pentear o cabelo							
Ter de nove a dez horas de sono							
Semanalmente							
Colocar os pés de molho							
* Remover esmalte de unhas velho							
Lixas as unhas							
Cuidar das cutículas							
Limpar debaixo das unhas dos pés							
Cortar as unhas dos pés							
* Aplicar esmalte novo							
A cada seis semanas							
Acertar as pontas do cabelo							

Três coisas farão que o quadro funcione até ela desenvolver uma rotina natural:

• Deixar que ela o decore como quiser, usando adesivos, estrelas ou canetinhas bacanas para marcar uma tarefa concluída.

• Fazer juntas a lista de cuidados básicos com a beleza, em vez de você apresentar a lista para ela. Claro que você dará sugestões e indicará os itens que não são opcionais, mas ficará surpresa de ver quanta coisa ela quer fazer. Em vez de sumir com seu rímel, ela se sentirá madura de forma apropriada.

• Começar com os itens extremamente básicos e acrescentar outros aos poucos.

Sempre digo às pré-adolescentes que, se quiserem um pouco mais de privacidade, podem fazer um quadro pequeno num caderno, em vez de um cartaz para colocar na parede. Quanto mais opções apropriadas para sua idade ela tiver, melhor.

Diversão sob a forma de cuidados de beleza

Volto a dizer que, se vocês não estiverem se divertindo pelo menos um pouquinho com tudo isso, estão perdendo a oportunidade de criar lembranças que, daqui a muitos anos, certamente serão assunto entre vocês duas enquanto estiverem lavando a louça da ceia de Natal. Abaixo, algumas sugestões para inspirá-las.

Faça uma "noite do spa". A ideia é você e sua filha (e, quem sabe, se for apropriado, a melhor amiga e a mãe dela) juntarem produtos de beleza num espaço em que não serão interrompidas por irmãos gozadores, pais curiosos etc. (o que pode significar expulsá-los de casa por algumas horas, ou fazer ameaças). Arrume velas, flores, toalhas bonitas e músicas gostosas para criar o clima. Façam um tratamento de beleza da cabeça aos pés, seguido de um lanche e, se tudo der certo, do seguinte passo:

Façam um passeio só de meninas para comprar produtos de beleza, nem que signifique separar quinze minutos para ir ao supermercado sem uma comitiva de irmãos. Não há necessidade de ir à seção de cosméticos de uma loja de departamentos nem a uma loja especializada, a menos que você esteja a fim de esbanjar (nesse caso, me leva junto?). Escolha um hidratante, um xampu, um sabonete líquido para o corpo, um esmalte (se ela quiser) e outros itens que serão para uso exclusivo dela. Se questões financeiras tornarem necessário que todos em sua casa usem o mesmo produto (eu sei! essas coisas são caras!), compre algumas embalagens pequenas e separe um pouco de cada produto para ela. Ela pode guardá-las numa *nécessaire* ou numa prateleira separada no armário do banheiro. O objetivo é fazer de tudo para que os cuidados pessoais sejam especiais. Trata-se de algo importante, mesmo que ela não seja do tipo superfeminino.

Senhor, preencha a lacuna

Deus Todo-poderoso, criador de toda a beleza, e que ama todos nós: eu te louvo pela perfeição de minha filha, que faz meu coração de mãe bater mais forte. Ao transferir os cuidados com o seu corpo de minhas mãos para as mãos dela, peço que o Senhor preencha a lacuna entre a alegria que ela precisa experimentar ao vivenciar sua própria beleza feminina e o que tenho dentro de mim para lhe mostrar essa alegria. Oro em nome de seu Filho amado. Amém.

6 "Mas você é bonita por dentro..."

[A beleza de vocês] esteja no ser interior, que não perece, beleza demonstrada num espírito dócil e tranquilo, o que é de grande valor para Deus.

1PEDRO 3.4

Claro que minha mãe me explicou que eu preciso me arrumar e ficar apresentável, mas ela sempre diz que as pessoas vão achar a gente bonita pelo modo como a gente vive, e não pelo tanto de maquiagem que a gente põe no rosto.

12 ANOS

Sempre digo às pré-adolescentes que elas são minha tribo predileta de jovens. Em parte, é porque são preciosas de uma forma natural, na qual não importa o modo como se vestem ou quanto alinhados (ou não) estão os seus rabos de cavalo. Estive em bairros de classe média alta em que meninas de 10 anos tinham luzes no cabelo e vestiam trajes mais caros que o meu. Também estive em vilarejos rurais, com nomes como Vila Sariguê, onde as meninas nunca tinha visto uma loja de cosméticos e onde roupas distribuídas pelo Exército da Salvação eram usadas com tanto orgulho quanto se fossem de grife. Com seus olhos brilhantes, sorrisos sempre à espreita e pele radiante, todas elas são absolutamente adoráveis.

Quer dizer, quase todas. Uma vez, entrei num salão onde teríamos um curso de um dia inteiro para meninas e mães. As cadeiras estavam arrumadas de forma que uma fileira de meninas estava sentada de frente para outra fileira. Levei uns cinco segundos para perceber o antagonismo entre o Grupo A, constituído de meninas mais gordinhas, menos arrumadas e com roupas mais simples, e o Grupo B, que parecia ter acabado de chegar do *shopping*, do salão de beleza ou do *personal trainer*. O Grupo B fazia beiço e lançava olhares de desdém para o Grupo A, que, para retaliar, fitava com olhos semicerrados, cheios de raiva, que mal escondiam sua humilhação coletiva.

Foi o grupo mais feio de meninas que eu já vi. Coitadas.

Fiquei com pena porque nenhum dos grupos havia aprendido essas atitudes com "gente de fora", como diria minha mãe. As mães, que estavam sentadas no fundo do salão, também haviam se divido em duas panelinhas bem definidas e, embora o desprezo entre elas fosse um pouco mais sutil do que o clima entre as filhas, ninguém interveio para dar uma basta àquela troca evidente de expressões de ódio, o que, a meu ver, foi ainda mas feio.

Meu trabalho era ensinar meninas e mães sobre beleza interior. E põe trabalho nisso! Pelo jeito, todos ali precisariam de uma transformação radical!

Não anunciei, contudo, que nosso curso seria sobre beleza interior, pois:

- Para ao Grupo A, pareceria um prêmio de consolação. O que ouviriam através dos filtros que, mesmo aos 10 anos, já haviam criado, seria: "Vocês com certeza não são beldades, mas podem desenvolver uma personalidade legal na esperança de que as pessoas ainda venham a gostar de vocês". Na cabecinha delas, ouvir alguém dizer que poderiam ter beleza interior seria o mesmo que fazer um teste para participar de uma peça de teatro e, no fim das contas, ficar com a tarefa de recolher os ingressos.

- Para o Grupo B, indicaria que *mais* uma pessoa adulta não tinha noção do que estava falando. Primeiro, elas sabiam muito bem que, na Classe Dominante, não havia meninas pouco atraentes por fora, mas bonitas por dentro. Segundo, "todo mundo" sabe que beleza interior é algo que meninas feiosas e suas mães jogam na cara de meninas lindas porque têm inveja de sua aparência deslumbrante.

Estávamos lidando com gente de igreja, o que tornava a situação ainda mais assustadora. Os dois grupos haviam sido expostos à teologia equivocada de que a aparência *não tem importância alguma* (conforme comentamos anteriormente), mas ambos haviam sentido na pele que isso não era verdade. Portanto, se eu anunciasse o tema do curso, todos teriam lançado um olhar nada amigável em *minha* direção e me convidado gentilmente a catar coquinhos numa ladeira.

Fizemos algum progresso naquele dia, especialmente depois que eu rearranjei as cadeiras em círculo para dar menos impressão de que as participantes estavam se mobilizando para travar uma batalha. Desde então, porém, tenho estudado a fundo o "problema" da beleza interior e é com prazer que compartilho com você minhas conclusões. Como sempre, leia conforme interessar e extraia o que for útil para a relação com sua minimulher.

Vamos esclarecer: beleza interior

Descobri que a *maneira* como a questão da beleza interior é tratada com as meninas exerce forte impacto sobre elas.

A pré-adolescente que sabe que não é considerada tão bonita quanto as outras meninas (e pode crer que, em algum momento, ela percebe isso ou é informada por alguma MHM) ouve, com frequência, que aparência não importa, que ela só precisa desenvolver "caráter". Ao mesmo tempo, muitas vezes ninguém a ajuda a melhorar em nada sua aparência, como se ela já fosse um caso perdido. Essa abordagem não constrói caráter; ao contrário, enche-a de raiva, amargura, vergonha e aversão a si mesma. O que, por sua vez, a torna ainda menos atraente.

Sem orientação concreta e efetiva sobre o significado verdadeiro de "beleza interior", é provável que ela chegue à conclusão de que, tendo em vista que o importante é a beleza interior, e não a exterior, então as duas devem ser opostas. Logo, de acordo com a lógica pré-adolescente, meninas que são bonitas por fora, provavelmente são maldosas, metidas e falsas por dentro.

É claro que nem todas as pré-adolescentes lindas são cruéis, presunçosas e fingidas. Infelizmente, porém, desde que algumas dessas meninas nasceram, as pessoas ao seu redor não chamam a atenção delas para outra coisa senão sua beleza perfeita. Era fácil ceder a todos os seus desejos quando eram pequenas, pois até o seu jeito de chorar era fofo (papais e vovôs são os que cometem esse crime com mais frequência). Ela não é mais tão adorável na pré-adolescência, mas a essa altura, boa parte do estrago já foi feito, e começar a responsabilizá-la por seus atos é como tentar segurar um gato siamês encharcado. É mais fácil largar de mão. Ou então, o papai diz, todo orgulhoso: "Minha menina é um osso duro de roer. Coitado do rapaz que se casar com ela". Entendam, por favor, que *não* estou dizendo que toda menina bonita é uma patricinha mimada. Existe, contudo, uma probabilidade maior de que as pessoas façam todas as suas vontades, o que as leva a concluir: "Pra que ser meiga e gentil se consigo tudo o que eu quero de qualquer maneira?".

Na verdade, a maioria das pré-adolescentes se encaixa em algum ponto entre os dois extremos. Não são alvos fáceis das gozações nem se parecem com futuras *top models*. Cada uma tem seu tipo especial de beleza, mas ainda não a descobriu ou ainda não se importa com ela. Tem amigas que, como as próprias meninas costumam dizer, "Me amam do jeito que eu sou". É saudável, feliz e está a caminho de desabrochar e se tornar uma linda mulher. A expressão "beleza interior" não é carregada de significado para ela. É bem possível que imagine ter uma dose dessa beleza e é provável que tenha mesmo. No entanto, não está inteiramente a salvo dos perigos de sua cultura.

Primeiro, ela tem consciência da Galera Popular. E sabe que beleza interior não é o pré-requisito para ser aceita no grupo. Ela não precisa dele. Mas, se algum de seus integrantes de repente se interessar por ela, terá de ser muito forte para resistir à tentação de ser aceita. Essa turma nem sempre corresponde ao estereótipo do cinema, mas para fazer parte dela geralmente a menina precisa deixar para trás algo de sua vida anterior, como as amigas que a amam do jeito que ela é. E você vem me falar de beleza interior? Como assim?

Além do mais, ao contrário dos Grupos A e B, ela não desconsidera completamente a beleza interior. Se, contudo, lhe disserem que é a única coisa que importa, que a aparência exterior não vale nada aos olhos de Deus, ela se sentirá conflitante, e até mesmo culpada, pois deseja ser bonita. Sempre que peço para pré-adolescentes se olharem no espelho e descreverem as características de que gostam em si mesmas, mais de uma levanta a mão e pergunta: "Achar que a gente é bonita não é, tipo, ser metida?". As beldades raramente fazem essa pergunta, pois não veem nada de errado em se acharem bonitas. As meninas que se consideram feias também não perguntam, pois imaginam que não verão nada de atraente no espelho.

Tudo isso seria triste se a pré-adolescência não fosse o período ideal para mudanças. É o momento perfeito para ensinar às meninas quatro coisas que considero fundamentais para sua felicidade e capacidade de servir a Deus no mundo.

Primeiro, a aparência é importante, mas é a beleza interior que torna a mulher bonita por fora. Não são duas coisas mutuamente exclusivas: andam juntas. Estão à disposição de todas as meninas que, aliás, foram criadas para ter ambas, quaisquer que sejam suas qualidades inatas.

Em segundo lugar, elas também precisam saber que o desenvolvimento da beleza interior não é uma batalha árdua que só pode ser vencida a duras penas, por meio do sacrifício de tudo o que há de prazeroso e empolgante em ser menina. Na verdade, o processo de descobrir essa beleza é, em si mesmo, uma diversão.

Terceiro, possuir beleza interior, que vem de Deus, é o único modo de garantir que ela terá felicidade verdadeira e profunda. E quarto, continuar a desenvolver essa beleza é o único modo de assegurar que ela fará diferença no mundo, algo que sua geração considera essencial. Essa é a sua verdadeira "Galera Popular".

Do Pai celestial

> Finalmente, irmãos, tudo o que for verdadeiro, tudo o que for nobre, tudo o que for correto, tudo o que for puro, tudo o que for amável, tudo o que for de boa fama, se houver algo de excelente ou digno de louvor, pensem nessas coisas. Ponham em prática tudo o que vocês aprenderam [...]. E o Deus da paz estará com vocês.
>
> FILIPENSES 4.8-9

Pré-adolescentes de ambos os sexos não reagem de forma produtiva a conceitos abstratos. É praticamente suicídio a professora pedir aos alunos para se "comportarem" e esperar que obedeçam. É preciso explicar em termos claros que "Se comportar" significa não sair do lugar, não falar sem levantar a mão antes, e não grudar meleca de nariz no colega ao lado. Sem diretrizes explícitas, eles assumem o controle da sala de aula.

Só Deus sabe (literalmente) quanto as pré-adolescentes precisam que o conceito abstrato de "beleza interior" seja explicado para elas em termos concretos. Para ajudar a instilar essa beleza em nossas filhas, nós mães também precisamos de uma definição clara.

Tendo em vista a predileção das meninas por termos absolutos ("todo mundo", "ninguém", "tudo", "nada"), fico encantada de ver que a carta de Paulo aos filipenses é a passagem bíblica que descreve de maneira mais completa aquilo a que nos referimos quando falamos de "beleza interior".

"*Tudo o que for verdadeiro*". Nada de mentiras, enrolações, distorções criativas do que aconteceu de fato com a irmã enquanto você estava fora da sala. Mais que isso: como buscar a verdade de Deus em situações como dificuldades com as amigas e conflitos no time de vôlei.

"*Tudo o que for nobre*". Quando é hora de ceder a vez, receber insultos sem revidar, se oferecer para fazer a parte mais difícil. Além disso, discernir o que é verdadeiramente nobre e o que é apenas desejo de causar a impressão certa.

"*Tudo o que for correto*". Mesmo que signifique ser chamada de dedo-duro, traidora ou "menina boazinha". Também, evitar se tornar insuportavelmente julgadora.

"*Tudo o que for puro*". Evitar filmes vulgares, letras de músicas repulsivas, vídeos para lá de sugestivos. Também, preencher o espaço interior com filmes inspirativos, música que toca a alma e conversas sinceras.

"*Tudo o que for amável*". Palavras que promovam o amor, em vez de ódio, mesas que acolham a todos na hora do recreio em vez de portas fechadas, esperanças elevadas em vez de expectativas baixas. Também, ser capaz de ver o que há de amável em cada pessoa.

"*Tudo o que for de boa fama*". Convidar a menina "diferente" a participar de algo, realizar serviço voluntário aos sábados, doar para a viagem missionária da irmã o dinheiro que ganhou de aniversário. Também, certificar-se de que a motivação não é apenas criar "boa fama" para si mesma.

"*Se houver algo excelente ou digno de louvor, pensem nessas coisas*". Esforçar-se ao máximo na escola. Dar tudo de si pelo time. Ser uma boa cidadã mesmo quando ninguém estiver olhando. Também, fazer o bem por amor, não para receber louvor.

É um desafio e tanto para qualquer um, que dirá para uma garota de 9 anos. Podemos assegurar a nossas minimulheres, porém, de que não estão sozinhas nessa jornada. Por trás de todos esses "tudo o que for", sustentando cada um deles, encontramos o cerne da mensagem: "*O Deus da paz estará com vocês*". Se lhes garantirmos isso constantemente, se participarmos das disciplinas que as ligam a Deus, se lhes mostrarmos os frutos em nossa própria vida, o "tudo o que for" se tornará realidade.

Que coisa boa!

E você?

Relaxe. Não vou pedir para você avaliar se está à altura de tudo o que foi dito aqui. Fala sério! Eu teria uma crise de pânico se alguém me pedisse uma coisa dessas. Acho que nem Deus pede façamos isso.

Creio, porém, que é importante cada um verificar, de tempos em tempos, como anda sua *atitude* básica. Podemos conversar com nossas filhas até elas ficarem com aquele olhar perdido no infinito — e quanto mais falamos, maior a probabilidade de não prestarem atenção — mas o que elas "ouvem" de fato é a atitude que molda nosso comportamento. Vale a pena refletir a esse respeito antes de prosseguirmos.

Usando sua abordagem habitual (ou quem sabe você pode tentar algo diferente desta vez), pense nas seguintes questões:

1. Como você reage a mulheres extremamente bonitas (embora, de acordo com o que dissemos aqui, você seja uma delas)? O que passa por sua cabeça? A presença delas afeta de algum modo a sua autoconfiança? Muda seu comportamento? Altera seu humor? Coloca em dúvida sua religião? (Brincadeirinha!)
2. Como você reage a mulheres que, usando uma expressão antiga, são "menos favorecidas" quanto à beleza? Reflita sobre as mesmas perguntas do item 1.
3. Quando você era pré-adolescente, fazia parte do Grupo A, do Grupo B, ou ficava em algum ponto intermediário? Isso teve algum efeito duradouro sobre sua opinião acerca da importância da beleza interior? Afetou o modo como você educa sua filha?

Se você tiver dificuldade em colocar as ideias em ordem, preste atenção no que você diz quando conversa com suas amigas. As respostas estarão lá. Pelo menos, é onde, muitas vezes, eu encontro as minhas respostas.

Mãos à obra

Saber o que você deseja incutir em sua filha é, obviamente, apenas o começo. A professora que consegue anotar no quadro uma lista de bons comportamentos ainda precisa mostrar aos alunos como colocá-los em prática em meio a distrações tão convidativas quanto uma caixa de bombons. Você enfrenta o mesmo desafio, mas ele não é uma missão impossível. Tenho algumas ideias para compartilhar com você e apresento-as de acordo com os quatro elementos fundamentais sobre os quais conversamos anteriormente.

A aparência é importante, mas é a beleza interior que torna a mulher bonita por fora

Creio que o primeiro passo consiste em deixar clara a diferença entre ser "gatinha" ou "lindinha" e verdadeiramente "bela". Trata-se de algo importante, pois, se formos realistas, teremos de admitir que, embora cada menina seja bonita a seu modo, nem todas nasceram para ser Rainhas da Beleza. Não queremos que nossas filhas pensem que estamos tentando vender para elas a ideia de que todas têm a mesma chance de se tornar Miss Universo pois elas sabem que é mentira. Dizer: "Você pode ser linda, por dentro e por fora", o que é verdade, não é o mesmo que dizer: "Você pode aparecer na capa da revista *Teen Vogue*", o que pode não ser o caso. O importante é mostrar para elas que o título de Rainha da Beleza, a faixa de Miss Universo e a capa da revista são realizações de curta duração que acontecem na vida de poucos, enquanto a verdadeira beleza está ao alcance de todos e dura a vida inteira. Certifique-se de que vocês duas estão falando da mesma coisa, ou ela ficará confusa.

Para mostrar como a beleza interior afeta a aparência exterior, peça para ela se olhar no espelho e observar seu reflexo com uma expressão neutra (prepare-se, pois é difícil uma menina de 8 anos fazê-lo sem ter um acesso de riso). Em seguida, peça para ela sorrir como quem está feliz de ver aquele rosto. Por fim, peça para ela fazer cara feia, como se quisesse que a imagem no espelho sumisse. Comente qual expressão foi a mais bonita. A ideia não é fazê-la andar por aí sorrindo feito o Bob Esponja o tempo todo, mas lhe dar uma demonstração visual fácil de lembrar.

Peça para ela escolher algumas meninas que ela conhece e que são consideradas bonitas e observá-las sempre que possível. (Esse é um bom momento para introduzir a palavra "discretamente" no vocabulário dela.) Se ela vir uma dessas meninas se comportando de modo mal-educado, sugira que ela se pergunte: "Ela ainda é bonita? Se alguém tirasse uma foto dela neste instante, alguma revista a colocaria em sua capa?". (Use este exercício somente se tiver certeza de que sua filha resistirá à tentação de dizer às amigas: "Ela não é tão bonita quanto vocês pensam".)

Uma alternativa é lhe dar uma revista para adolescentes (se você tiver coragem, pois algumas delas são basicamente uma versão *teen* da *Nova-Cosmopolitan*) e pedir para ela recortar todas as fotos de rostos de meninas, tanto de anúncios quanto de artigos. Em seguida, peça para ela dividir as fotos em duas pilhas, uma de meninas com as quais ela gostaria de ter amizade, e outra de meninas das quais ela manteria distância. Converse sobre qual é a diferença. (Para tornar a atividade ainda mais divertida, você pode fazê-la simultaneamente usando revistas femininas como *Vogue* e *Claudia*.)

Por fim, converse sobre mulheres que vocês duas amam. Sinceramente, algumas delas é feia? Elas não são todas lindas? Falem sobre o que as torna bonitas. Para prolongar a alegria, reúnam essas mulheres e compartilhem suas conclusões com elas. Tenham lenços de papel à mão.

Desenvolver a beleza interior não é uma batalha árdua, que só pode ser vencida a duras penas. É, na verdade, parte da alegria de ser menina

Uma vez que sua filha entende que o exterior *revela* o que se passa do lado de dentro, a parte divertida da história é encontrar mais formas de refletir a beleza interior. Esse processo lança mão de conceitos que já discutimos e que, espero eu, vocês já estejam curtindo juntas continuamente: o estilo individual de sua filha (cabelo, roupas, acessórios); como ela trata de si mesma (atentando para os cuidados pessoais, honrando sua beleza); e sua autoconfiança (entender quem ela é e ter liberdade de ser autêntica).

Também cria oportunidades de desenvolver esses conceitos à medida que você conscientiza sua filha do que está acontecendo. Por exemplo: pergunte-lhe como ela deseja que as pessoas a descrevam. Ela quer que os primeiros itens mencionados sejam os atributos físicos ou as coisas da lista de "tudo o que for"? Peça para ela fazer uma relação de títulos para pessoas de sua classe (apenas os títulos em si, e não quem deveria receber cada um). Mas, em vez dos rótulos habituais (Mais Bonita, Mais Popular, Mais Bem-Vestida), peça para ela criar outros títulos que reflitam características interiores que as tornam suas pessoas "mais favoritas do mundo" (Mais Honesta, por exemplo). Só por diversão, pensem em títulos que vocês não gostariam de receber, como Mais Mal-Educada, Mais Fofoqueira.

Essa atividade gera altos papos!

Fazer aflorar a alegria de encontrar sua beleza interior também implica focalizar as outras coisas (além de pintar as unhas e arrumar o cabelo) que tornam divertido ser menina. Relacionei alguns dos itens tradicionais com os quais muitas pré-adolescentes se empolgam quando os descobrem: cozinhar, fazer bolos e bolachas, costurar, tricotar, desenhar roupas, decorar interiores, cuidar do jardim, dançar só por prazer, praticar atividades físicas só por diversão (jogar peteca, andar de patins, patinar no gelo, andar de bicicleta), organizar chás da tarde, fazer arranjos de flores, fazer piqueniques, ter acessos de riso sem explicação.

Use qualquer atividade que desperte em vocês duas a alegria de serem "meninas". Elas farão sua beleza aflorar. A alegria tem dessas coisas...

Possuir beleza interior, que vem de Deus, é o único modo de garantir que ela terá felicidade verdadeira e profunda

Ganhar o prêmio, ser eleita capitã do time ou estar na lista de alunos com notas mais altas na escola são realizações que deixam qualquer menina orgulhosa (de modo positivo!), a tornam segura de suas habilidades e lhe garantem atenção favorável. A longo prazo, porém, não a tornam feliz. Todas nós conhecemos pré-adolescentes que conseguem tudo isso e muito mais e, ainda assim, roem as unhas, mascam o cabelo ou têm uma crise de choro semanal.

Pode-se dizer o mesmo da menina deslumbrante, que tem todo o universo pré-adolescente aos seus pés e, no entanto, busca algo mais e é tomada de ansiedade quando seu trono é ameaçado, pois ele é o cerne de sua vida; isso pode se manifestar na forma de *bullying*, assunto do qual trataremos em detalhes mais adiante.

Aonde quero chegar? Meninas repletas de realizações, meninas lindas e meninas que são as duas coisas podem ser felizes. Mas isso não acontecerá a menos que também estejam desenvolvendo os fundamentos da beleza dentro de si. Se uma garota está infeliz, nem um oceano de condicionador de cabelo ou uma cordilheira de roupas de grife a tornará bonita. Se ela for verdadeiramente feliz, sua beleza será comovente.

Então como fazer aflorar essa beleza que traz alegria? Aqui estão algumas sugestões para você usar como ponto de partida em sua abordagem particular com sua filha. Com certeza, você já está trabalhando com alguns dos itens.

Conhecer o que ela tem de bonito por dentro e elogiá-la de forma apropriada

Você não precisa aplaudir cada vez que ela se controla e não grita com o irmão (embora ele merecesse). Mas quando ela senta-se ao lado dele depois que seu time perdeu o campeonato e diz que ele foi o melhor jogador em campo, ela merece um abraço, um agradecimento e um pedaço de bolo de chocolate depois. Não tenha medo de que você a deixará cheia de si ao prestar atenção as suas virtudes. Na verdade, você a incentivará a usá-las com mais frequência, até que ela se satisfaça simplesmente em fazer o bem.

Procure entender a causa do mau comportamento antes de aplicar um castigo

Isso não significa deixá-la roubar um carro e escapar impune; sem dúvida as consequências fazem parte do aprendizado. Entender o ímpeto por trás de comportamentos não muito bonitos ajudará você a saber como promover cura. Na maioria das vezes, o mau comportamento da pré-adolescente nasce de uma das seguintes causas: *necessidade de atenção, necessidade de aceitação, necessidade de mais confiança e responsabilidade* (ela tem um jeito irônico de mostrar este aqui, não?) e *necessidade de mais privacidade.* A carência de algum desses itens pode estar acontecendo em casa, mas é igualmente provável que esteja ligada à escola, ao seu círculo de amigas, ou aos lugares onde ela realiza outras atividades. Você é apenas a pessoa em quem ela está descontando o medo e a frustração. Afinal, você tem obrigação de amá-la, mesmo quando ela bate portas, grita com os irmãos e lhe dá uma resposta atravessada.

Para mim, sempre funcionava dizer a Marijean: "Você não é assim. O que está acontecendo de verdade?". Pensando bem, na maioria das vezes eu já sabia. Eu havia saído quase todas as noites naquela semana e nós duas não havíamos tido nossa conversa habitual na hora de dormir. Ela precisava de atenção e a conseguia por meio de discussões (era capaz de armar um debate, com argumentos e contra-argumentos, por causa de um misto-quente). Ou voltava da escola com as mangas do moletom cobrindo as mãos, o cabelo tapando o rosto, pronta para arrancar fora minha cabeça. Eu sabia que Heidi e as Hediondas tinham atacado novamente, e só precisava fazer algumas perguntas para extrair dela a história toda: Heidi havia perguntado na frente de meio mundo se Marijean não tinha espelho em casa.

Certa vez, quando Marijean quebrou descaradamente a regra de não discutir sobre os itens anotados dentro do quadro, tivemos uma conversa seríssima sobre o seu tom de voz. Depois que ela se mostrou suficientemente contrita, combinamos de tirar alguns itens de dentro do quadro e torná-los negociáveis. Depois disso, foram raras as ocasiões em que ela se expressou num tom inapropriado.

Ajude-a a lidar de forma positiva com sentimentos negativos

Nenhuma menina consegue ser feliz (e, portanto, bonita por dentro) se está lutando com ideias negativas, e ninguém é capaz de travar melhor uma batalha interior que uma pré-adolescente. Ela ainda não sabe como arbitrar esse tipo de conflito, de modo que continua a bater até que, por fim, cai ferida e infeliz. É possível que todos ao seu redor acabem no mesmo estado se ela for do tipo que exterioriza a agressão (a culpa é toda *sua*). Outras meninas, a interiorizam (a culpa é toda *minha*). Cabe à mãe ajudá-la a expressar os sentimentos desagradáveis e complicados de maneiras saudáveis e até mesmo criativas. Veja qual destas sugestões talvez funcione com sua filha:

- Compre um diário para ela e mostre como desabafar por escrito. Garanta privacidade total.
- Providencie alguns materiais de arte e deixe que ela expresse por meio de pinturas, desenhos ou rabiscos o que está bagunçando suas ideias no momento. Nada de avaliar nem psicanalisar. Apenas deixe-a desabafar. Essas obras de arte não devem ser expostas na porta da geladeira.
- Dê argila para ela espancar ou moldar. Também neste caso, a ideia não é produzir uma obra de arte. É apenas um modo de ela dar forma a algo que ainda não faz sentido.

O objetivo é permitir que ela coloque todos os sentimentos feios para fora a fim de poder observá-los. Os comentários dela poderão servir de ponto de partida para uma conversa. É possível, também, que ela se sinta melhor só de fazer a atividade, o que é ótimo. Quantas vezes você não ruminou um problema até seu maxilar doer, cavoucou no canteiro de flores (ou fez qualquer outra coisa!) por uma hora e se esqueceu do que a estava perturbando tanto? Até a mais jovem das mulheres pode ter a mesma experiência.

Deixe-a brincar!

A brincadeira abre espaço para muita alegria e, portanto, muita beleza. É provável que eu tenha pegado no seu pé o suficiente sobre as desvantagens de uma agenda lotada de atividades estruturadas para as pré-adolescentes, de modo que não vou me repetir. Permita-me apenas acrescentar uma pincelada a esse quadro ao dizer que a recreação livre (como brincar de Robin Hood com as amigas no quintal ou jogar bola com os primos) cria o pano de fundo para a prática das virtudes que temos elogiado: justiça, reciprocidade sensível e misericórdia, entre outras.

Tempo e espaço para sonhar com quem ela deseja ser também são absolutamente essenciais. É nesses momentos que Deus lhe dá imagens, ainda que inconscientes, de como ela deve viver, se mover e existir. É possível que, no momento, ela sonhe em ser missionária e declare que vai para a África, embora ainda nem tenha completado o quinto ano. Talvez ela nunca desenvolva um ministério em Botswana, mas se ela se "viu" levando alimentos, remédios e as boas-novas para os órfãos, poderá realizar esse sonho de doação generosa e disposição de sacrificar-se em qualquer outra área em que desenvolver seu trabalho. Se ela não sonhar, porém, o desenvolvimento dessas qualidades maravilhosas pode ser mais demorado. Por que privá-la disso só para fazer mais um curso de sabe-se lá o quê?

Tudo bem. Vou parar por aqui.

Continuar a desenvolver essa beleza é a única forma de assegurar que sua filha fará diferença no mundo

Até os especialistas que insistem em criticar a "cultura da juventude" são obrigados a reconhecer que os membros da Geração do Milênio têm muito mais interesse em trabalho voluntário, viagens missionárias e arrecadação de recursos para determinadas causas que as gerações passadas. Gostam de palavras como equipe, comunidade e turma. Em geral, pensam menos em "ganhar dinheiro" e mais em "fazer diferença". (É verdade que, enquanto saem para transformar o mundo, esperam ter os mesmos confortos que desfrutam agora, mas esse é outro assunto!)

1. *Proporcione oportunidades para sua filha doar e servir.* Quanto mais ela puder se aproximar das pessoas que está ajudando, mais proveitosa será a experiência. Se ela ajudou você a fazer bolachas para um lar de idosos, por que não acompanhá-la também na hora de entregá-las? Se a doação envolver alguma abnegação, melhor ainda. Ela usou parte da mesada para comprar presentes de Natal para filhos de presidiários? Em vez de ficar na frente do computador com as amigas, ela ajudou a preparar sanduíches para voluntários que estão construindo um conjunto habitacional? Recusou o convite para uma festa de aniversário porque já se comprometeu a ajudar nas competições esportivas para deficientes? Ao tirar o foco de si mesma e voltá-lo para uma situação que exige aquilo que ela pode oferecer, ela mostrará sua verdadeira (e bela) personalidade.

2. *Ajude-a a encontrar sua ligação pessoal com Deus.* Um dos aspectos mais empolgantes da pré-adolescência é a consciência cada vez maior de que amar a Deus vai muito além de cantar "Sim, Jesus me ama" e orar "Senhor Deus, abençoe o papai, a mamãe, o vovô e a vovó". Em algum momento entre os 8 e os 12 anos, ela vê provas concretas de que amar a Deus, conversar com ele e obedecer-lhe mudam a pessoa. E na fase de desenvolvimento

em que se encontra, está pronta para explorar essa área por conta própria: sabe ler, organizar suas ideias e transformar experiências em conceitos. É impressionante ver uma pré-adolescente alçar voo em seu relacionamento com Deus, mas, em geral, ela precisa de alguma ajuda para sair do solo. Toda semana, recebo e-mails de meninas que dizem: "Quero me aproximar de Deus, mas não sei como". O desejo existe. Você está em situação ideal para ajudá-la. A seguir, veja as orientações que ofereço às meninas, com sugestões para você entre parênteses.

- Tenha um tempo devocional todos os dias. Vale perguntar o que quiser para Deus, apresentar a ele coisas que você e as pessoas que você ama precisam, e até mesmo ficar bem quieta e só ouvir. (As coisas mais importantes que você pode proporcionar a sua filha para incentivar esse tempo com Deus são espaço e privacidade. Ela cuidará do resto.)
- Leia a palavra de Deus e pense em como ela se aplica a você neste exato momento. (Providencie para ela uma Bíblia com comentários apropriados para a faixa etária dela. Claro que prefiro a *Bíblia da Garota de Fé*. Livros devocionais, como *Meninos não entram*,[1] sugerem o que ler e dão mais orientações.)
- Escreva seus pensamentos sobre Deus num diário. Você pode usá-lo para anotar suas conversas com Deus e ideias para solucionar problemas. (Se ela não a encarar como se você tivesse acabado de chegar do Planeta Esquisito — nem todas as pré-adolescentes curtem escrever — leve-a para comprar um diário ou forneça os materiais para ela fazer o próprio caderno de anotações. Tempos atrás, pedi às meninas que leem meu blog para pré-adolescentes que enviassem fotos dos diários confeccionados por elas. As papelarias que se cuidem, pois as criações delas ficaram lindas!)
- Faça amizade com outros cristãos dedicados. (Enquanto você organiza em sua casa uma festa do pijama com meninas da escola dominical ou forma um Clube FaithGirlz, cuide para não dar a impressão de que as meninas que não estão sendo educadas em lar cristão não são dignas de ser amigas de sua filha. Você se surpreenderia de ver quantas pré-adolescentes cristãs imaginam que não devem conversar com "meninas de fora da igreja" e as desprezam como se fossem delinquentes. E depois não entendem por que os não cristãos não querem ouvi-las falar de Cristo.)[2]

• Ore. Ore muito. Em momentos específicos ao longo do dia. Em pausas curtas o dia todo. Até mesmo para dizer apenas "Por favor!" ou "Obrigada!" quando Deus lhe vier à mente. Na maioria das vezes, ninguém saberá que você está orando. (A maneira mais eficaz de cultivar o hábito da oração é dando o exemplo, o que não significa que você precisa dizer, o tempo todo, coisas do tipo: "Senhor, por favor ajude a gente a achar uma vaga para estacionar. Puxa, Senhor, muito obrigada! Bem na frente da loja", a menos que isso lhe ocorra com naturalidade. Comentar apenas "Sabe de uma coisa? Hoje cedo eu estava orando sobre a questão do passeio da escola e acho que me precipitei quando falei que você não poderia ir. Vamos conversar mais sobre esse assunto" é uma indicação muito mais significativa para ela de que você mantém um diálogo com Deus e de que isso afeta a vida dela.

Talvez você esteja se perguntando se essas orientações são suficientes. Você sabe que este é o relacionamento mais importante de todos na vida de sua filha, e talvez isso lhe cause ansiedade. Você quer que tudo dê certo, mas não pode forçar a barra de algo tão delicado e sagrado. Pode, no entanto, fazer tudo o que estiver ao seu alcance para *permitir* que esse relacionamento se desenvolva sem pressão. Algumas ideias práticas:

• Procure mantê-la numa igreja onde ela se sinta parte da família. As pré-adolescentes que eu conheço, e que gostam da igreja, ajudam no berçário ou nas aulas da pré-escola, cantam no coral de jovens e correm de um lado para outro com as amigas nos almoços de confraternização. Esteja ciente de que essa sensação de fazer parte do grupo é algo mais difícil de desenvolver numa megaigreja, embora não seja impossível, caso ela se envolva com as atividades realizadas em pequenos grupos.

• Dê espaço para ela ter dúvidas e fazer perguntas sobre a fé. Se ela não perguntar nada, é porque não está prestando atenção! Em vez de demonstrar desaprovação ou medo, converse com ela e descubra o que gerou a dúvida. Assim como os questionamentos sobre tatuagens e *piercings*, geralmente são apenas perguntas. Forneça a informação que está faltando e conduza-a em direção à resposta certa. Dizer para ela que é errado questionar Deus a levará a se fechar e a deixará sem respostas.

• Quando ela estiver no processo de tomar uma decisão, pergunte o que ela acha que Deus deseja que ela faça. Juntas, verifiquem se a resposta está de acordo com a Bíblia.

• Procure não pregar para ela. É sempre mais proveitoso compartilhar sua própria história. "Uma vez, quando eu tinha 10 anos, eu tive uma briga 'daquelas' com o meu irmão e, naquela noite, ele sofreu um acidente de carro e se machucou. Foi aí que eu entendi por que Deus diz para a gente não deixar o sol se pôr sobre a nossa ira. E se ele não tivesse sobrevivido? Diante disso, você quer repensar o que acabou de dizer para seu irmão?"

• Enfatize o amor e a graça de Deus, em vez de regras e restrições que, na verdade, não fazem parte do evangelho. Claro que é necessário ter regras em casa, mas não transforme Deus em vilão na hora de impô-las. Aprender a fazer o certo porque Deus ama você é bem diferente de "o salário do pecado é a morte". Nenhuma menina de 9 anos reage de modo saudável a esse tipo de abordagem. E com certeza não fará aflorar sua beleza interior. Talvez traga à tona o seu bedel metido, mas não sua beleza virtuosa.

• Para pré-adolescentes mais velhas, certas práticas sagradas podem ser uma boa maneira de ajudá-las a se concentrar em Deus. Cada vez mais grupos para adolescentes têm usado atividades como acender velas, andar num labirinto e realizar outros rituais simples para ajudar os jovens a manter o foco em Deus.[3] Como os próprios adolescentes comentam, é fácil encontrar telas de vídeo e bandas de rock em qualquer lugar, mas uma sala iluminada apenas por uma vela com canto gregoriano ao fundo nos separa do mundo para que possamos ouvir a voz de Deus. E eles levam essas imagens consigo de volta para o mundo, onde certamente vão precisar delas.

• Se você não vem de uma tradição litúrgica, pode ter dificuldade em aceitar essas práticas. Saiba, portanto, que o ritual não é *necessário* para entrar na presença de Deus. É apenas uma recordação de que você sempre está na presença dele. Para a pré-adolescente pode significar algo simples, como acender uma vela para começar seu momento devocional (dependendo de seu nível de responsabilidade) ou separar um espaço devocional no canto do quarto. Isso não significa que aquele é o único espaço onde ela *pode* orar, mar é um espaço onde ela sabe que *vai* orar.

E se você ainda não se sente à vontade com a expressão "prática sagrada", pense nos ritos espirituais dos quais você participa. Você jejua? Levanta as mãos durante o louvor e a adoração? Vai a batismos, casamentos e funerais?

Esses eventos são sinais exteriores e visíveis da graça interior e invisível. Da graça de Deus.[4] É possível que sua filha interaja com Deus de maneira maravilhosa por meio das práticas espirituais.

• Certifique-se de que o seu relacionamento com Deus seja saudável. Como definimos anteriormente, as filhas aprendem mais com aquilo que as mães fazem. O fato de você ter a preocupação de que sua filha se relacione com Deus já é uma grande coisa.

• E mais importante de tudo, é claro, ore por ela. Se não houver mais nada que você possa fazer, orar é suficiente. Aliás, não é apenas suficiente, pois suas orações colocam você numa parceria com o Pai celestial de sua filha.

Você está preparada para a beleza que verá emanar de sua filha nos meses e anos por vir? A única palavra que, a meu ver, descreve perfeitamente esse fenômeno é "delicioso". Você trabalha com ela, brinca com ela, ora por ela, ri com ela, e prova do fruto desses esforços realizados com amor. É uma delícia. Curta isso tudo, por favor.

Senhor, preencha a lacuna

Pai bondoso, obrigada pelas sementes de beleza que o Senhor plantou em minha filha. Tenho consciência de como é difícil essas sementes crescerem no mundo em que vivemos. Peço, portanto, que o Senhor preencha a lacuna entre aquilo que minha filha precisa para ver sua beleza interior e aquilo que posso oferecer para prover isso. Em nome de Jesus Cristo, nosso Senhor. Amém.

Parte 3

Quem é você, e o que fez com minha garotinha?

Na vida real

Ela chega em casa no sábado de manhã, depois de uma festa do pijama, com a testa franzida numa expressão que, com certeza, não se deve apenas às poucas horas de sono. O fato de ela explodir com o irmão que olhou para ela uma fração de segundo a mais é prova de que há algo de errado. Como também o são as lágrimas que marejam os olhos dela porque acabou seu cereal predileto e o tempo que ela passa trancafiada no quarto.

Você lhe dá mais alguns minutos, na esperança de que apareça com uma expressão ensolarada depois de uma tempestade emocional, como tem ocorrido com frequência. Quando isso não acontece, você consegue acesso ao quarto depois de dizer, do lado de fora, que encontrou uma caixa de cereal de reserva. Ela diz que não está mais com fome, mas deixa você entrar e, logo em seguida, fecha a porta com todo cuidado. Seus olhos estão inchados (0% de probabilidade de tempo bom), ela se refugia na cama, onde, ao que parece, andou abraçando o ursinho e esmurrando um travesseiro até vazar o enchimento. Suas suspeitas estão corretas: há algo de podre no reino de sua pré-adolescente.

Sua primeira tentativa de descobrir do que se trata ("O que aconteceu, filha?") é recebida com um gélido "nada", seguido de um longo olhar de esguelha indicando esperança de que você não desistirá dessa linha de inquérito. Sua próxima pergunta ("Aconteceu alguma coisa na festa do pijama que te deixou chateada?") é respondida com um "não". E depois um "sim!". E as comportas se abrem.

Na festa do pijama, a Ana disse que todo mês a menstruação deixa você dolorida, mas ELA nem sabe direito o que é esse negócio de nome complicado. E a Cíntia começou a usar sutiã, mas ELA nem havia reparado que a Cíntia precisava de sutiã. E a Keila depila as pernas e axilas, o que parece ser suuuperdoloroso. E ninguém queria contar histórias de fantasma como faziam antes, e só falavam de meninos e dietas, e ELA passou a noite separando por cores um pacote inteiro de balas de goma.

Ainda aos prantos, ela revela que acabou de se olhar no espelho, e (mãe!), tem pelos crescendo em lugares estranhos e os seus quadris estão ficando enormes e, quando ela cheirou debaixo do braço, ... Eeeca!

"Eu nem me pareço mais comigo mesma", ela se queixa.

Como essa declaração é verdadeira!

* * *

Um século atrás, você não depararia com uma situação semelhante, pelo menos não enquanto sua filha era apenas pré-adolescente. No início do século 20, a puberdade começava (não estamos nem falando da primeira menstruação), em média, aos 14 anos.[1] Agora, as mães têm de lidar bem mais cedo com a puberdade e todas as questões relacionadas, muitas vezes bem antes de estarem preparadas. Hoje em dia, os hormônios entram em cena, em média, aos 9 anos e a primeira menstruação ocorre no máximo dois anos depois. Trata-se de um ano inteiro a menos que em 1960,[2] quando *eu* tinha 9 anos. Um estudo realizado com mais de 17 mil meninas nos Estados Unidos revelou que 1% das meninas caucasianas e 3% das afrodescendentes mostraram sinais de puberdade aos 3 anos. Aos 8 anos, quase metade das afrodescendentes e 15% das caucasianas mostraram sinais claros de desenvolvimento sexual.[3]

Ainda não se sabe ao certo as razões para essa mudança, mas minha intenção ao apresentar estatísticas é mostrar que a hora de falar sobre puberdade chega mais cedo que muitas mães imaginam. Você e sua filha se sairão melhor se estiverem informadas e preparadas e, o que é mais importante, se usarem esse tempo para conversar sobre a feminilidade de maneiras que abrirão sua filha para uma vida inteira de amor pelo templo que é o seu corpo.

É nesse sentido que desejo ajudar nesta parte do livro. Durante a puberdade, a menina experimenta mais crescimento e mudanças físicas que em qualquer outro momento da vida, exceto o período que vai do nascimento ao primeiro ano. Tudo isso pode deixá-la confusa e sem jeito, causar vergonha e humilhação, e tornar-se um tempo do qual ela não terá prazer algum em lembrar-se vinte anos depois. Ou pode ser interessante e empolgante, fortalecer sua autoconfiança e seus vínculos, e tornar-se um tempo a ser lembrado como uma celebração da feminilidade. A experiência de sua filha pode ser extremamente positiva, pois também neste caso você é a influência mais importante na presente fase de desenvolvimento, e é a pessoa mais apta para acompanhá-la com inteligência, bom humor, sensibilidade e empatia.

Você é capaz. Para cumprir essa missão, precisará, a meu ver, do seguinte:

- Informações sobre o que esperar.
- Sugestões para conversar com ela sobre os vários aspectos de seu corpo nessa fase de transformação.
- Um plano para ajudá-la a formar suas crenças a respeito do que significa ser mulher em termos físicos.
- Preparativos para as questões práticas

Pouco tempo atrás, recebi de uma pré-adolescente um e-mail de apenas uma linha: *Queria que minha mãe soubesse que eu estou crescendo.*

Você pode ser a mãe que sabe, de verdade, e aquela que é capaz de transformar a puberdade na melhor fase da vida dela até aqui.

7 O maior acontecimento desde que ela saiu das fraldas

Cada um saiba controlar o seu próprio corpo.
1 Tessalonicenses 4.4

Quando eu tinha dúvidas sobre a puberdade e a fase de crescimento e tal, tinha medo de perguntar a minha mãe, pois ela não me incentivava a conversar com ela sobre nenhum assunto. Até hoje, tenho dificuldade em me abrir com ela e contar meus problemas.
15 anos

Certo dia, quando eu tinha uns 10 anos, algumas semanas antes de ganhar meu primeiro sutiã, voltei da escola e encontrei um panfleto em cima da cômoda. Tinha uma aparência sem graça, nada convidativa, mas, uma vez que eu era o tipo de menina que lia de tudo, desde livros de mistério até rótulo do vidro de maionese, fui logo ver do que se tratava. Poucos minutos depois, meu coração estava disparado, sentia o rosto queimar de vergonha, embora estivesse sozinha no quarto. Havia acabado de ser informada a respeito da menstruação.

O assunto só voltou à baila dois anos depois, quando, numa ida ao circo com meu avô, fui ao banheiro e vi que havia sangue na calcinha. Terminado o espetáculo, voltamos para casa e eu fui me esconder debaixo das cobertas, onde me debulhei em lágrimas até minha mãe vir perguntar o que havia acontecido. Absorventes e cintas foram providenciados e voltamos ao silêncio acerca de minha feminilidade.

Isso foi em 1964. Avancemos para 1989. Marijean, então com 10 anos, e eu estávamos batendo papo no sofá depois de assistir a um filme quando, de repente, ela puxou a camiseta para cima e disse: "Olha só, meus seios estão aparecendo. Acho que um é maior que o outro. Não é esquisito?".

Não foi a primeira nem a última vez que falamos sobre o que estava acontecendo com seu corpo. Eram conversas engraçadas, imprevisíveis e, por vezes, embaraçosas (para mim, não para ela!), mas senti quanto tinham valido a pena dois anos depois quando, quase com 13 anos, ela saiu tranquilamente do banheiro e disse: "Bom, a gente sabia que ia vir logo, e finalmente veio". Quando me ofereci para ajudá-la com o absorvente, ela me olhou com perplexidade e disse: "Eu já coloquei". Só restava, portanto, uma coisa a fazer. Improvisamos uma comemoração. Teve muito chocolate.

Não estou dizendo que me saí melhor como mãe de Marijean do que minha mãe comigo. Minha mãe nasceu em 1916, no tempo em que ainda se usavam "toalhinhas higiênicas". Para ela, conversar sobre qualquer coisa vagamente relacionada a — shhh — sexo quebraria o silêncio no qual ela havia sido educada, como uma soprano estilhaça o vidro com sua voz aguda. E como pré-adolescente supersensível, que se envergonhava por qualquer motivo, eu provavelmente teria precisado de cuidados psiquiátricos caso minha mãe tivesse começado a explicar de onde vinham os bebês. Embora eu fizesse uma ideia do que acontecia, e soubesse que não era nada legal meninas engravidarem no ensino médio, eu só fui saber dos detalhes quando uma colega da faculdade me deu uma explicação completa. É sério.

Quando eu tive minha filha, porém, tomei a firme decisão de não seguir a tradição da família de evitar falar sobre tudo o que tivesse a ver com sua feminilidade. Tive dificuldade no processo de tirá-la das fraldas, e fracassei completamente nas tentativas de ensiná-la a manter o quarto arrumado, mas esta foi uma área em que eu acertei. A essa altura, não estava muito longe dos 40 anos. Havia começado a valorizar minha própria sexualidade e estava saindo da anorexia com um amor mais profundo pelo corpo que Deus tinha me dado. Não queria que minha filha considerasse o funcionamento natural e maravilhoso do corpo feminino como motivo de vergonha ou medo. Mesmo que eu não fizesse qualquer outra coisa direito como mãe, pela graça de Deus, eu a ensinaria a gostar de ser mulher.

Avancemos para o presente. Marijean está feliz no casamento, pronta para começar uma família. Dois anos atrás, segurei sua mão enquanto ela foi para o pronto-socorro por causa de uma neoplasia intraepitelial cervical, uma doença que pode se transformar em câncer. Três meses atrás, eu a abracei quando ela me contou que teve um aborto espontâneo. Seu marido estava com ela nas duas ocasiões, e seu pai, bem como os amigos e primos, estavam de prontidão para consolá-la. No entanto, o vínculo que havíamos formado naquela época em que seus seios começaram a despontar foi o que ela buscou nos momentos mais difíceis de sua vida como mulher. Espero que ela também conte comigo quando trouxer para casa seu próprio filho.

Naquilo que não acertei, aprendi com os erros, e fiz questão de buscar ainda mais conhecimento a fim de escrever três livros para meninas sobre puberdade e trabalhar com elas e suas mães em cursos, blogs e aconselhamento individual. Não sou especialista, mas sei algumas coisas que podem ser úteis para você ao orientar sua minimulher.

Vamos esclarecer: a puberdade

Comecemos com o que é esperável na puberdade. Uma vez que grande parte das mudanças acontece antes de a menina começar a menstruar, os sinais lhe darão tempo suficiente para prepará-la para esse momento tão importante. E a julgar pelos e-mails que recebo de pré-adolescentes, para elas, a primeira menstruação é um acontecimento aguardado com tanta expectativa quanto tirar a carteira de motorista, ou com tanto medo quanto uma cirurgia para a remoção do apêndice; tudo depende de como ela está sendo preparada.

Os sinais mais evidentes da puberdade são:

- Botões dos seios que surgem do nada no peito outrora reto e, em seguida, passam pelos estágios de desenvolvimento num ritmo que varia de uma menina para outra.
- Surgimento de pelos nas axilas e na região pubiana. No início, geralmente são lisos, finos e claros, mas cor e textura podem variar de acordo com as origens étnicas.
- Pelos mais grossos e duros em outras partes do corpo, especialmente nas pernas, o que pode despertar um súbito interesse pelo seu aparelho de depilar.
- Suor com cheiro nada agradável, uma mudança que você provavelmente notará antes dela.
- Cintura mais grossa e quadris mais largos, resultantes do crescimento dos ossos pélvicos e do acúmulo normal de gordura nessas regiões. Se sua filha é do tipo mais magro e longilíneo, é provável que você só observe essa mudança quando for comprar calças jeans para ela.

• Um estirão de crescimento (que, em algumas meninas, ocorre como um processo longo e contínuo) no qual ela ganha peso e altura em ritmo mais acelerado (até 10 centímetros em um ano) que antes (em média, 5 centímetros por ano); esse crescimento desacelera depois da primeira menstruação, quando ela provavelmente terá crescido cerca de 9 centímetros desde o início da puberdade.

• Secreção espessa e incolor na calcinha. Dificilmente você ficará sabendo, pois é pouco provável que ela comente a esse respeito.

• Mudanças no rosto. Em geral, a parte inferior se alonga, o queixo se torna mais proeminente e a testa se alarga, à medida que ela começa a parecer um pouco mais adulta. É possível ter o primeiro vislumbre de sua aparência futura.

• Aumento repentino do tamanho do sapato. Os ossos dos pés começam a crescer antes dos demais, o que significa que chegarão ao tamanho adulto antes do resto do corpo (aos 12 anos, Marijean calçava tamanho 40!). Isso explica alguns dos tropeções e tombos frequentes nessa fase.

• Variações de humor que fazem lembrar uma montanha-russa desgovernada. Os hormônios afetam o humor em maior ou menor grau em cada menina, dependendo, em parte, de seu temperamento.

Não há como determinar com precisão quando cada um desses sinais surgirá. Aliás, o aspecto da puberdade que parece causar mais ansiedade nas meninas com as quais trabalho é "Por que A OUTRA MENINA tem seios/pelos nas axilas/menstruação, e EU NÃO?". É comum terem certeza de que há algo de muito errado com elas. Pouco tempo atrás, uma menina de 11 anos escreveu para mim preocupada que talvez não pudesse ter filhos, pois ainda não havia menstruado, sendo que suas irmãs haviam menstruado aos 10 anos. Nem mesmo a idade em que você teve sua primeira menstruação é uma referência exata para quando sua filha terá a dela.

Quando o estrogênio entra em cena, a menina pode ter dificuldade em lidar com as várias mudanças que ele causa de uma só vez. Com a ação da progesterona e da menstruação resultante, por um tempo a vida se torna um equilíbrio delicado. Sinais claros da proximidade da menstruação em mulheres de outras faixas etárias também podem ser observados na pré-adolescente:

- abdome inchado;
- seios intumescidos;
- aumento de apetite, especialmente por doces;
- dor na parte inferior das costas;
- maior irritabilidade e choro por motivos que nem ela sabe explicar;
- surgimento de espinhas (que desencadeiam a irritabilidade e o choro mencionados acima);
- cansaço que a transforma numa come e dorme.

Trocando em miúdos, ela passará por aquilo que uma mãe que eu conheço chama de "TPM Júnior". Cólicas, inchaço e o desejo quase incontrolável de esganar alguém são sensações difíceis de lidar até para nós que entendemos seu mecanismo. Se ela não tiver ideia do que está ocorrendo, a experiência pode ser um bocado desagradável.

Especialmente porque, para a pré-adolescente, há outras coisas acontecendo. Uma questão confusa em sua mente, e que também é parte natural da puberdade, é sua mudança de atitude em relação aos meninos. Enquanto, em outros tempos, ela estava certa de que todos os meninos eram possuídos por demônios ou, no mínimo, cheios de piolhos, agora ela descobre que deseja ficar bonita para eles. Ou, secretamente, gosta quando um dos que parece *não* ter piolhos desamarra o tênis dela pela quadragésima terceira vez. Os itens a seguir são todos absolutamente *normais* para uma menina que entrou na puberdade (embora também seja normal ela não expressar nenhum deles):

- Comentar que determinado garoto é "lindo"; talvez ela até o descreva como *gostoso*, só porque ouviu alguém usar essa expressão, e não necessariamente porque entenda seu significado.
- Ter amizade com um menino e comentar que gosta dele porque não faz fofoca nem é ciumento como suas amigas.
- Apaixonar-se por um menino da idade dela, ter devaneios a respeito dele, imaginar como seria namorá-lo, especialmente depois que ele acabou de olhar para ela ou de lhe dizer "oi" pela primeira vez.
- Apaixonar-se por um garoto mais velho ou famoso, ter palpitações por um professor bonitão ou por um dos líderes do grupo de jovens da igreja, sonhar em conhecer os Jonas Brothers, Taylor Lautner ou algum novo

astro lindo de morrer que surgirá sob os holofotes antes mesmo de este livro ser impresso.

• Dizer que ela está "namorando" um menino, ou seja, que ela e um menino da mesma idade concordaram que são namorados. Isso significa que os dois trocarão mensagens de texto e sorrisos até resolverem "terminar", o que normalmente acontece num período de 24 horas, pois esgotaram as possibilidade que um "namoro" oferece na idade deles.

Tudo isso é perfeita e maravilhosamente normal, e resulta numa curiosidade também normal sobre sexo. Não porque ela esteja planejando ter uma relação sexual (nada de pânico!), mas, em grande parte, porque ela deseja saber que ligação existe entre gestos que ela começa a visualizar para si mesma, como andar de mãos dadas e trocar olhares apaixonados, e todo o rebuliço sobre essa coisa misteriosa da qual todos procuram mantê-la afastada. Suas dúvidas sobre sexo, tanto as que ela verbaliza quanto as que ela esconde, refletem de modo muito normal as informações das quais ela necessita nesse momento de mudança do corpo. Abaixo, os tipos de perguntas que recebo todas as semanas via e-mail de meninas pré-adolescentes:

• "Por que meus pais não me deixam assistir a filmes não recomendados para menores de 14 anos? O que eles têm de tão ruim?" (10 anos).

• "Minha menstruação já veio. Isso significa que eu posso engravidar se beijar um menino?" (12 anos).

• "Eu sei que minha pergunta pode parecer meio esquisita, e nem sei se eu devia estar pensando nisso... mas estava imaginando se é pecado ficar excitada, tipo... é... de ter sexo com o meu marido (o homem certo), quando eu me casar, é claro (eu NUNCA faria isso sem ser casada e eu estou esperando o homem certo). Por favor, responda a essa minha dúvida" (13 anos).

A inocência e a confiança implícitas nessas perguntas enchem meus olhos de lágrimas. Quão precioso é esse tímido despertar que se tornará parte importante de quem ela é! É sempre uma honra receber essas perguntas e, ao mesmo tempo, um desafio responder a elas. Minha vontade é dizer: "Minha menina, onde está sua mãe? Por que você não leva suas dúvidas pra ela?".

O que dizem as minimulheres

Minha mãe é o máximo. A gente conversa sobre tudo e ela parece entender de tudo. Exceto de meninos. Ela não percebeu que minhas colegas e amigas só falam disso o dia todo na escola e que o único assunto que eu tenho com elas é quem tá namorando quem, e quem terminou com quem.

12 ANOS

É absolutamente essencial que sua filha pré-adolescente tenha total acesso à sua fonte mais confiável de informação: você. Ela precisa saber que pode procurar você para esclarecer qualquer dúvida que tenha sobre o processo complexo de ingressar na vida adulta. Existem, contudo, diversos motivos pelos quais ela talvez não se sinta à vontade para procurá-la de modo espontâneo e confiante. Meninas comentam comigo que têm medo de "levar uma bronca" da mãe se lhe perguntarem sobre sexo. Têm vergonha de falar de suas dúvidas sobre menstruação porque "lá em casa a gente nunca conversa sobre coisas pessoais". Não querem tocar no assunto de meninos porque sabem que a mãe vai "ter um treco". Algumas meninas são reservadas ou tímidas por natureza e, embora queiram conversar, não sabem por onde começar. Por esses motivos, é muito mais fácil e menos assustador enviar um e-mail para mim, alguém que elas consideram confiável, mas que nunca viram e provavelmente nunca verão. (Aí, sim, elas morreriam de vergonha!)

Isso quer dizer que, para haver diálogo entre você e sua filha sobre todos os assuntos ligados à puberdade, é provável que você tenha de puxar conversa. E você deve fazê-lo por quatro motivos que considero extremamente importantes.

O que dizem as minimulheres

Queria que minha mãe entendesse que, às vezes, minha irmã e eu temos medo de fazer certas perguntas porque sentimos vergonha ou nos achamos bobas. Só queria que ela soubesse disso.

12 ANOS

Primeiro motivo: sua visão fundamental da própria feminilidade começa aqui
Por favor, permita-me reiterar algo. É difícil ver sua menina de 10 anos, que ainda dorme com um bichinho de pelúcia, como um ser sexual, mas esse aspecto de sua existência já está despertando dentro dela. Embora não seja capaz de identificar, e muito menos compreender o que se passa, ela sabe que algo está acontecendo com ela. Você sabe o que é e sabe que será um impulso dentro dela para o resto da vida, como é em você. Gosto muito da forma como Elium e Elium instam as mães a prestarem atenção:

> Deixar de reconhecer que uma força cíclica muito poderosa exerce impacto tremendo sobre a pessoa do sexo feminino e aqueles que a cercam é como estar no meio de um ciclone e não tomar conhecimento dele.[1]

Segundo motivo: ela enfrenta uma cultura extremamente erotizada
Mencionamos anteriormente que a chamada "cultura jovem" é fruto de adultos que não se preocupam com o bem de nossos jovens (têm grande interesse, porém, naquilo que os jovens consomem). Ainda assim, ela está presente e prestamos um desserviço a nossas filhas se não conversarmos sobre maneiras de lidar com ela. Felizmente, os membros mais velhos da geração delas, as adolescentes, estão preparando o caminho para as pré-adolescentes lidarem com esse desafio. De acordo com um artigo da revista *Newsweek*, "A cultura como um todo talvez pareça corrompida, como vemos pela erotização de cantores, atores e modelos cada vez mais jovens. Tudo indica porém, que, como nunca antes, os adolescentes têm pensado com mais seriedade nas consequências potencialmente graves do sexo, a saber, gestações indesejadas, doenças e morte".[2]

E fazem bem. De acordo com os Centers for Disease Control and Prevention [Centro para Controle e Prevenção de Doenças], o índice total de ocorrências de DSTs (doenças sexualmente transmissíveis) entre meninas norte-americanas de 14 a 19 anos é de 25%.[3] Esse índice não inclui doenças mais raras como HIV/AIDS, sífilis e gonorreia, que o tornariam ainda mais elevado. Embora o índice de gravidez na adolescência tenha mostrado declínio contínuo desde seu ápice em 1990, estima-se que uma dentre três adolescentes nos Estados Unidos fique grávida pelo menos uma vez antes dos 20 anos.[4]

A reação apropriada diante disso tudo não é colocar sua filha sob prisão domiciliar (literal ou figurativamente) até encontrar um marido para ela. Também não adianta inundá-la de advertências e estatísticas que a convencerão de que ser mulher é a coisa mais assustadora do mundo. Este é momento de lançar os alicerces para que ela venha a respeitar o próprio corpo e o Deus que o criou. Para que isso aconteça, ela precisa saber do que esse corpo é capaz. Se você conversar sobre esse assunto agora, de maneira positiva e acolhedora, enfatizando a possível alegria de proteger sua sexualidade em vez dos perigos de sequer reconhecê-la, ela estará preparada para as escolhas que terá de fazer na adolescência. Sejamos honestas: é difícil simplesmente "dizer não" para algo de cuja existência nem se tem conhecimento.

Terceiro motivo: o assédio sexual é uma realidade até mesmo no mundo em que ela vive

Os garotos pré-adolescentes também estão passando por mudanças, como você sabe muito bem se já educou ou está educando um menino. Parte da confusão que eles sentem nasce daquilo que está acontecendo com as meninas ao seu redor. Os hormônios que acabaram de entrar em cena dizem que eles devem fazer algo a esse respeito, mas eles não têm ideia do que seja. Ao mesmo tempo, a mesma mídia que assedia as garotas também dá aos garotos uma ampla variedade de sugestões. O que antes se manifestava na forma de puxar as marias-chiquinhas das meninas agora aparece no fim do primeiro ciclo e no segundo ciclo do ensino fundamental como:

- Inspeção das costas das meninas (para ver quais estão usando sutiã e quanto é possível tirá-las do sério por isso).
- Uso de nomes sugestivos (mesmo que eles não saibam exatamente o que é uma "popozuda").
- Comentários a meia-voz (do tipo "que peitões, hein?", quando não há adultos por perto para ouvir).
- Passar a mão (um beliscão no traseiro ou um toque "acidental" nos seios da menina na fila da cantina da escola).
- "Brincadeirinha" (que normalmente não tem a mínima graça para ninguém além dos garotos e sua turma quando consiste de piadas sujas e gozações constrangedoras).

Essas situações não acontecem em todos os contextos escolares, mas não pense que as escolas cristãs estão isentas delas, pois muitas das queixas que recebo de pré-adolescentes e adolescentes mais novas expressam horror diante do fato de o assédio ter ocorrido "bem no meio do estudo bíblico!". Quando acontecem, porém, constituem um ultraje que nenhuma menina de qualquer idade merece, especialmente num local onde ela é obrigada por lei a ir todos os dias.[5]

Você não ficará sabendo de uma situação degradante e humilhante que ameaça a autoestima de sua filha se ela não lhe contar, e ela não lhe contará se não puder conversar com você sobre outras coisas complicadas, como menstruação e odores corporais. E se vocês não conversam abertamente sobre como os meninos são diferentes das meninas, ela pode pensar que fez algo vergonhoso ou sujo para merecer ser tratada dessa forma na escola ou, infelizmente, na igreja. Quando meninas que estão no fim do ensino fundamental me contam o que acontece em alguns grupos de pré-adolescentes de igreja, digo logo de cara que elas precisam levar essas informações diretamente aos pais — sem hesitar.

Quarto motivo: se vocês conseguirem conversar sobre isso, serão capazes de conversar sobre qualquer coisa

E terão vontade de conversar sobre qualquer coisa. À medida que ela crescer, as questões se tornarão mais profundas e as consequências naturais serão mais sérias se ela não fizer escolhas acertadas. Ao estabelecer uma boa comunicação agora, você garante que sua filha sempre estará disposta a procurá-la quando precisar de conselho e orientação, quando precisar resolver um problema com a melhor amiga hoje ou quiser saber se está mesmo apaixonada por alguém daqui a sete ou oito anos. E as conversas não serão apenas sobre as questões mais "cabeludas". Ser uma mãe que ouve, que ajuda a filha a processar os acontecimentos, que mostra para ela o que é importante de fato e que não dá piti por qualquer coisa também permitirá que você fique sabendo da primeira paixão dela, que você compartilhe a alegria de um relacionamento restaurado ou comemore uma vitória na prova de álgebra. Na presente fase, muitas vezes você terá de iniciar a conversa sobre a transição da infância para a vida adulta. Quando ficar evidente que você é confiável, porém, o caminho se transformará numa via de duas mãos.

Do Pai celestial

> Criou Deus o homem à sua imagem, à imagem de Deus o criou; homem e mulher os criou.
>
> Gênesis 1.27

Tenho a impressão de que mães, especialmente as mães cristãs mais dedicadas que tanto anseiam (e com razão) que suas filhas sejam puras, tendem a ver Deus num extremo da vida e as questões relacionadas ao corpo, especialmente a sexualidade, no outro extremo. Muitas vezes, na hora de educar a menina, isso se traduz na filosofia de que "se eu mantiver o foco de minha filha no Senhor, ela não pensará em meninos nem em sexo". Mais de uma menina de 12 anos me disse que, quando começa a pensar num menino do qual ela gosta, se apressa em ler a Bíblia, pois deveria estar pensando em Deus, e não em meninos.

Sempre tenho vontade de perguntar: "Deixe-me ver se entendi direito. Deus criou homem e mulher como imagens lindas dele, e os fez diferentes um do outro de formas espetaculares e criativas para que pudessem ser companheiros um do outro e ter filhos que um dia também se tornarão homens e mulheres repletos de Deus. Mas quando você se concentra em Deus, não deve pensar em como isso tudo se aplica a você?".

Claro que não digo isso para elas (pelo menos não nessas palavras!), mas estou dizendo para você. Em algum momento da história, nós cristãos nos desviamos do caminho certo e transformamos o sexo e tudo o que o cerca num fantasma que está sempre à espreita para nos agarrar e nos arrastar ao pecado. Com isso, passamos a pensar em Deus como o oposto do corpo e suas funções, e não como aquele que os criou e os preserva.

Quando converso com as meninas sobre menstruação e afins, peço que elas pensem no cuidado que Deus teve na hora de planejar o corpo da mulher. Mostro que só a puberdade, com todos os seus detalhes e o modo como tudo trabalha em conjunto para transformar uma garota pré-adolescente em mulher, já é algo espantoso.[6]

Como mãe que deseja que sua filha seja sexualmente pura, você pode dizer o mesmo para ela. Deus deu a ela exatamente o corpo que ela deve ter. Ela precisa amá-lo como Deus o ama. É responsável por cuidar dele. Você pode lhe dizer que é seu trabalho mostrar para ela como fazê-lo, fornecendo as informações de que ela necessita, servindo de exemplo e ajudando-a fazer escolhas acertadas. Pode lhe dizer que vocês duas vão trabalhar juntas sob o amor, a direção e a graça de Deus, para tornar em algo belo todos os aspectos da feminilidade dela. Desse modo, em breve, ela estará pronta para tomar decisões corretas a respeito de seu corpo por conta própria, com a ajuda de Deus.

Você pode dizer tudo isso para sua filha porque é a mais pura verdade.

E você?

Tenho algumas perguntas para você considerar. Como sempre, proceda como achar melhor. O objetivo não é fazê-la sentir-se "a pior mãe do mundo", o que com certeza você não é, mas ajudá-la a descobrir a origem de quaisquer receios que talvez você tenha.

- Como você se sente a respeito de sua menstruação, dos seios, dos pelos nas axilas? É tudo um estorvo imenso? Uma chateação necessária? Algo que continua a maravilhá-la? Algo entre um extremo e outro?
- Sua atitude em relação ao corpo foi formada por experiências que você teve? Pelo modo como sua mãe lidou com a sua puberdade? Pelo histórico de sua vida sexual? Pela gravidez e pelo parto?
- O que você mudaria ou reproduziria da sua "iniciação na vida adulta" (quando ficou sabendo da menstruação, menstruou pela primeira vez, descobriu de onde vinham os bebês)?

Mãos à obra

Quando paramos para pensar, vemos que se trata de algo bastante instintivo. Em minha opinião, a melhor maneira de orientar sua filha pré-adolescente durante a puberdade é *conversar* com ela. E convenhamos, tem alguma coisa que nós mulheres fazemos melhor que *conversar*?

Precisamos, portanto, dialogar com nossas filhas — algo que, sem dúvida, somos plenamente capazes de fazer. A pergunta é *como*, especialmente quando os assuntos são tão delicados e difíceis de abordar. A seguir, ofereço uma série de princípios. Alguns podem ser aplicados a qualquer diálogo entre mãe e filha, enquanto outros dizem respeito a assuntos específicos. Todos eles devem ser considerados à luz da personalidade de cada uma, pois qualquer coisa que pareça forçada fará vocês duas voltarem correndo para seus cantinhos seguros.

Se sua filha lhe perguntar algo relacionado à feminilidade, certifique-se de que você entendeu exatamente o que ela quer saber

Conversamos a esse respeito anteriormente, de modo que farei apenas um comentário rápido. A maioria das pré-adolescentes não se interessa pelo futuro além desta semana. Querem saber o que vai afetá-las agora. Se sua filha lhe perguntar se tem algum problema "sair com um garoto", é provável que não esteja interessada em saber quando ela poderá começar a namorar para valer, noivar e planejar o casamento. Se você pensar na vida dela no presente, não terá de se preocupar, pois é provável que ela só queira saber se pode chamar algum garoto de 11 anos de namorado. Comece, portanto, pedindo para ela explicar o que quer dizer com "sair com um garoto". Da mesma forma, se sua menina expressar interesse num assunto que está muito além do âmbito de experiência dela (por exemplo: "Dói muito ganhar nenê?"), não significa que ela ou a melhor amiga esteja grávida. É provável que um simples "Sim" ou "Dói, mas você esquece assim que segura o bebê no colo" sejam suficientes. Ela não quer uma descrição detalhada de sua experiência de parto.

Se a pergunta for específica, beirar a estranheza ou parecer surgir do nada ("É possível pegar alguma doença só de beijar alguém?", "Um menino sabe mesmo se você está menstruada pelo cheiro do seu hálito?", "Se eu ficasse grávida antes de me casar eu iria pro inferno?"), pode ter certeza de que tem a ver com algo que ela ouviu em algum lugar e que não soou verdadeiro. Dê graças a Deus porque ela está pedindo esclarecimento para *você*. Aliás, é só isso que ela quer: esclarecimento. Uma pergunta dessas não indica, necessariamente, que ela já beijou e agora está preocupada com a própria saúde.

Nesses casos, é sempre bom dizer: "É uma pergunta interessante. Por que você quer saber?". Ela é jovem demais para saber dissimular bem. Se ela disser "Só curiosidade", está sendo sincera. Com isso, você se poupará de um longo discurso que ela nem pediu ou ganhará tempo para formular uma resposta que você ainda não estava preparada para dar.

O importante é sempre dar uma resposta honesta, de acordo com aquilo que ela quer saber de fato. Comentários do tipo: "Você ainda não tem idade pra perguntar isso" ou "A gente não conversa sobre essas coisas aqui em casa" fecharão uma porta que você terá dificuldade em abrir novamente. Você pode decidir qual será o grau de detalhes da sua resposta, mas é preciso oferecer alguma explicação.

Saiba o que está acontecendo com ela fisicamente sem invadir sua privacidade

Em geral, é simplesmente uma questão de observar que os botões dos seios estão visíveis quando ela usa aquela camiseta que está quase pequena demais, de acompanhar as mudanças de humor para ver se há um padrão, ou de reparar que dá para fazer tranças nos pelos das pernas dela. No capítulo seguinte, trataremos do que fazer. Por ora, sua tarefa é apenas observar, sem comentar, a menos que ela levante a questão. "Menina, como você tá fedida! Use o meu desodorante" não é "observar" e, com certeza, não é o tipo de "conversa" que estou descrevendo aqui. Falaremos mais sobre isso daqui a pouco.

É mais difícil notar mudanças como secreção vaginal e pelos pubianos. Uma vez que há tantos outros sinais visíveis, na verdade você não precisa saber dos mais íntimos. Quando você não faz perguntas invasivas, demonstra respeito e permite que ela tome algumas decisões básicas sobre o que deseja compartilhar em relação ao próprio corpo. Um dos e-mails mais perturbadores que recebi nos últimos tempos foi de uma menina de 12 anos que ainda não havia menstruado, sendo que todas as mulheres de sua família haviam tido a primeira menstruação aos 10 anos. Ela relatou que cada vez que saía do banheiro a mãe perguntava se tinha vindo. Algo me diz que, quando essa menina menstruar pela primeira vez, relutará em contar para a mãe.

Se você ficar atenta e respeitar a privacidade de sua filha, ela procurará você para falar das mudanças que a preocupam. Se você a interrogar com uma lista de tópicos sobre a puberdade, dará a impressão de que ela não é dona do próprio corpo.

Considere normais todas as variações em relação a outras meninas

Por que elas *são* normais. Quando ela reclamar que "todo mundo" já teve a primeira menstruação e ela não, em vez de perguntar se ela fez uma pesquisa entre as meninas de sua idade (o que pode funcionar para outras questões, mas não esta), sempre que o assunto surgir, diga que cada menina passa pela puberdade num ritmo diferente e de forma diferente, e que ela está exatamente onde deve estar no momento. Algumas coisas ajudarão você a fazer isso sem perder a calma e dizer: "Quantas vezes eu tenho que explicar que não há nada de errado com você? Levante as mãos pro céu porque ainda não precisa aguentar esse suplício todo mês!". Não preciso nem explicar por que uma resposta dessas seria calamitosa.

Para evitar chegar a esse ponto, entenda que talvez haja gozações entre as meninas com as quais ela anda. Comentários do tipo: "Você precisa de um sutiã tanto quanto precisa de uma dentadura" não são ocorrências raras, e magoam ainda mais se vierem da melhor amiga.

É importante você saber que, hoje em dia, completar os "passos" da puberdade muitas vezes se torna uma competição entre as pré-adolescentes. Quem vai menstruar primeiro? Quem vai usar sutiã antes das outras? A mãe de quem vai ceder primeiro e deixá-la depilar as pernas? À medida que mais meninas vão galgando esses degraus, forma-se um clube velado, do qual ela sabe que não poderá participar enquanto não usar sutiã e absorvente. É possível que não seja excluída de mais nada entre as amigas, mas sabe muito bem que, de algum modo, ainda é mais criança que as outras.

Certifique-se de que *você* aceita essas variações da suposta "norma" como algo verdadeiramente natural. Do contrário, ela notará e começará a ficar ansiosa. Se ela ficar ansiosa, exigirá com mais frequência que você a tranquilize ("Mãe, por que eu ainda não...?"), o que trará à tona a Bruxa Perversa dentro de você. Se você acredita mesmo que sua filha está "atrasada", faça sua própria pesquisa entre as mães ou converse com seu ginecologista. É provável que ele lhe diga para procurá-lo novamente se sua filha tiver completado 15 anos e ainda não der sinais de que vai menstruar.

Se sua pré-adolescente não se convencer daquilo que você diz, vocês duas podem ler juntas o livro *Manual de sobrevivência da garota descolada*. As páginas 14-17 e 28-30 tratam especificamente desse desafio.

Seja especialmente sensível se ela estiver se desenvolvendo mais cedo

Não recebo muitos comentários de pré-adolescentes que usam sutiã desde os 9 anos, ou que começaram a menstruar quando ainda brincavam de Barbie. Não é porque elas estão felizes da vida de parecer terem 15 anos quando na verdade têm 11. É porque o fato de estarem se desenvolvendo mais cedo as separa das outras meninas de forma tão difícil que muitas vezes elas nem querem conversar sobre o assunto.

Vejo isso quando pré-adolescentes com o corpo completamente formado participam dos meus cursos. Não é raro cruzarem os braços sobre o peito e voltarem os ombros para frente. Se são altas, andam encurvadas. Se pesam mais que as magrinhas "tamanho míni" ao seu redor, se escondem dentro de camisetas grandes. Deixam o cabelo cair sobre o rosto. Abrem sorrisos cautelosos. É raro encontrar uma pré-adolescente fisicamente precoce que entra na sala confiante de que se enturmará com as garotinhas de cintura fina que só agora estão começando a usar sutiãs. Na cabeça dela é algo impossível. Ela não consegue comprar as roupas fashion superfofas que meninas menores da sua idade usam. Também não vivencia as aulas de danças e os esportes da mesma forma que elas. E já sofreu tantas gozações que seria difícil confiar em alguém, mesmo que essa pessoa se mostrasse amigável.

Em sua opinião, a única coisa positiva num encontro só de meninas é a ausência de garotos. Na maioria das situações ela é alvo das gozações de meninos pré-adolescentes que (pobres coitados) saem do esquadro quando eles e seus hormônios são obrigados a conviver com uma menina que mais parece mulher. São impelidos a lhe causar constrangimento para esconder o fato de que se sentem completamente inadequados perto dela. Tendo em vista que ela é obrigada a encarar constantemente as "piadas" dos Malas Sem Alça Ridículos sobre seus seios, seus quadris e sua altura, e o desprezo compreensível que ela sente por *eles*, é de admirar que ela morra de medo até de tentar aproveitar a pré-adolescência da forma como tem todo o direito de fazer?

Essa questão é ainda mais complicada para a menina que se desenvolve praticamente da noite para o dia. Marijean sempre foi uma das meninas mais baixas e fisicamente menos desenvolvidas de sua faixa etária. Isso mudou quando ela completou 12 anos. Então, em dois meses, ela alcançou a altura majestosa de 1,77 metros, passou a calçar 40 e a usar o mesmo número de sutiã que eu. De repente, começou a procurar opções de roupa no meu armário e parecer quase uma mulher feita em sua bermuda florida predileta. Estava satisfeita com essa aparência, o que se refletiu em sua autoconfiança. Informou que, dali em diante, só ia tirar notas acima de 9 e estava mais do que pronta para enfrentar os últimos anos do ensino fundamental. Até que começou a ouvir comentários do tipo: "Cara, você é uma gigante!", "Olha lá, a Fada dos Seios finalmente apareceu na sua casa!" e "Você tá se achando, né?". A sessão de choro depois da aula se tornou algo rotineiro e ela passou a ver o mundo por lentes mais escuras. Todos os meninos eram idiotas. Todas as meninas populares eram piores ainda. Ela própria era a pior de todas.

Eu não aceitava essa situação. Minha vontade era declarar guerra contra todos os meninos do sétimo ano, mas eu sabia que se ela própria não encontrasse uma saída, continuaria a se sentir impotente. Contudo, não era algo que pudesse fazer sozinha, de modo que conversamos...

• sobre o fato de os meninos não amadurecerem tão rápido quanto as meninas e sobre a necessidade de ignorá-los por enquanto.

• sobre a possibilidade extremamente real de que eles, bem como as amigas dela, se sentiam intimidados com o modo como ela havia avançado em relação a todos.

• sobre o fato de as mesmas meninas que haviam zombado dela no começo do ensino fundamental (Heidi e as Hediondas) estarem tentando, sem muito sucesso, se manter em sua posição de Classe Dominante. Não haviam sido transferidas para a classe avançada e era o "Pessoal Cabeça" (como Marijean) que estava assumindo o controle no sétimo ano.

- sobre a autoconfiança que ela havia descoberto, e que lhe pertenceria para o resto da vida, e sobre como poderia usá-la para alcançar aquilo que realmente desejava, como um lugar no coral da escola, a participação no Clube Shakespeare de Teatro e a amizade com meninas com as quais ela havia descoberto interesses em comum nas férias.
- sobre como reagir às gozações (assunto do qual tratarei na Parte 4).

Se sua filha se desenvolveu cedo ou da noite para o dia, trate-a com sensibilidade. Ouça a dor que ela expressa. Não a minimize nem procure fazê-la sumir com palavras de consolo. Apenas diga a verdade e ajude sua menina a lidar com isso. Até que ela consiga aceitar sua própria beleza vibrante e encorpada, haverá ocasiões em que você será a única pessoa capaz de entender pelo que ela está passando. Esteja ao lado dela, não para apoiar a autocomiseração, mas para ajudá-la a formular um plano, para responder à pergunta: "E aí, que atitude vou tomar?".

Ajude-a a se preparar em todos os sentidos para a menstruação

Primeiro, converse com ela sobre o que vai acontecer. Quer vocês leiam juntas um livro como o *Manual de sobrevivência da garota descolada*, quer você prefira usar sua própria abordagem, cabe a você compartilhar os detalhes sobre esse acontecimento importante na vida dela. Mesmo que ela receba informações numa apresentação na escola ou de um grupo de meninas na igreja, você deve complementar com uma conversa pessoal. Desse modo, ela saberá o que você deseja que ela saiba, e você terá conhecimento do que ela sabe. Trata-se de algo importante demais para deixar nas mãos de qualquer outra pessoa. Vocês duas se beneficiarão dos vínculos que essas conversas criarão.

O que dizem as minimulheres

Quando é pra falar desse lance de crescer, minha mãe é um barato. Ela nunca age como se eu fosse mais nova do que eu sou, e ela me ajuda com todas as coisas de menina, tipo, respeitar o fato de que eu escondo os sutiãs debaixo de outras coisas quando estou na loja. Não suporto que outras pessoas vejam os meus sutiãs!

12 ANOS

Não complique a conversa. Ela precisa mesmo saber das alterações hormonais na gestação ou dos riscos de câncer de mama? Diga apenas o necessário para cada etapa. Se possível, use o bom humor. Uma vez que você não está falando de um acontecimento traumático prestes a ocorrer, conte as experiências engraçadas da sua primeira menstruação. Reconheça que alguns aspectos são mesmo chatos, mas que é possível encará-los numa boa. Focalize a beleza de se tornar parte da turma das mulheres adultas. Se ela desejar, um dia poderá ter filhos. Poderá vivenciar um ritmo confiável. Mês após mês, será purificada e, simbolicamente, experimentará um recomeço.

Em seguida, converse sobre o que ela precisará fazer. Mostre os absorventes. Explique como jogá-los fora, com que frequência trocá-los e o que fazer no caso de um vazamento. Pergunte se ela quer experimentar um para ver como se sente e para ter certeza de que ele não vai aparecer. Crie um plano para ela saber o que fazer se a menstruação vier quando ela estiver na escola, ou sozinha em casa com o pai, ou no meio do treino de vôlei. Claro que você não precisa transmitir todas as informações de uma vez. Se começar cedo, terá tempo de sobra para ensinar tudo aos poucos.

Por fim, dê o exemplo de uma atitude positiva em relação ao corpo. Ainda que você forneça todas as informações necessárias e a prepare para todas as situações possíveis associadas à primeira menstruação, a sua atitude em relação à "higiene feminina" é que influenciará de modo mais profundo o modo como ela irá encarar a experiência e se a verá como algo precioso e gratificante, ou como uma tremenda chatice, não apenas agora, mas talvez para sempre. Antes de começar, convém levar alguns pontos em consideração.

Um deles é a nomenclatura. Você se refere à sua menstruação como "a maldição" ou "aqueles dias", como se estivesse prestes a tratar o canal de um dente? Minha mãe e minha irmã mais velha a chamavam de "cair do telhado". *Como assim*?! "Minha amiga" é uma designação um pouco melhor, mas por que não lhe conferir a devida dignidade usando seu nome verdadeiro, "ciclo menstrual"? O som rítmico e natural da expressão indica que é exatamente isso. "Peitos" e "tetas" são termos usados de modo tão degradante hoje em dia que, com certeza, você não vai querer que sua filha os aplique a si mesma. Conheço algumas mulheres que se referem aos próprios seios como "meus amigos do peito", uma designação divertida que faz lembrar companheiros sempre presentes.

Preste atenção na forma como você encara sua feminilidade de modo geral. Você tem nojo do sangue? Considera a menstruação algo sujo, e não o processo de purificação que é, de fato? Julga necessário manter os seios cobertos porque são feios, e não por uma questão de dignidade pessoal? Quer você expresse sua visão para sua filha em palavras ou não, se não ficar atenta, ela se infiltrará em seu modo de falar. Se, no passado, alguém incutiu em você uma visão negativa das funções do corpo da mulher, esta é uma ótima oportunidade de buscar a cura para essa distorção e não passá-la adiante para sua filha. Você tem essa opção.

E o que provavelmente é o mais importante: reflita sobre como o ciclo menstrual afeta sua vida. Algumas mulheres convivem com ele sem grandes dificuldades (felizmente, é o meu caso). Outras o recebem como uma lembrança preciosa de sua feminilidade (como é o caso de minha filha). Ainda outras sentem cólicas, dores de cabeça e dores nas costas que tornam o ciclo menstrual qualquer coisa menos "precioso". E há aquelas que entram num estado de humor tão negativo que é um milagre não cometerem pelo menos um homicídio por mês. Todas essas experiências são válidas e compreensíveis. Cabe a você resolver quanto vai compartilhar com sua filha antes de saber como ela vai vivenciar o ciclo menstrual. Dizer: "Prepare-se para cólicas, porque eu tenho sempre e é provável que você tenha também" pode não ser necessário se ela puxar as mulheres da família do seu marido que nem sabem o que é um analgésico. Não obstante o que você decidir contar, considere a possibilidade de acrescentar: "Pode ser que seja assim, mas a gente vai encontrar uma forma de facilitar as coisas".

Converse sobre as variações de humor, em vez de simplesmente atribuí-las à ação dos hormônios

Se você é como eu, detesta quando as pessoas, especialmente os homens, chamam de "TPM" qualquer reação emocional que não seja um sorriso de aquiescência. Isso me tira do sério, não porque TPM não exista, mas porque não é a origem de todas as variações de humor da mulher. A alteração hormonal antes da menstruação pode intensificar essas variações, mas sua causa se encontra nos acontecimentos cotidianos. (E se me permite acrescentar, os homens muitas vezes contribuem para as manifestações de mau humor.)

Portanto, embora a montanha-russa de estados de espírito faça parte da puberdade para muitas pré-adolescentes, não devemos desculpar nenhuma expressão emocional descontrolada. Em outras palavras, só porque sua filha está prestes a menstruar, não significa que ela deve ficar impune se empurrar o irmão para fora do quarto dela enquanto manda ele se dar por feliz por não ter sido empurrado da janela do segundo andar. "Nosso lar era tão tranquilo", disse uma ouvinte que participou, por telefone, do meu programa de rádio, "mas aí Emily completou 9 anos e os hormônios entraram em ação". A meu ver, trata-se de mais uma oportunidade de incutir uma lição de vida. Algumas sugestões para você usar como ponto de partida:

- Entenda que a nova intensidade das emoções dela é desnorteante e difícil de controlar. Em outras palavras, não lhe diga que ela se transformou numa bruxa e que precisa descer da vassoura e tomar jeito na vida.
- Não obstante, defina limites para o modo de expressar essas emoções. Ela pode sair da situação irritante e ir para o quarto até se acalmar, mas não pode bater a porta do quarto quando entrar (para Marijean, tivemos de acrescentar "e nada de resmungar a meia-voz a caminho do quarto"). Sem dúvida, ela tem o direito de chorar, mas não de usar as lágrimas para tentar conseguir o que quer (especialmente com o pai). Você sabe que ela se irrita e que precisa pôr a raiva para fora, mas defina que é proibido xingar, cuspir e atirar objetos.
- Sugira maneiras saudáveis de expressar emoções, em vez de descontá-las nos outros ou engoli-las e transformá-las em ressentimento. Falamos anteriormente sobre formas criativas de desabafar. Outras sugestões são: treinar arremessos de basquete, bater uma bola de tênis, levar o cachorro para passear, ou tocar "O Bife" com gosto ao piano. Qualquer forma não violenta de expressar parte dessa energia emocional extra é aceitável.
- Mostre-lhe como dizer o que sente de uma forma que tenha a possibilidade de mudar a situação para melhor. Se ela gritar com a irmã porque usou sua camiseta predileta sem pedir e a manchou com suco de uva, repreenda o berreiro inapropriado, mas ofereça uma abordagem alternativa para lidar com a irmã: "Vou te dizer o que você fez pra me tirar do sério e o que eu quero que *você* faça pra resolver isso". (Claro que você também precisará lidar com a irmã e com o que *ela* aprontou... Ah, as alegrias de ser mãe não têm fim, não é?)

O objetivo é ajudar sua filha pré-adolescente a adquirir poder pessoal sobre suas emoções sem negá-las. Se você explicar que TPM é sinal de que o ciclo menstrual está avançando, também faz sentido dizer para ela procurar uma forma de se "paparicar" um pouco. Você pode sugerir que ela se aconchegue num canto e leia seu livro predileto. Que faça uma vitamina de frutas. Que peça um abraço. Tudo isso contribuirá para lidar com as variações de humor antes mesmo que comecem. (E nunca subestime o poder do chocolate.)

Aceite que os meninos entrarão em cena

Creio que já definimos que, queira ou não, os meninos entrarão em cena em algum momento. Pode ser um equívoco não permitir que sua filha fale a esse respeito ou dizer que é errado pensar neles. Se você não conversar com ela sobre meninos, ela encontrará outra pessoa com quem falar, alguém que provavelmente lhe dará informações erradas, tipo, sua melhor amiga, que sabe ainda menos que ela sobre o sexo masculino. Dizer para sua filha que ela é nova demais para pensar em meninos não a fará parar de pensar neles. Apenas a fará sentir-se culpada por pensar neles e guardar segredo a esse respeito. Na cabeça dela, toda essa história de meninos acabará adquirindo proporções muito maiores do que se você simplesmente tivesse dito: "Claro que você começou a reparar nos meninos. Você está crescendo. Então me conta o que está acontecendo".

Eu entendo sua hesitação. Entendo mesmo. Se você reconhecer que ela começou a se interessar pelo sexo oposto, também terá de reconhecer que ela não é mais inteiramente sua garotinha. Representa uma perda para você. E você tem medo de que ela cresça rápido demais. Se ela "está a fim" de meninos aos 11 anos, significa que ela vai querer namorar aos 12 anos e ter sexo aos 13? Se ela começar sua "vida romântica" na pré-adolescência, como garantir que ela permanecerá pura até se casar? Mais do que nunca, parece aceitável ter sexo na adolescência, e você não quer que ela caia nessa mentira. Mantê-la longe dos meninos e convencê-la de que pensar neles a afastará de Deus parece ser a única maneira de protegê-la. Além do mais, você não está a fim de lidar com o drama dos namoricos e paixonites.

A tendência de reprimir isso tudo é especialmente forte se sua filha dá sinais de que é "louca por garotos", ou seja, se fala sem parar sobre os meninos da classe dela, se quer telefonar, enviar mensagens de texto e e-mails para eles ou dar em cima deles no estacionamento da igreja. Se você der qualquer trela, não será incentivo para ela se descontrolar totalmente? Sua preocupação é autêntica e você teme que sua filha faça todas as escolhas dela com o objetivo de impressionar os garotos. Mais um motivo para você prestar atenção no que ela está dizendo. Só então você poderá conduzi-la a uma visão mais equilibrada.

Quando uma pré-adolescente pira por qualquer criatura de boné, normalmente há algo por trás disso. Ela tem recebido atenção suficiente do pai? Sente-se insegurança em relação a aptidões que não têm nada a ver com seu talento para paquerar? Sofreu alguma perda recentemente e está à procura de algo novo que preencha o vazio? A única maneira descobrir é conversar até a verdade aparecer. Dizer que é "pecado" ela querer atenção dos meninos não a ajudará em nada. Ensiná-la a respeitar a si mesma, sim.

Além do mais, é importante entender o que ela tem em mente quando fala de meninos. Uma vez que ela está descobrindo que os Malas Sem Alça Ridículos não são tão ridículos quanto ela imaginava, é possível que esteja interessada em um deles como amigo. Nessa idade, o relacionamento de companheirismo é totalmente platônico. Esse amigo é uma fonte confiável de informações, que a ajuda a entender uma porção de coisas sobre meninos enquanto os dois sobem em árvores ou jogam basquete juntos. Se você proibi-la de ter qualquer contato com meninos, eles se tornarão criaturas misteriosas com as quais ela não saberá como lidar quando for necessário.

Não aborde "a conversa" com medo, mas não deixe de tê-la

A primeira questão óbvia é quando você deve conversar com sua filha sobre sexo. A meu ver, é hora de conversar quando ela perguntar diretamente ou der alguma indireta. A pergunta "Quando sua mãe lhe falou sobre bebês e coisas desse tipo?" pode ser um dos sinais de que ela está pronta. Pedir para você explicar uma piada que ela ouviu pode ser outro. Como sempre, procure entender exatamente o que ela quer saber. E então, converse.

Como fazê-lo? Da maneira que você preparou de antemão, pois se preparar é a primeira coisa que você deve fazer. Não estou sugerindo que você imprima um *script* e o tire do bolso no momento em que ela demonstrar o mínimo sinal de interesse. Minha sugestão é que você pense naquilo que deseja que ela saiba e no sentimento de beleza e admiração diante do relacionamento sexual dentro do compromisso conjugal que você deseja que ela extraia dessa conversa. Imagine-se compartilhando isso com ela.

Creio que todas nós sonhamos que estaríamos caminhando por um campo florido, cheio de borboletas, enquanto transmitimos sabedoria a nossas filhas, ou tomando chocolate quente diante da lareira enquanto conversamos, ou andando juntas tranquilamente pela praia. Mas, convenhamos, em geral não é assim que acontece. Talvez você esteja planejando mandar o resto da família dar uma longa volta no aniversário de 13 anos de sua filha, enquanto vocês duas tomam um chá da tarde juntas e você tem com ela "a conversa" sobre a qual orou tanto. É uma ideia linda e, se funcionar para você e sua menina, é muito apropriada. Se você estiver mais propensa a tratar do assunto quando ele surgir, mesmo que você tenha de tocar nele quando perceber que ela deseja conversar, também não há nada de errado. Existe a possibilidade de a situação ser um tanto constrangedora e você não vai querer piorar as coisas ao se comportar, de repente, como se fosse outra pessoa!

O que dizer? Aquilo que verdadeiramente está em seu coração, e não o que for resultado de medo, vergonha ou algum conjunto de regras. Deus criou o sexo para nosso prazer e para a procriação, no contexto do compromisso conjugal. O que distorce o sexo e o transforma em algo feio ou errado é modo como os seres humanos abusam dele. Se você usar a beleza da sexualidade como base, as informações e orientações que deseja transmitir virão do amor em sua alma. Tudo o que você disser para assustá-la ou incutir culpa a fim de mantê-la afastada daquilo que há dentro dela a privará da alegria do sexo, mesmo que ela se mantenha virgem até o casamento.

Se você se preocupa com outras influências além da sua, continue a fazer o que tem feito até agora. Fique atenta para as mensagens propagadas pela mídia. Defina limites e monitore o que ela assiste na televisão. Assista de antemão aos filmes que ela quer ver. Ouça a música que ela ouve (se você conseguir!). Chame a atenção dela para as falácias sexuais que observar em anúncios publicitários.

Ao lhe impor esses limites agora e explicar o motivo, e ao ampliá-los gradativamente, você não apenas a protegerá de imagens sexuais nocivas, mas também garantirá que ela será capaz de tomar essas decisões por sua própria conta na adolescência.

Depois de tanta conversa, é possível que sua filha (e você!) comece a bocejar de tédio. Isso significa que é hora da parte divertida. Quem disse que a puberdade precisa ser sempre assunto sério? A seguir, algumas sugestões de atividades para reforçar os princípios descritos.

Comemore o "dia da mulher"

Bem que eu gostaria de assumir o crédito por essa ideia, mas eu a vi no programa humorístico *The Cosby Show* vários anos atrás. Na primeira menstruação de Rudy, sua mãe, Claire, lhe pergunta o que ela quer fazer para o "dia da mulher" a fim de comemorar essa transição importante em sua vida. Rudy não vê razão alguma para comemorar, e esse é exatamente o problema que sua mãe quer lhe mostrar. Pode acontecer de vocês ficarem tão envolvidas com os procedimentos para usar absorventes ou com a preocupação de que ocorra um vazamento no meio da aula de matemática a ponto de esquecerem o que o acontecimento em si significa na vida de uma menina. Quer vocês planejem com antecedência ou sejam espontâneas, saiam para tomar um chá da tarde ou façam uma tigela de pipoca em casa, pode ser um momento de grande ternura para você duas e contribuir para gerar menos ansiedade na primeira menstruação. Nem preciso dizer que é uma péssima ideia anunciar o fato para os irmãos dela e avisar que você vai levá-la à sorveteria para comemorar.

Faça uma sessão "mito ou realidade"

Festas do pijama são verdadeiros *buffets* de informações falsas sobre a puberdade. Você não se lembra de ter ouvido, enquanto comia pipoca, que o dentista sabe se você está menstruada ou que o absorvente interno pode se perder dentro do seu corpo? Quando meninas se reúnem em grupos com as luzes apagadas, sem os pais por perto, é evidente que falarão daquilo que está ocupando seus pensamentos. Mas *onde* elas arranjam essas ideias? O problema é que elas consideram lei tudo o que as melhores amigas dizem, e cabe a você pôr os pingos nos is.

Em vez de dizer a sua filha que ela e as amigas são completamente sem noção, aproveite um momento em que vocês duas estiverem a sós, prepare um lanche e lápis e papel. Juntas, façam uma lista de tudo o que ela ouviu de outras pessoas (não de você) sobre puberdade e menstruação. Você pode fazer uma brincadeira de revelar os mitos e rir deles. ("Um garoto sabe quando você está menstruada pelo seu hálito? Tá de gozação? Primeiro, ele teria que conseguir cheirar alguma coisa além do bafo dele...". Deu pra entender, não?)

Faça uma sessão de memórias sobre a puberdade

Se há outras mulheres adultas na vida de sua filha nas quais ela e você confiam, como avós, tias, primas adultas, amigas da família, pense em convidar duas ou três para tomar chá com você e sua filha e falar daquilo que elas lembram sobre a menstruação e a puberdade. Os maiores vexames que passaram. O que as mães lhes ensinaram sobre coisas de menina. Que conselho elas têm a oferecer a ela agora que está ingressando na vida adulta. Só você pode definir se algo do gênero será interessante para sua filha ou se a matará de vergonha. Claro que você deve consultá-la antes de combinar qualquer coisa. Quando esses encontros acontecem de forma correta, a maioria das pré-adolescentes curte a ideia de se tornar, oficialmente, parte da comunidade das mulheres.

Incentive o espírito de comunidade

Quando Marijean era pré-adolescente, fez amizade com duas irmãs que, como ela, curtiam sonhar, imaginar, criar e ser autênticas de maneiras que não se sentiam à vontade para ser na frente de Heidi e as Hediondas. Seus vínculos se formaram enquanto elas faziam máscaras, vasilhas de argila e chapéus na casa das duas meninas (a probabilidade de algo assim acontecer debaixo do *meu* teto era praticamente zero!) e escreviam, produziam, dirigiam e encenavam peças de teatro em nossa casa.

Depois que a mais velha das três meninas começou a menstruar, os laços entre elas adquiriram uma qualidade mais profunda, mais significativa. Elas marcaram cada novo acontecimento, como comprar sutiãs, depilar as pernas e usar desodorante, ajudaram umas às outras a lidar com os percalços inevitáveis e ofereceram alívio para as cólicas, um absorvente de emergência quando a menstruação de alguém descia no meio da aula de educação física. Também se uniram para enfrentar as gozações por causa dos seios bem desenvolvidos de Mairin, da altura de Marijean e da maturidade precoce de Chamaea. Essa comunidade as acompanhou pelo final do ensino fundamental, ao longo de todo o ensino médio e, mais tarde, em casamentos, gestações, abortos espontâneos e medos de câncer. Hoje, com seus vinte e tantos e trinta e poucos anos, elas continuam a caminhar rumo à plenitude de sua identidade, apoiando e incentivando umas às outras e comemorando cada progresso.

A comunidade das meninas assumiu uma forma que nem a mãe delas nem eu havíamos previsto. Mas assim que vimos, logo no começo, como as três se davam bem, fizemos de tudo para promover sua união. Você pode fazer o mesmo ao chamar de comunidade o relacionamento saudável de sua filha com seu círculo de amigas e incentivá-las a compartilhar as experiências, ansiedades e alegrias de passar pela puberdade.

Sugira regras básicas: nada de espalhar informações pessoais, nada de gozações, nada de se comparar uma com a outra. Pergunte se elas resolveram como vão lidar com gozações de outros, especialmente dos meninos, ou se têm um plano para socorrer umas às outras caso a menstruação de alguém venha enquanto estiverem na escola, ou se fizeram uma promessa formal de apoiarem umas às outras quando as coisas ficarem confusas ou assustadoras.

Mesmo *nós*, que somos adultas, precisamos de relacionamentos com outras mulheres para não nos isolarmos com nossos complexos e ansiedades. Pré-adolescentes ainda frágeis precisam desses relacionamentos tanto quanto nós, ou mais. Uma vez que somos suas influenciadoras, bem como suas motivadoras, creio que é nossa responsabilidade ajudá-las a desenvolver esse tipo de amizade e sugerir maneiras de consolidar essa comunidade para as aventuras que ainda esperam por elas.

Apresente o "Manifesto sobre os Meninos"

Uma das coisas mais importantes que uma comunidade de meninas pode decidir é como vão se comportar em relação aos meninos. Você pode ajudá-las, provendo a sua filha e às amigas tempo e espaço (sem jovens do sexo oposto e outros observadores curiosos) para criar um "Manifesto sobre os Meninos". Sugira a sua filha que peça às amigas para trazerem conselhos sobre o assunto fornecidos por pessoas sábias (especialmente os papais). Uma vez que estiverem reunidas, elas podem fazer uma lista das situações em que depararão com representantes do gênero masculino (por exemplo, "se um menino tirar um barato de mim de um jeito maldoso..." — há uma lista completa no livro *Manual de sobrevivência da garota descolada*, p. 117). Usando os conselhos que elas trouxeram, a Bíblia e outras fontes confiáveis, as meninas podem discutir como pretendem lidar com cada situação e anotar as decisões como parte de um manifesto. "Se um menino tirar um barato de mim só por diversão, vou entrar na brincadeira e tirar um barato dele também.". "Se um menino tirar um barato de mim de um jeito maldoso, vou me lembrar de que ele não está dizendo a verdade a meu respeito." E assim por diante. Fique à disposição, caso surja alguma questão para a qual elas não tenha resposta, e esteja munida de materiais de papelaria para que cada uma faça uma cópia criativa do Manifesto para guardar consigo. Você também pode dizer para elas que, agora que têm um plano, não serão pegas de surpresa e, portanto, poderão curtir a amizade com os meninos, certas de que são minimulheres que fazem escolhas acertadas. Uma boa forma de terminar o encontro é fazer uma oração (e não se esqueça de orar pelos meninos queridos que não escreveriam um "Manifesto sobre as Meninas" nem que fossem ameaçados de morte!).

Senhor, preencha a lacuna

Querido Deus, Pai de nosso corpo e de nossa alma, obrigada pela dádiva da feminilidade que o Senhor deu a mim e a minha filha. Em meio à confusão, preocupação, empolgação, alegria e dúvida que ela está sentindo, peço que o Senhor preencha a lacuna entre a sabedoria que tenho para compartilhar e a sabedoria que ela precisa receber. Em nome de seu Filho, que entregou o corpo dele por nós. Amém.

8 Cuidados e alimentação da pré-adolescente

Aquele que tem as mãos limpas e o coração puro [...]
receberá bênçãos do SENHOR.
SALMOS 24.4-5

Finalmente criei coragem de pedir a minha mãe para eu usar desodorante, mas ela disse que eu preciso esperar até ficar mais velha. Acho que não dá pra discutir com ela, mas eu preciso de desodorante. Tô com o maior cê-cê!
11 ANOS

Havia ocasiões, quando Marijean tinha entre 8 e 9 anos, em que eu olhava para ela e pensava: "Quem não me conhece, deve imaginar que ela não tem mãe." O cabelo despenteado, com um nó na parte de trás, os moletons largos e as unhas roídas fariam qualquer um considerar a possibilidade de que ela era órfã. Nessa época, Jim e eu estávamos tão envolvidos com nosso empreendimento teatral que as refeições eram improvisadas, a tarefa de casa dela muitas vezes era feita atrás do palco durante um ensaio geral, e dávamos péssimo exemplo de descanso, equilíbrio e controle de estresse. Ainda assim, ela parecia estar bem.

Foi então que a professora do quarto ano nos disse (de modo louvavelmente diplomático) que Marijean poderia estar se saindo muito melhor em termos acadêmicos e sociais se, quem sabe, tivesse horários mais "normais". Olhei demoradamente para minha filha e me espantei de alguém ainda não ter chamado o Conselho Tutelar.

Exagero meu, é claro. Ela não estava abandonada, e, até hoje, diz que as vezes em que dormiu dentro das enormes caixas de figurinos ou comeu McLanche Feliz na oficina da cenografia foram alguns dos momentos mais felizes de sua infância. Mas seu pai e eu percebemos que, embora déssemos atenção a suas necessidades emocionais e espirituais, tínhamos a tendência de ser menos preocupados com alguns aspectos físicos mais básicos. Faltavam legumes e verduras em sua dieta. O horário de dormir era irregular. Com certeza, ela não se exercitava o suficiente. E "Você não usou essa camiseta ontem?" era uma pergunta feita com frequência enquanto saímos correndo de casa.

Tratamos de melhorar nesses aspectos, com sucesso razoável, embora nunca tenhamos conseguido fazê-la parar de roer as unhas. Quanto à arrumação do quarto, fechávamos a porta e pedíamos para ela devolver toda a louça que estava lá dentro quando não tínhamos mais pratos para pôr na mesa. Mais de uma vez, porém, me perguntei o que teria acontecido se aquela professora perspicaz não tivesse chamado nossa atenção para o fato de que nossa filha precisava de mais cuidados e de uma alimentação melhor.

Mesmo que você não esteja envolvida numa carreira que a faz se esquecer de lavar a roupa ou acrescentar fibras à dieta de sua filha, é fácil os cuidados mais básicos passarem despercebidos. Entre outras coisas, costumamos imaginar que pré-adolescentes de 12 anos são capazes de se virar com a própria higiene e alimentação. Elas sabem fazer sanduíches. Você não precisa mais ficar do lado delas na banheira por medo de que vão se afogar. A maioria tem boa saúde nessa fase. E é evidente que não são mais os bebês com os quais precisávamos nos preocupar quanto a vitaminas e horários regulares de alimentação, e lavar a chupeta com frequência para que não ingerissem germes. Além do mais, com todas as questões da puberdade, é fácil se esquecer de que sua filha ainda precisa de um horário de dormir, de banhos todos os dias, bem como de uma dieta equilibrada, e de que ela não vai cuidar disso tudo sozinha.

Felizmente, essa é uma das partes mais fáceis da educação de sua pré-adolescente, quer dizer, comparada com as conversas sobre menstruação e com a necessidade de consolá-la quando ela não sabe quem ela é e você também não. Também pode ser algo que beneficiará toda a sua família, como aconteceu no nosso caso. Quando comecei a cuidar melhor de minha filha, também passei a cuidar melhor de mim mesma.

Vejamos quais são as áreas mais importantes para manter sua pré-adolescente saudável, cheia de energia e pronta para conquistar o mundo.

Vamos esclarecer

Minhas conversas com pediatras e especialistas em desenvolvimento infantil, bem como minha própria experiência, apontam para quatro necessidades básicas. Como você verá, são de coisas que todo mundo precisa, mas procurei destacar como se aplicam de modo específico a meninas de 8 a 12 anos.

Ela precisa de higiene

Os hormônios da puberdade alteram não apenas a aparência e as funções do corpo, mas também seus cheiros. O odor corporal de modo geral, aquele cheiro nada agradável nas axilas e o famoso chulé podem se tornar problemáticos. Os hormônios femininos aumentam a quantidade de suor que a pré-adolescente produz, o que, tendo em vista a presença de milhões dessas pequenas glândulas em seu corpo, pode resultar num bocado de transpiração quando ela sente calor, se movimenta, ou fica tensa — três coisas que acontecem com frequência ao longo do dia. As glândulas sudoríparas das axilas e entre as pernas entram em funcionamento na puberdade, embora a transpiração em si não seja a responsável pelos odores nada agradáveis, mas sim as bactérias que vivem na pele nesses lugares escuros e quentes, decompõem o suor e causam mau cheiro.

Os pés podem constituir uma categoria à parte de nojeira, especialmente para uma menina que passa quase o dia inteiro de tênis e meia. Nesse período, também pode entrar em cena o pé de atleta, uma infecção fúngica que, como o nome diz, ocorre com mais frequência em atletas.

E também há a questão do hálito. Nada mais maravilhoso do que aquele hálito de bebê que sua garotinha costumava ter, mesmo quando havia acabado de acordar. Agora, as comidas que ela ingere com cebola, alho e outros ingredientes que não faziam parte da dieta dela na pré-escola, em conjunto com as bactérias, podem tornar os antissépticos bucais altamente recomendáveis.

Por fim (só descobri isso quando pedi a uma esteticista que desse dicas de beleza para pré-adolescentes), "agora, as glândulas do couro cabeludo da menina também transpiram, de modo que, se ela não lavar os cabelos quase todos os dias, o resultado pode ser um cheiro azedo".[1]

Embora a Bíblia não diga que a higiene e a virtude andam juntas, seria preciso ter sérios problemas olfativos para não saber como é difícil, pelo menos em termos sociais, andar por aí cheirando igual ao cesto de roupa suja. O suor é uma coisa boa, pois, quando evapora, refresca a pele e remove toxinas do organismo. Mas os colegas de sua filha não pensam nisso quando franzem o nariz no meio da prova de gramática e dizem: "Quem tá fedendo? É você? É você sim! Eeeca!".

Ao mesmo tempo em que as glândulas sudoríparas começarão a trabalhar a todo vapor, algo semelhante acontecerá com as glândulas sebáceas. Em algumas meninas, essas glândulas dão trabalho, pois, junto com células mortas, entopem os poros e resultam em (adivinha o quê?) espinhas. Embora a pré-adolescente não tenha problemas de pele porque é "suja", uma rotina de limpeza de pele ajuda, ao contrário de um rosto cheio de acne, numa fase em que ela já está tão preocupada com a aparência.

As glândulas sebáceas que fazem a festa na pele dela também podem entrar em ação no couro cabeludo e deixar o cabelo oleoso caso ela não o lave todos os dias. Depois de dois dias, ele gruda na cabeça. Poucos comentários a fazem se sentir menos atraente e mais nojenta que ser chamada de "ensebada". A vida não é fácil no universo das pré-adolescentes.

Ela precisa de atividade física

Você já sabe dos benefícios da atividade física para os adultos e, com certeza, também sabe que o mesmo se aplica às pré-adolescentes. Os exercícios lhes dão energia e resistência, as ajudam a dormir, tornam seus músculos mais fortes e flexíveis, dão brilho aos olhos, deixam a pele radiante, diminuem a probabilidade de elas se tornarem obesas e ajudam e equilibram o humor (só este último já é motivo suficiente para você inscrevê-la numa academia). As meninas também precisam se movimentar por outros motivos. Desenvolver habilidade física faz bem para sua autoestima, o que lhes dá iniciativa e atitude positiva e as torna menos suscetíveis a gozações de colegas. Esportes de equipe ensinam lições importantes sobre comunidade, adversidade, respeito às regras e às autoridades. Também promovem amizade entre as meninas enquanto todas se esforçam para alcançar o mesmo alvo.

Contudo, embora 25% das meninas entre 8 e 16 anos participem de algum esporte organizado ao longo do ano,[2] e milhões de meninas tenham aulas de educação física e realizem atividades atléticas não competitivas como natação, patinação, esqui e caminhadas, muitas ainda se exercitam pouco. É possível que estejam sempre "ocupadas", desde o café da manhã até a hora de dormir, o que não significa que sejam fisicamente ativas. Cada vez menos garotas pré-adolescentes têm tempo para brincadeiras de correr ou para andar de bicicleta.

Em 2000, sociólogos realizaram uma pesquisa com famílias de diversos contextos e descobriram que as crianças norte-americanas entre 6 e 12 anos passavam, em média, trinta minutos por semana brincando ao ar livre.

Um estudo realizado seis anos depois revelou que apenas uma dentre cinco crianças tinha tempo para brincar ao ar livre.[3] Tempo, espaço, segurança e opções atraentes (como jogos de computador e televisão a cabo) se tornaram fatores que inibem as brincadeiras espontâneas, e algumas dessas razões são perfeitamente compreensíveis. De acordo com os especialistas, porém, a ausência do exercício que as crianças costumavam realizar naturalmente enquanto brincavam é um dos principais motivos pelos quais a obesidade infantil quadruplicou nos últimos quarenta anos,[4] gerando risco de diabetes tipo 2, hipertensão e colesterol elevado, até mesmo em crianças.

Em contrapartida, médicos esportivos advertem que exercícios físicos do tipo errado, ou praticados de forma incorreta, também podem ser perigosos. A seguir, a opinião de Gloria Beim, médica da Equipe de Ciclismo dos Estados Unidos, sobre o assunto:

> Meninas não são pequenas mulheres. Há diferenças claras entre os dois grupos em termos de coordenação, força e resistência. Nas meninas, o conjunto osso, tendão e músculo, as regiões de crescimento dentro do osso e os ligamentos apresentam um crescimento desigual, que os torna suscetíveis a lesões. Aquilo que na mulher seria apenas uma contusão ou torcedura, pode se tornar uma lesão séria das placas de crescimento na menina.[5]

Isso não significa que meninas não devem praticar esportes, ou que você tem motivo para roer as unhas até o talo, preocupando-se que sua filha terá uma lesão das placas de crescimento. Apenas esteja ciente de que as jovens atletas, sendo as de 11 e 12 anos as mais vulneráveis, têm necessidades específicas, pois seu corpo está em crescimento; precisam ser treinadas e condicionadas de modo diferente de atletas adultos, coisa que nem sempre acontece.[6]

Meninas que escolhem um esporte quando ainda são novas e só praticam essa modalidade o ano inteiro ao longo de todo o ensino fundamental correm risco de fraturas e problemas inflamatórios nas placas de crescimento (como a síndrome de Osgood-Schlatter) causados por esforço e uso excessivo crônicos. A especialização precoce e a tendência de considerar o esporte como caminho para uma bolsa de estudo ou uma carreira, quando a atleta ainda nem completou 12 anos, pode acabar impedindo-a de desenvolver equilíbrio e força gerais e coordenação completa. Embora tenha aprendido a driblar, passar e arremessar, é possível que não saiba como saltitar e pular.

A propósito, aqui vai uma estatística para ajustar sua visão dos esportes como meio para alcançar determinado fim: apenas 5% dos atletas do ensino médio continuam a praticar esportes de forma competitiva no ensino superior. E não mais que 1% dos atletas do ensino médio consegue uma bolsa total por mérito esportivo.[7] A meu ver, esse é um bom motivo para resgatar a prática de esportes apenas por diversão.

E será que você vai querer bater em mim se eu disser mais uma vez que o excesso de estrutura é nocivo para a saúde física e emocional da pré-adolescente? Isso se aplica de forma bastante direta aos esportes e às atividades físicas, de modo que passo a palavra para a socióloga esportiva Nancy Theberge:

> Exercício e esportes não são a mesma coisa. É uma falácia defender os esportes competitivos por motivos de saúde. Os melhores exemplos de atividade física para promover a saúde são as crianças que brincam com regularidade e realizam atividade física moderada num ambiente não competitivo.[8]

Ela precisa de boa nutrição

Os Estados Unidos são um dos países mais ricos e desenvolvidos do mundo, o que não se reflete de maneira alguma nos hábitos alimentares da média dos norte-americanos. Em termos de nutrição, não somos um povo saudável, algo especialmente preocupante no caso de nossos filhos durante a fase de crescimento acelerado. Mesmo que você seja a exceção à regra, é sempre bom se lembrar de algumas coisas na hora de fazer compras ou levar a família para comer fora.

Como observamos anteriormente, sua filha cresce mais entre os 8 e 12 anos que em praticamente qualquer outro período da vida; logo, precisa de combustível em maior quantidade e com melhor qualidade do que antes. Combustível de "melhor qualidade" é algo difícil de obter numa cultura que consome tanto *fast food*, lanches de pouco valor nutritivo e alimentos industrializados. Em média, uma dentre quatro refeições dos norte-americanos é preparada de modo comercial,[9] uma estatística que permaneceu inalterada na crise econômica atual. Quando querem cozinhar em casa, descobrem que os alimentos mais saudáveis, como frutas e legumes frescos, são alguns dos itens mais caros do supermercado. E quanto ao preço de verduras e legumes orgânicos? Nem pensar!

Mesmo quando a família está decidida a ter uma alimentação saudável, a agenda lotada não colabora, pois o jantar é servido da janela de um restaurante *drive-thru* e consumido no banco de trás do carro, ou tirado de uma caixa e aquecido no micro-ondas em casa. O pequeno valor nutritivo presente nessas refeições fica soterrado debaixo do sal, dos aditivos químicos e da gordura saturada.

O que dizem as minimulheres

Queria que minha mãe entendesse como é difícil conversar com ela sobre algumas coisas que eu tô super a fim. Tipo, às vezes eu fico preocupada porque acho que não tô comendo direito, mas raramente junto coragem pra conversar com ela.

11 ANOS

Os lanches da escola também não são exatamente saudáveis, e mesmo que a mãe coloque um saquinho com palitos de cenoura e pedaços de maçã na mochila da filha, é possível que volte intacto se alguém oferecer à garota um pacote de salgadinho da cantina.

É um mistério como uma cultura com hábitos alimentares tão pouco saudáveis tem tamanha obsessão com peso. Nós como sociedade oferecemos às meninas porções gigantescas de alimentos superprocessados, cheios de gordura e frutose e pobres em fibra, e depois dizemos que elas devem se parecer com *top models* que pesam 40 quilos. A ênfase sobre a magreza começa cedo, como observei anteriormente, e seu efeito sobre as pré-adolescentes não se limita ao desenvolvimento posterior de distúrbios alimentares. A menina do quinto ano que joga fora metade do lanche porque tem medo de engordar já pensa que seu corpo é um inimigo que ela precisa manter sob controle constante. Na fase em que deveria estar ingerindo mais calorias (do tipo certo), deixa de tomar o café da manhã, belisca alguma coisa no almoço e se sente culpada porque quer comer tudo o que há dentro da geladeira no final da tarde. A ideia de que ela só será aceitável se for parecida com um bambu a impede de dar valor a quem ela é de fato, e de encarar suas escolhas de forma realista. A mesma coisa acontece quando ela pensa: “Eu nunca vou ter esse visual. Então, que diferença faz o que eu como ou deixou de comer? Vou mandar ver!”.

Ela precisa de equilíbrio

Você sabe qual é minha posição em relação ao tempo das pré-adolescentes. Cabe à mãe ajudar a filha a encontrar o equilíbrio entre sua tendência de ser uma realizadora, ativa e ocupada, e sua necessidade de tempo livre para ela preencher da forma como sua identidade criativa desejar. O mesmo se aplica a todo ser humano na face da Terra.

1. *Ela precisa de sono.* As pré-adolescentes precisam de pelo menos (pode contar!) nove horas de sono todas as noites. De acordo com um estudo relatado pela revista *Newsweek*, porém, apenas cerca de 15% dormem o suficiente. "Vinte e cinco por cento dormem menos de seis horas".[10] Quais as causas disso? De acordo com o que as meninas contam para mim, elas têm lição demais para fazer depois das atividades da tarde, muito movimento em casa à noite (barulho, agitação, caos familiar generalizado!), falta um período de relaxamento antes de ir para a cama, e elas se preocupam com uma porção de coisas enquanto tentam pegar no sono. Caramba! Parece uma descrição de metade dos *adultos* que eu conheço.
2. *Ela precisa de descanso.* As pré-adolescentes quase não têm tempo livre durante o dia. A escola exige concentração ininterrupta. O período depois da escola é lotado de atividades e, quando ela chega em casa, vai direto fazer a lição e, talvez, ajudar com algum serviço doméstico. Nós adultos entraríamos em greve se não pudéssemos sair para tomar um cafezinho durante o expediente, mas esperamos que nossos filhos trabalhem o dia todo, como se tivéssemos medo de que um momento sem alguma atividade específica fosse suficiente para eles se meterem em encrenca ou ficarem entediados. Não pode ser assim! Períodos de descanso são essenciais, especialmente para a menina que está lidando com o ciclo menstrual, as mudanças do corpo e amizades que exigem um bocado de energia. Trocando em miúdos, ela precisa de uma folga. Aliás, de várias folgas.
3. *Fique atenta para os sinais de estresse.* Estresse é um assunto sério hoje em dia. E para as pré-adolescentes, que são extremamente atentas a tudo o que acontece com as pessoas ao seu redor, ele é algo bastante evidente. Mesmo que ninguém lhes diga, elas sabem quando os pais não estão se entendendo, quando há um problema financeiro, quando há insegurança em relação ao emprego ou quando algo de ruim está acontecendo na família mais ampla. Pegam a tensão no ar, do mesmo jeito que um vestido preto

pega fiapos, e a carregam consigo, além de todas as suas outras preocupações, quer sejam apropriadas para sua idade ou não. A pré-adolescente ainda não tem recursos interiores nem prática para lidar com esse tipo de estresse, de modo que ele pode se manifestar em distúrbios do sono, mudanças de humor, notas mais baixas na escola e variações no apetite. Uma vez que algumas dessas coisas também podem ser atribuídas à puberdade, é fácil a mãe não perceber que a filha está estressada.

4. Fique atenta para os inimigos do corpo. Como se não bastasse ser pré-adolescente, as meninas de hoje precisam aprender coisas que, para dizer a verdade, a maioria dos adultos teria dificuldade de assimilar. Drogas. Álcool. Tabagismo. Em muitas escolas, é fácil alunos de 11 e 12 anos conseguirem bebidas alcoólicas e cigarros. Muitas crianças experimentam beber e fumar no quinto e no sexto ano. Uma dentre dez crianças de 10 a 12 anos experimenta drogas (geralmente maconha). E em se tratando de formar vícios, as meninas estão em pé de igualdade com os meninos.

Uma pré-adolescente vê, em média, 40 mil propagandas na televisão por ano, o equivalente a 666 horas. E 466 dessas horas mostram pessoas de imagem sexy, associadas a coisas como carros, desodorantes e comida congelada.[11] Não é preciso pensar muito para entender que isso tudo pode afetar o modo como a menina vê o próprio corpo.

Os predadores sexuais e os obcecados que invadem a privacidade de outros e os perseguem na internet também são uma realidade. Algumas pré-adolescentes têm dificuldade em manter uma visão equilibrada das coisas e aproveitar o resto da infância sem se perguntar, o tempo todo, se aquele menino na sua classe que parece ser legal, mas que sempre veste roupas escuras, vai persegui-la on-line, ou se ela não deve jamais confiar num homem adulto sem antes ver um dossiê completo dele. A função de guardar os limites é sua até que ela aprenda como manter sua própria zona de segurança. Algumas meninas morrem de medo quando pensam em toda a maldade que há por aí e precisam de ajuda para se tornarem seguras de si e encontrarem equilíbrio. Outras, em contrapartida, agem como se não existisse perigo no mundo, e precisam aprender a ter cautela equilibrada. É importante saber em que ponto sua filha está entre um extremo e outro e fazer o contraponto adequado.

* * *

Por acaso eu disse que cuidar do aspecto físico era uma das partes mais fáceis da educação de sua pré-adolescente? Bobeira minha. Na verdade, os princípios para os cuidados com o corpo e a alimentação são simples. Talvez não sejam fáceis, mas são simples. Comecemos, como sempre, com a sabedoria de nosso Pai.

Do Pai celestial

> Consagrem-se e sejam santos, porque eu sou santo [...]. Eu sou o Senhor que os tirou da terra do Egito para ser o seu Deus; por isso, sejam santos, porque eu sou santo.
>
> Levítico 11.44-45

É raro eu citar Levítico. Fala sério: "Quando uma mulher tiver fluxo de sangue que sai do corpo, a impureza da sua menstruação durará sete dias, e quem nela tocar ficará impuro até a tarde" (15.19). *Como assim?!*

Mas é preciso admitir que nada foi deixado por conta do acaso para os filhos de Israel no que diz respeito à saúde e ao bem-estar. Seis capítulos de Levítico tratam daquilo que é "puro" ou "impuro". O capítulo 11 descreve nos mínimos detalhes quais alimentos poderiam ser ingeridos e quais deveriam ser "rejeitados" para que o indivíduo não ficasse "impuro até à tarde", ou, no caso de ingerir sangue, para que não fosse eliminado do meio do povo (17.10). O capítulo 12 explica como uma mulher devia ser purificada depois do parto. Nos capítulos 13 e 14, os israelitas encontrariam tudo o que desejassem saber sobre doenças de pele e mofo. E se precisassem investigar fluxos impuros, as informações estavam no capítulo 15 (sim, eu sei que naquela época as Escrituras não eram divididas em capítulos!).

Embora a maioria de nós não vá deixar de comer lagosta (11.10-11), nem vá obrigar quem tem psoríase a gritar "Impuro! Impuro!" e morar sozinho fora da cidade (13.45-46), entendemos que Deus desejava que seu povo (e nós) tivesse uma vida longa e saudável, livre de enfermidades. Creio que também podemos concordar que as instruções precisas (11.4-8 é um excelente exemplo) refletem o desejo de Deus de que estejamos conscientes de sua presença e influência em todos os detalhes da vida. A meu ver, não se trata de algo restritivo ou punitivo, do tipo "Não toque nesse bolo! É pecado", mas sim, de um convite à alegria.

Lavar, limpar, sair puro e brilhando é um processo lindo.

Comer bem, de forma sensata, saboreando cada bocado, é um antegosto do céu.

Alongar-se e adquirir força e vigor refletem a energia de Deus.

Descansar, respirar fundo e entregar-se ao conforto do sono trazem à memória o primeiro Sétimo Dia, repleto de satisfação.

Ter prazer em cuidar de nosso corpo e alimentá-lo é um tributo ao Deus que o criou. Então, por que não ensinar sua filha que lavar o cabelo, comer uma maçã fresca em vez de um biscoito recheado, e saltar só pelo prazer de fazê-lo são os elementos gloriosos e virtuosos que dão substância à vida real?

Levítico 26 diz: "Se vocês seguirem os meus decretos e obedecerem aos meus mandamentos [...], vocês se deitarão, e ninguém os amedrontará. Farei desaparecer da terra os animais selvagens [...]. Vocês perseguirão os seus inimigos, e estes cairão à espada diante de vocês [...] Andarei entre vocês e serei o seu Deus, e vocês serão o meu povo. Eu sou o Senhor, o Deus de vocês" (v. 3,6-7,12-13).

Os mandamentos: ser limpo, comer bem, exercitar-se, descansar e dormir — tudo com o equilíbrio que vem de Deus. A recompensa: liberdade.

No fim das contas, acho que gosto de Levítico.

E você?

Desta vez, vamos fazer algo um pouco diferente. Antes de ver as sugestões para melhorar o cuidado e a alimentação de sua pré-adolescente, que tal pensar em como você cuida *de si mesma*?

Para isso, durante um período de 24 horas, preste atenção no que você faz ou deixa de fazer em relação à própria alimentação, atividade física, descanso, higiene e equilíbrio do corpo. O exercício será mais eficaz se você tomar notas ao longo do dia e depois revê-las e analisá-las.

Ao refletir sobre seus hábitos associados à saúde e ao bem-estar, *por favor*, não se martirize. Trata-se apenas de uma forma de entender o modelo que talvez você esteja apresentando a sua filha, tanto de modo positivo, quanto de modo que pode ser melhorado. Preciso repetir? Ela observa você!

Mãos à obra

Afinal de contas, *como* manter sua filha pré-adolescente limpa, ativa, bem alimentada e equilibrada, especialmente tendo em vista que ela passa cada vez mais tempo longe de você e que o mundo insiste em oferecer opções nada saudáveis? Em vez de lhe dizer exatamente o que servir para ela no café da manhã (embora eu indique materiais para o caso de você precisar de sugestões), creio que será mais proveitoso fornecer algumas diretrizes que você possa aplicar à sua pré-adolescente e ao seu contexto familiar. A seguir, quatro desses princípios norteadores.

Faça da saúde e do bem-estar uma prioridade, acima de várias outras

Acima de uma casa impecável. Acima do campeonato de vôlei. Acima de um boletim só com notas altas. E até mesmo acima da participação de absolutamente todas as atividades da igreja. Coloque-os no alto da lista, junto com a vida espiritual de sua filha, sua autenticidade, a aceitação de sua beleza e a adaptação às mudanças da puberdade. Há diversas maneiras de fazê-lo com sua filha pré-adolescente.

Primeiro, verifique a pirâmide alimentar e o guia alimentar fornecido pelo Ministério da Saúde.[12] Quanto aos dois grupos no alto da pirâmide, gorduras e açúcares, as diretrizes para pré-adolescentes são simples: não mais que 60 gramas de gordura e não mais que 10 colheres de chá de açúcar por dia. Se você tem uma filha que precisa de uma demonstração prática de tudo, peça para ela medir 18 colheres de chá de açúcar num copo de água e pergunte se ela beberia a mistura (nem uma pré-adolescente fissurada em doces aceitaria!). Explique para ela que essa é a quantia de açúcar presente numa lata de refrigerante. Eeeca! Uma regra prática fácil de lembrar é não ingerir nada que contenha mais que 4 gramas de açúcar por porção. (Lamento informá-la, mas é provável que ela se torne uma leitora ávida de rótulos.) Certifique-se, porém, de enfatizar que a pirâmide alimentar tem como objetivo fazê-la sentir-se 100%, e não deixá-la magrinha, igual a sua melhor amiga.

Considere a possibilidade de não ter em casa os seguintes itens: refrigerante; qualquer alimento industrializado cujo primeiro ingrediente indicado no rótulo seja açúcar; biscoitos tipo cracker e salgadinhos que contenham gordura vegetal hidrogenada; salgados, doces e cereais matinais à base de milho; e bolachas doces industrializadas. Se a eliminação desses produtos for deixar sua dispensa vazia, comece aos poucos, removendo uma fonte de calorias vazias de cada vez e substituindo-a por algo igualmente saboroso. Para algumas alternativas, consulte a página 84 do *Manual de sobrevivência da garota descolada* — junto com sua filha, é claro.

Se, ao perceber que você está se livrando dos alimentos de pouco valor nutritivo, sua filha tiver um piripaque, observe-a por alguns dias para ver se ela come quando está nervosa, chateada ou triste. Uma vez que dizer "Você só está comendo porque foi mal na prova de matemática, me dá esse salgadinho!" só vai fazê-la comer ainda mais, procure usar sua técnica infalível de conversar para descobrir o que está acontecendo. Pode ser que você a poupe de, no futuro, alimentar algo que reprimiu dentro de si.[13]

A nutrição não se torna atraente apenas com o tipo certo de comida. O ambiente também faz diferença. Sentar-se ao redor da mesa de centro da sala de estar para tomar sopa de legumes com pão integral é tão gostoso quanto reunir-se em trajes sociais na sala de jantar para comer frango assado com aspargos orgânicos. Os únicos ingredientes necessários para compor um bom ambiente são família e atenção. Nada de televisão, nada de filmes. Se sua família é obcecada pela mídia e tiver uma crise de abstinência quando você desligar o canal Nickelodeon para servir o jantar, pense numa atividade divertida para fazer à mesa. Cada um pode contar qual foi o ponto alto e o ponto baixo do dia. Todos devem responder à pergunta da noite: O que você viu hoje de cor roxa? O que o fez rir alto hoje? Você viu alguém se esforçar para fazer algo correto?

Fazer uma refeição juntos também pode adquirir um tom espiritual, provavelmente porque a Ceia ocupa um lugar tão importante em nossa vida de adoração. Eugene Peterson, autor da Bíblia *A Mensagem* e homem de família dedicado, escreve: "Tendo em vista a proeminência das refeições na obra salvífica de Jesus, é de surpreender que se dê tão pouca atenção, em nosso meio, à relação entre a Refeição e nossas refeições".[14] Quando nos reunimos, como Jesus fazia com sua família de discípulos, para conversar, compartilhar boa comida e falar daquilo que se passa em nosso coração, nos abrimos inteiramente para os ritmos da graça que nunca são apressados nem forçados. Todos serão beneficiados por um ambiente desses em casa. É possível ajustar os horários para que isso aconteça pelo menos algumas vezes por semana?

Levar sua filha junto para fazer compras para a família contribui para que ela se aproprie de sua saúde nutricional, especialmente se ela ajudar a planejar o cardápio. Se, ao percorrer os corredores do supermercado com você, ela pedir um pacote de biscoitos recheados, pergunte com um sorriso onde eles se encaixam na pirâmide alimentar e deixe que ela escolha algo mais nutritivo. Ao chegar em casa, convide-a para ajudar a preparar a refeição, o que, aliás, é um ótimo momento para as conversas mencionadas no capítulo anterior. Eu sei que trabalhar dessa forma é mais demorado e que você tem outras coisas para fazer, mas, uma vez que você está considerando a possibilidade de rearranjar suas prioridades... E se você conseguir fazê-lo ainda que apenas algumas vezes por semana, já será um grande progresso.

Observe se ela tem bebido líquidos em quantidade suficiente, isto é, cerca de dois litros por dia, dependendo das condições do tempo e do nível de atividade física. Sugira que ela beba um copo de água antes de tomar suco. Se ela reclamar que está com fome, ofereça um copo de água como "aperitivo". Às vezes, a sensação de fome é sinal de que ela está com sede, e não de que precisa comer algo. Explique para ela que 70% de seu corpo é composto de água; pré-adolescentes adoram fatos que possam exibir para as amigas.

Insista para que ela durma o suficiente, a qualquer custo. Depois de uma noite com as horas necessárias de sono, ela deve estar alerta entre quinze e trinta minutos após despertar, mesmo que não seja uma pessoa matinal. Deitar-se e levantar-se todos os dias no mesmo horário a ajudará a entrar num ritmo natural, e quanto mais rotina a minimulher tiver em seu mundo imprevisível, melhor. Ajude-a a criar uma rotina para relaxar antes de ir para a cama, de modo a pegar no sono em, no máximo, meia hora. Pode ser um banho quente, um lanche rico em proteína ou alguns minutos para escrever num diário. Depois de orar e ouvir um pouco de música, é provável que ela adormeça em muito menos que meia hora.

Não é boa ideia pegar no sono diante da televisão. Aliás, o contato com qualquer mídia que provoque agitação duas horas antes de a cabeça encostar no travesseiro pode provocar sono irrequieto. Fazer atividades físicas antes de se deitar também dificultará o sono até que o corpo se aquiete. E se ela ficar acordada por mais de meia hora todas as noites, ou tiver pesadelos frequentes, é hora de mais uma conversa para investigar, com todo o tato, o que está acontecendo.

Fique atenta se o nível de atividade dela cair consideravelmente na pré-adolescência. Se ela ficar mais que duas horas por dia jogando videogames, sentada na frente do computador, assistindo televisão ou filmes, ou lendo, é sedentária demais para sua idade. Ela já passa boa parte do dia sentada na escola, no carro e fazendo lição de casa. Se ficar parada muito mais do que isso, não queimará calorias suficientes para manter o bom funcionamento do corpo. Se ela quiser sentar-se para ler, peça para, antes, ela levar o cachorro para passear. Deixe-a assistir televisão enquanto ela descansa de uma brincadeira agitada de esconde-esconde.

Lembre-se de que, mesmo que ela seja atleta, ela também é criança

No que diz respeito à saúde, essa questão é mais relevante se sua filha participa de esportes organizados. Conforme ressaltamos, os esportes podem levar o corpo ainda jovem a realizar esforços excessivos. O lado positivo é que, com as informações deste capítulo, você estará equipada para monitorar o envolvimento dela e intervir caso observe algo que não está sendo bom para ela. Você pode até explicar sua decisão para ela, mas esta é uma situação na qual a escolha fica inteiramente a seu critério. Ao fazer essa escolha e implementá-la, você servirá de exemplo para sua filha e a ensinará muito mais do que imagina. Além daquilo que comentamos, considere mais algumas questões.

A menina deve ter pelo menos 7 ou 8 anos para participar de esportes em equipe; em geral, meninas com menos de 7 anos não estão fisicamente preparadas para esportes de contato e pode ser que não estejam emocionalmente preparadas para ganhar ou perder.[15] Corridas de longa distância (mais de um quilômetro de cada vez) são apropriadas apenas a partir da adolescência.[16] Se ela for apaixonada por esportes, como algumas pré-adolescentes são, certifique-se de que seja treinada por alguém que sabe que meninas correm, pulam e caem de forma bem diferente dos meninos e precisam aprender a fazer isso tudo de modo seguro; qualquer esporte que envolva mudanças repentinas de direção, como futebol e basquete, trazem o risco de ela desenvolver na adolescência lesões do ligamento cruzado anterior, caso não aprenda agora as técnicas apropriadas, especialmente se praticar a mesma modalidade esportiva o ano todo. Aliás, não é recomendável que ela pratique o mesmo esportes dois semestres seguidos, sem intervalo e sem realizar outras atividades físicas. Muitas lesões causadas por desgaste na adolescência são decorrentes de esforço repetitivo na pré-adolescência.

Não obstante quanto ela jogue, a segurança é mais importante que uma vitória. Não permita que o treinador a obrigue a dar uma de forte e voltar para o jogo caso esteja machucada ou exausta — ela não está participando de um campeonato profissional, nem recebendo um salário na casa dos milhões.

Aliás, nos esportes, a segurança deve ser mais importante que qualquer coisa. Certifique-se de que ela faça aquecimento antes do treino, mesmo que o treinador não peça. Se ela treinar sozinha, insista para que use o mesmo equipamento de proteção necessário num jogo, inclusive tênis de cano alto no caso do basquete. Se for andar de bicicleta, patins ou skate, deve usar capacete e joelheiras. A segurança nos esportes e atividades físicas faz parte dos itens de dentro do quadro.

Nunca (e note que você não me viu dizer "nunca" com muita frequência neste livro) diga que ela precisa se exercitar para perder peso. A menos que ela seja clinicamente obesa, os alvos da atividade física são saúde e força, e não um número ideal na balança. Ela está passando pela puberdade, de modo que não há como saber se a fofura extra é inteiramente resultante de sedentarismo. O importante é que ela se mexa por diversão, para se sentir ótima e aproveitar bem tudo o que faz ao longo do dia. Se for cheinha, é provável que já ouça gozações demais dos colegas. De você, ela precisa de incentivo para ter saúde e bem-estar.

Se sua filha não é do tipo atlético e você se preocupa por ela não estar se exercitando o suficiente, não a pressione para praticar esportes. Além de os esportes não serem sinônimo de exercício, se não faz parte da personalidade dela entrar em campo ou numa quadra com uma bola e um monte de gente que depende do desempenho dela, deixe quieto. O benefício que os esportes podem trazer para a autoestima de meninas com propensões atléticas tem efeito contrário quando uma garota menos atlética é obrigada a praticar três ou quatro vezes por semana uma atividade na qual ela não se sai bem. Ajude-a a encontrar uma atividade que ela curta, que aumente seu ritmo cardíaco por vinte minutos, que seja apropriada para sua personalidade e que se adéque aos horários e ao estilo de vida da família. Juntas, façam uma lista de todas as possibilidades e risquem aquelas que não preenchem os requisitos citados. Em seguida, deixe que ela escolha uma das atividades restantes. Faça o que puder para facilitar sua prática. Caso sua pré-adolescente goste de estabelecer e alcançar objetivos, talvez se interesse pelo plano de atividades físicas sugerido no *Manual de sobrevivência da garota descolada*, páginas 67-70.

Trate com delicadeza as questões de saúde e higiene na puberdade

Se você é uma mãe ocupada, com vários filhos e uma lista assustadora de coisas para fazer, pode ser difícil parar e tratar de imediato cada dilema que surge na vida de sua pré-adolescente. É bom a menina aprender a lidar com a necessidade de esperar, e ela é capaz de fazê-lo se souber que, mais adiante, receberá atenção exclusiva. Na verdade, você pode diminuir a intensidade desses dilemas ao dar respostas rápidas que sejam sensíveis. Escolha a maneira mais delicada de abordar as questões relacionadas ao corpo. Em vez de dizer que parece que alguma coisa morreu dentro dos tênis dela e, portanto, é bom levá-los logo para a lavanderia antes que façam a casa inteira feder, você pode cochichar (especialmente se houver algum irmão por perto) para ela colocar os tênis para fora e dizer que você explica o motivo depois.

Quando houver outras pessoas por perto, evite tocar em assuntos que você sabe que são constrangedores para ela. Só porque, para você, o trajeto entre a escola e a aula de dança, com todas as amigas dela no carro, parece uma boa oportunidade para perguntar se as espinhas que haviam aparecido no peito sumiram, não quer dizer que seja para ela. Deve haver um momento mais apropriado, não é?

Procure não fazer pouco da importância do assunto para ela, mesmo que tenha apenas um segundo para tratar dele. Dizer "Filha, agora eu preciso sair, mas eu prometo que a gente conversa sobre isso hoje à noite, antes de você ir pra cama" leva o mesmo tempo que dizer "Não precisa fazer tanto drama porque algum menino disse que você é gorda. Ele é um besta. Agora pega sua mochila senão a gente vai se atrasar para o treino".

Não espere que ela pense, instintivamente, no tanto de coisas que você tem para fazer em vez do tanto de coisas que estão acontecendo na vida dela. Você pode ensiná-la a levar isso em consideração e ela aprenderá, mas ela ainda não sabe como fazê-lo. Ela ainda é criança. Portanto, dizer "Não dá pra ver que eu estou totalmente estressada? Por que você quer falar disso agora?" não a ensinará coisa alguma. É muito mais instrutivo dizer "Eu bem que gostaria de parar e conversar com você agora, mas a gente conversa mais tarde. E só pra você saber, se eu já estiver gritando com todo mundo, quer dizer que não é uma boa hora pra fazer perguntas".

Tome a iniciativa de falar de questões de odor e higiene quando você puder dedicar-lhe um tempo (relativamente) ininterrupto. Conversem sobre o banho diário, roupas limpas, desodorante e bicarbonato de sódio para os tênis. Como em todas as outras questões, aborde o assunto com um ar de diversão e como parte da jornada rumo à feminilidade adulta, que, aliás, é sempre cheia de novidades. Você pode sugerir, por exemplo, que ela forre a gaveta de *lingerie* com um papel bonito (ou estiloso) e coloque um sachê lá dentro para comemorar os sutiãs novos. Acenda velas e coloque música para a primeira tentativa dela de depilar as pernas (sob sua supervisão, é claro). O *Manual de sobrevivência da garota descolada* oferece, no capítulo 6, uma lista de itens relacionados à higiene da pré-adolescente. Você pode ajudá-la a realizar algo pequeno, e comemorar com ela os resultados. Não importa quão agitada seja sua vida, você sempre tem tempo para sorrir para sua garotinha que, aliás, não será uma garotinha por muito mais tempo.

Ajude-a a prestar atenção às necessidades de seu corpo

O objetivo é que sua filha cuide de si mesma de forma saudável e com alegria. Em termos de desenvolvimento, ainda levará alguns anos para que isso aconteça, mas, aos poucos, você pode encaminhá-la nessa direção não apenas ao cuidar dela e de sua alimentação, mas também ao fazer algumas perguntas antes de você lhe dizer do que ela precisa. À medida que ela se conscientizar das respostas, será cada vez menos necessário lhe dizer o que fazer.

- *Se ela estiver mal-humorada, tente uma ou mais destas perguntas (mas não todas de uma vez!):* O que você acha que está acontecendo? Faz tempo que você comeu alguma coisa? Você dormiu bem essa noite? Precisa de um tempo sozinha?
- *Se ela estiver cansada no meio do dia:* Por que você está se arrastando, filha? Não está se sentindo bem? Você dormiu direito essa noite? Será tem coisas demais pra fazer?
- *Se estiver sem apetite na hora da refeição:* Você lembra se comeu alguma coisa antes? Por que você acha que não está com fome agora?

Desde que você não deprecie suas respostas ("Que ideia mais boba!") nem condene suas escolhas menos sensatas ("Tá vendo, não é de admirar que você esteja sem apetite! Quem mandou comer antes do jantar?"), ela criará autoconfiança cada vez maior para analisar suas necessidades físicas e cuidar delas. Uma pergunta do tipo "Se você comer esse sonho, como é que vai ficar o seu apetite daqui a meia hora?" pode preparar o caminho para uma vida inteira de escolhas saudáveis.

Senhor, preencha a lacuna

Querido Deus de amor e cuidado, que provê tudo de que precisamos, obrigada por minha filha saudável, em fase de crescimento. Quero muito que ela seja sempre cheia de vida, então peço que o Senhor preencha a lacuna entre o cuidado que eu posso oferecer a ela e aquilo que ela precisa saber para cuidar de si mesma no futuro. E quem sabe, Deus, até mesmo de mim. Amém.

Parte 4

Por que elas não se entendem?

Na vida real

Ela volta para casa chorando outra vez. O drama feminino parece ter alcançado proporções globais. A julgar por aquilo que você consegue captar entre as lágrimas, o monólogo ininteligível e o nariz escorrendo, aconteceu o seguinte:

A menina que, até segunda-feira passada, era sua melhor amiga, e que a estava ignorando há uma semana, agora anda com a Garota Popular, a menina da qual as duas riam juntas porque era uma exibida. Você sabe da Garota Popular. Ouve falar dela desde o começo do ano. Sabe que ela ganhou um iPhone. ("Um *iPhone*, mãe! Sabe quanto *custa* um negócio desses?". Você responde que sim.) Sabe que ela paquerou e deu uma de madura (você tem suas dúvidas sobre como as duas atitudes são capazes de coexistir, mas é melhor não questionar a lógica de sua filha) para cima do coordenador da campanha antidrogas que visitou a escola. Sabe que ele a achou superlegal, o que *com certeza* ela não é (algo que, pelo visto, é de conhecimento de todos, exceto da GP. E das amigas da GP. E é claro, do coordenador da campanha antidrogas). Sabe como a GP revira os olhos e faz beiço ("Ela usa *gloss* o dia inteiro, mãe, no *quinto* ano!") cada vez que sua filha tenta ser legal com ela e dizer que gostou da roupa dela ou algo do gênero ("Tipo, como é que eu *me atrevo* a olhar pra ela?"). Sabe que a GP era objeto de aversão e riso entre sua filha e a melhor amiga, o que fez você se sentir tranquila por sua filha não querer ser como a GP só para fazer parte da turma dela. O que é uma coisa boa.

Agora, porém, a ex-melhor amiga e a GP andam cochichando uma com a outra em todo lugar, o tempo todo e, quando veem sua filha olhar para elas, riem e viram a cara, e agem como se ela tivesse gripe suína e não pudessem ficar perto dela. E hoje, quando ela finalmente conseguiu conversar sozinha com a ex-melhor amiga, esta disse que não são mais amigas e que nem lembra por que eram amigas. Em resumo: sua filha nunca mais vai voltar para escola, então, por favor, será que ela pode fazer supletivo para não precisar ver mais nenhuma das meninas de novo?

O mundo pré-adolescente de sua filha ruiu e, por tabela, o seu também. Lembranças de suas crises com amigas dessa fase invadem sua mente e você se identifica com o sofrimento dela. Sente que precisa fazer alguma coisa para ajudá-la, mas não sabe o quê. Dizer que é normal e que ela vai superar isso tudo como você... não superou? Invadir a escola e exigir que alguém intervenha de imediato? Telefonar para a mãe da ex-melhor amiga e se tornar a ex-melhor amiga dela?

Enquanto você abraça sua menina tão magoada e, sem saber o que mais fazer, lhe oferece um biscoito, chega à conclusão de que, em comparação com as crises de relacionamento, lidar com as mudanças da puberdade é moleza.

* * *

Já passou por isso? Então sabe como é doloroso ver sua filha se afligir, em diferentes graus de intensidade, com os relacionamentos com outras meninas. De fato, essa pode ser a parte mais desafiadora da educação de uma pré-adolescente, pois é a área da vida dela sobre a qual você exerce menos controle. Trata-se de algo assustador, especialmente quando você se dá conta de que esses relacionamentos a afetarão para o resto da vida.

Pense bem. Você pode não se lembrar do nome de sua professora do quarto ano, ou em que ano você aprendeu frações ou numerais romanos, mas é provável que se lembre do nome da sua melhor amiga, ou de todas as meninas de seu círculo de amizades, naquele ano e, talvez de modo ainda mais vívido, do nome e do rosto da menina que a tratava mal. Eu me recordo claramente de correr até o pátio para rir junto à cerca com Beth Anne O'Toole. Também me recordo de chorar num canto na festa do pijama na casa de Ruthie porque aquela menina ruiva chamada Linda me xingou de "chata de galochas". Quanto aos numerais romanos, ainda não consigo passar de XXIV.

Mesmo que não se lembre dos nomes nem se recorde dos rostos, as mensagens que internalizou influenciaram seus relacionamentos posteriores. Desde o sexto ano, quando sua melhor amiga a traiu, você tem dificuldade em se abrir, ou tomou a decisão de procurar amigas mais confiáveis. Desde que você foi expulsa da turma aos 12 anos, fez questão de ser aquela que expulsava outros, ou evitou grupos fechados, ou escolheu amigas sem um histórico de expulsar outros da vida delas. Bem ou mal, quando se trata de melhores amigas, meninas maldosas e garotas populares (as participantes envolvidas no âmbito confuso das interações entre as meninas), o que acontece no universo pré-adolescente não fica ali.

Deixei para tratar deste assunto na última parte do livro, pois todas as outras questões sobre as quais conversamos entram em cena aqui. O que é uma coisa boa. Uma vez que as três áreas importantes estão sendo trabalhadas em casa (a busca pela autenticidade, a descoberta da beleza e a aceitação das mudanças físicas), sua filha pré-adolescente está mais preparada para lidar com o que acontece "lá fora", seja lá onde for que ela passe tempo com outras meninas da idade dela, onde você não está por perto para cuidar dela e lhe dizer o que fazer. Aliás, ela não a deixaria ficar por perto nem que você pagasse. Esse é (e deve ser) o território dela.

Quero lhe garantir, porém, que você não está inteiramente fora desse círculo de amigas, panelinhas e meninas maldosas. Como sempre, você exerce influência profunda. Vejamos, a seguir, como isso acontece.

9 O evangelho segundo as amigas

Respondeu Jesus: "'Ame o Senhor, o seu Deus, de todo o seu coração, de toda a sua alma e de todo o seu entendimento'. Este é o primeiro e maior mandamento. E o segundo é semelhante a ele: 'Ame o seu próximo como a si mesmo'. Destes dois mandamentos dependem toda a Lei e os Profetas".
MATEUS 22.37-40

Tem duas coisas importantes pra mim que minha mãe não entende e que eu gostaria que ela entendesse: jeans justos e amigas".
12 ANOS

Ficar no pátio de uma escola observando os alunos do segundo ciclo do ensino fundamental é, por si só, uma experiência educativa.

Os meninos pré-adolescentes correm para fora já aos gritos, sabe-se lá por que, e logo se envolvem em alguma atividade em que seja necessário arremessar algo, subir em algo, saltar de algo ou inventar algo. Socar uns aos outros sem motivo aparente também fará parte da brincadeira. Quando param de se mover e começam a conversar, é porque estão planejando a próxima rodada de arremessar-subir-saltar-inventar, ou porque estão elaborando uma forma de fazer as meninas darem mais gritinhos quando eles arremessarem-subirem-saltarem etc. Adoro meninos pré-adolescentes. Em geral, eles são maravilhosamente previsíveis. É sério. Se surge uma desavença, eles a resolvem com um empurrão ou um grito e, cinco minutos depois (se tanto), já voltaram a arremessar-subir-saltar juntos como se nada tivesse acontecido.

Em seguida você observa as meninas pré-adolescentes.

Um pouco mais calmas que os meninos dessa idade, caminham até o pátio, às vezes de braços dados, tagarelando sobre algo que *todo mundo* sabe, pois falam sem parar, quer você queira ouvir ou não, e logo se dividem em grupinhos. Um grupo fica perto da cerca. Outro se reúne ao redor dos brinquedos que ninguém mais usa, pois não quer "pagar mico". Um terceiro grupo estaciona junto do bebedouro; afinal, depois de tanto arremessar--subir-saltar-inventar-socar, os meninos ficam com sede e, embora sejam uns Malas Sem Alça Ridículos, têm algo de fascinante. Algumas meninas não parecem ter uma turma, mas, em vez de se juntarem e formarem seu próprio grupo, caminham com ar melancólico pela periferia dos outros grupos, algumas claramente desejosas de serem convidadas a participar da conversa, outras fingindo, de modo igualmente óbvio, que não ligam a mínima por ficarem sozinhas.

Uma vez formados os grupos, é possível que tenham início algumas atividades. Um grupo pula corda ou dança uma coreografia. O outro grupo senta-se e faz algo que, a cada cinco minutos, gera um acesso de gritinhos. E o grupo perto do bebedouro passa o tempo revirando os olhos e jogando o cabelo para trás, na esperança de que um dos meninos revelará algum segredo do universo masculino sobre o qual elas poderão escrever bilhetinhos umas para as outras o resto do dia.

Quando toca o sinal, meninos e meninas voltam para a sala de aula, onde farão exercícios de matemática e usarão palavras do vocabulário novo em frases. Mas uma das partes mais importantes da educação deles acabou de ocorrer entre os balanços e escorregadores do pátio.

Os meninos estão aprendendo como se destacar, provar seu valor, se tornar independentes e, ainda assim, continuar a ter um lugar dentro do grupo, pois, afinal de contas, com quem você vai arremessar-subir-saltar-inventar--socar se não for com os amigos?

E as meninas? Estão aprendendo a formar vínculos, dar e receber, cuidar e ser cuidadas, pois, afinal de contas, como você vai descobrir quem é e como deve se comportar se não tiver amigas? Amigas chegadas. *Melhores* amigas.

Se você está educando uma filha pré-adolescente, nada disso é novidade. O que talvez cause surpresa seja quanto é difícil entender o que se passa, embora você também tenha sido menina. Uma visão panorâmica do universo pré-adolescente das amizades pode ajudá-la a lembrar por que, para sua filha, elas são uma questão de vida ou morte social.

Vamos esclarecer

A meu ver, existem quatro coisas que você precisa saber sobre o âmbito das amizades pré-adolescentes.

Por que as amigas são tão importantes para as pré-adolescentes

O primeiro motivo é, surpreendentemente, hormonal. É sério. Mais uma vez, recorro a minha fonte confiável, Elium e Elium:

> Nossas filhas desenvolverão suas próprias expressões singulares, mas a progesterona e o estrogênio influenciam os indivíduos do sexo feminino a formarem relacionamentos, terem consciência deles como um todo, se comunicarem e participarem deles.[1]

Talvez sua filha seja introvertida e se contente com apenas algumas amigas, com as quais ela não deseja passar 24 horas por dia, 7 dias por semana. Mas deixe uma delas se mudar de cidade para você ver o que acontece. A necessidade de criar vínculos profundos é tão inerente à pré-adolescência quanto a puberdade.

À medida que sua filha cresceu, seu círculo de relacionamentos se tornou mais amplo e, agora, também está se tornando mais profundo. Ela ocupa o centro desse círculo, o que não significa que ela é *egocêntrica* ou quer manipular todos (embora algumas meninas queiram!). Trata-se apenas de sentir-se segura quando essas pessoas importantes estão ao seu redor. Seu desenvolvimento psicológico natural não a encaminha para um estado de separação e autonomia.[2] Como é natural do gênero feminino, sua personalidade adquire forma, força e foco dentro dos relacionamentos, no modo como ela interage com as pessoas, especialmente com meninas de sua idade. Essas interações são mais complexas agora do que quando elas brincavam juntas nos balanços e depois iam para casa. Como vimos na primeira seção, ela está descobrindo sua identidade e precisa entender como se sairá em seu mundo, onde todas as outras meninas estão tentando fazer o mesmo. É seu primeiro passo, seu primeiro círculo, e se a reação for positiva, ela terá certeza de que não há nada de errado com a identidade própria que está descobrindo. Não é de admirar, portanto, que ela se apegue às amigas como se fossem salva-vidas. São mesmo.

Não se trata apenas de passar tempo com as amigas. Ela está aprendendo com as amigas (e vice-versa) aptidões importantes para a vida. Como conviver bem com as pessoas. Que tipo de pessoa ela deseja ter em sua vida. Como reagir a conflitos e lidar com eles. Como confiar e ser confiável. Ser honesta. Demonstrar respeito. Compartilhar e oferecer apoio. Claro que ela não descreveria seus relacionamentos dessa forma. Para ela, as melhores amigas existem para que:

- Riam juntas até perder o fôlego.
- Tenham conversas inteiras sem dizer uma só palavra se estiverem em lados opostos da sala de aula.
- Completem as frases uma da outra.
- Falem sua própria linguagem.
- Contem uma para outra coisas que não diriam a mais ninguém.
- Defendam uma à outra quando o mundo for mau.
- Sejam totalmente autênticas quando estiverem juntas.[3]

Só de fazer essa lista me dá vontade de telefonar para uma das minhas amigas e convidá-la para tomar café comigo.

O que é normal numa amizade pré-adolescente

Todos os itens da lista mencionada são normais. Qualquer coisa que promova alegria e uma interação saudável é normal. Ter isso o tempo todo no relacionamento não é normal. Estamos falando de pessoas (e bem jovens!), de modo que é natural surgirem problemas e conflitos. Para você, como mãe, o desafio é saber quais são os percalços naturais e quais são os sinais de que há algo de errado.

Quando converso com as pré-adolescentes apresento essa questão para elas da seguinte forma:

> Certas coisas acontecem em quase todos os grupos de amigas. Levante a mão se você já passou por isso:
>
> - O grupo deixa uma menina de fora.
> - Você costumava ter amizade com uma menina, mas acabaram se afastando numa boa.
> - De vez em quando vocês discutem e não falam uma com a outra, mas depois voltam a ser amigas.
> - Alguém se magoa, mesmo não sendo a intenção do grupo (por exemplo, a brincadeira de dar apelidos umas para as outras acaba indo longe demais).
> - Vocês se irritam umas com as outras.
> - Uma menina que não se enturma com vocês encontra outro grupo numa boa.

- Você sabe que precisa acabar de vez com uma amizade (tipo, se uma amiga de longa data se envolve com coisas erradas).[4]

Em todas as minhas palestras, nunca vi uma menina que não levantasse a mão pelo menos uma vez. Elas fazem que sim com cabeça e até trocam olhares significativos com as amigas, pois, como em quase todos os relacionamentos, as chatices normais, como ciúme, mágoa ou irritação ocasionais são resolvidas rapidamente ou passam depois de um tempo. Pode acontecer até de algumas amizades terminarem sem grandes pesares, à medida que as meninas desenvolvem novos interesses, vão para classes diferentes, ou simplesmente perdem contato umas com as outras.

Uma das maiores preocupações que ouço as mães expressarem é: "Como saber se o pequeno círculo de amigas de minha filha não é uma panelinha fechada? Lembro-me de como esses grupinhos arrogantes eram maldosos quando eu tinha a idade dela". A julgar pelo modo como as narinas delas se dilatam quando me perguntam isso, não tenho dúvidas de que elas lembram e de que sua preocupação seja justificada. Para discernir se é isso que está acontecendo no grupo de sua pré-adolescente, observe as seguintes diferenças entre a panelinha e o grupo de amigas:

O *grupo de amigas* é um bando de três a, talvez, cinco meninas que andam juntas porque têm interesses em comum (e não apenas porque vestem o mesmo tipo de roupa ou são da mesma classe social), e que se mostra aberto para receber novas amigas que curtem as mesmas coisas. Não há requisitos para fazer parte do grupo, além da disposição de ser autêntica e aceitar a autenticidade das outras.

A *panelinha* é uma tribo de três ou quatro meninas (nessa idade, raramente mais) que estão juntas por decisão da líder. A líder também decide quem entra e quem sai. As meninas expulsas da panelinha ou que não fazem parte dela são excluídas de todas as suas atividades. Aquelas que desejam entrar devem preencher certos requisitos que normalmente são baseados no bairro onde moram, na roupa que vestem e nos objetos que possuem. Quem já faz parte da panelinha precisa se esforçar para se manter dentro dela, pois o *status* dos membros muda de acordo com os caprichos da líder. A panelinha não incentiva a individualidade; a participante baseia seu valor no fato de ser aceita pelas outras meninas. Embora existam grupos fechados na periferia da sociedade pré-adolescente, nessa idade a maioria das panelinhas é de Garotas Populares. (No final do ensino fundamental, pode ter o acréscimo de alguns meninos.) Antes que nós, mães cristãs, imaginemos que estamos acima desse fenômeno, convém lembrar que panelinhas são comuns em escolas cristãs e também na igreja. Em qualquer ambiente frequentado por pré-adolescentes, há imenso potencial para incitar ódio e descontentamento, uma questão da qual trataremos no capítulo 10.

O que dizem as minimulheres

No primeiro ciclo do ensino fundamental, minha melhor amiga estudava em outra classe, então eu nunca encontrava com ela. Eu fazia parte de uma panelinha que era supermaldosa com uma menina. Todos os dias, eu voltava para casa chateada, porque eu sabia o que estava acontecendo e não fazia nada para mudar a situação. Era bem estressante.

Minha mãe foi esperta. Ela disse para eu sair daquela situação e falou que as meninas da minha turma eram cruéis, mas eu não conseguia aceitar a ideia de não ser uma das garotas populares. Quando fui pro segundo ciclo, acho que finalmente entendi. Teria sido melhor se eu tivesse dado ouvidos a minha mãe antes. Eu teria evitado um monte de problemas.

14 ANOS

Com essa realidade em mente, só é preciso ouvir (enquanto você finge não ouvir) as conversas de sua filha com as amigas para determinar se seu círculo é uma panelinha ou um grupo aberto.

Contudo, o fato de todas as meninas falarem de forma parecida ou darem a impressão de que dividem o mesmo cérebro não significa que o grupo é um clube exclusivo. "Pensamento coletivo" é algo comum entre as pré-adolescentes e nem sempre é nocivo. Ter o mesmo gosto para músicas, a mesma opinião sobre meninos e o mesmo vocabulário de gírias faz parte da diversão de ser um membro da turma. Quando, porém, a menina aceita que precisa fazer tudo o que o grupo pede para continuar na turma, o "pensamento coletivo" se torna preocupante.

Quais são os desafios

Uma vez que as pré-adolescentes são socialmente imaturas, considerando a vida como um todo, embora nem sempre o sejam para sua idade, é natural que cometam vários erros, especialmente pelo fato de seus relacionamentos serem tão intensos e importantes. As consagradas tradições femininas da fofoca, da exclusão e da manipulação verbal vão muito bem, obrigada, entre as pré-adolescentes (e isso porque estamos falando de um grupo de amigas!). Quando a coisa fica feia, a agressão verbal continua a ser a arma preferida das meninas. Na verdade, faz sentido, pois, dentro do útero, o maxilar do feto do sexo feminino se desenvolve e começa a se mover antes do maxilar do feto do sexo masculino. Incrível, não?

Mas só porque essas atitudes maldosas aparecem com frequência, não significa que são aceitáveis ou que devem ser permitidas como parte das "coisas de menina". Meninas que agem desse modo agora, se tornarão mulheres que:

- Fazem fofocas maliciosas pelas costas.
- Contam mentiras e espalham boatos.
- Não guardam segredo.
- Controlam a amizade de modo unilateral.
- Reprimem sentimentos honestos.
- Têm ciúmes.
- Fazem gozações cruéis e que magoam.
- Excluem e desprezam os outros.
- Mostram-se possessivas.
- Vivem fazendo drama.

E depois a gente diz que os *meninos* são uns Malas Sem Alça Ridículos!

Não se trata de as pré-adolescentes terem uma alma perversa. Apesar dos olhares faiscantes e das expressões de nojo e desprezo, sua maldade não é gratuita. Quando tratam amigas como se fossem piores inimigas, ou permitem que outras as tratem desse modo, sempre há um motivo. Algumas possibilidades:

- Estão se esforçando para manter os relacionamentos e, ao mesmo tempo, desenvolver uma identidade individual[5] ("Será que ainda vão gostar de mim se souberem quem eu sou?").
- Ainda não entendem o conceito de reciprocidade, de modo que se doam para os outros à custa de suas próprias necessidades, ou imaginam que ser amada é sinônimo de conseguir o que se deseja ("Se eu não ceder,

ela não será minha amiga", "Se ela for minha amiga de verdade, fará o que eu quero").

• Uma vez que ainda não sabem muito bem como pedir de forma direta aquilo que desejam no relacionamento, usam de manipulação ("Se eu fizer greve de silêncio, ela vai parar de falar com a outra menina e vai me perguntar o que aconteceu").

• Têm medo de serem legais demais e de alguém se aproveitar delas, de modo que se protegem ("Se eu ceder desta vez, ela vai me fazer de capacho da próxima vez").

• Precisam de reafirmação constante de que a melhor amiga *ainda é* a melhor amiga, e só sabem obtê-la ao exigir provas ("Vou dizer que ela não pode mais ser minha amiga se quiser andar com aquela outra menina. Se ela for minha amiga de verdade, vai escolher ficar comigo. Especialmente porque eu tenho piscina em casa. E Wii. E Dance Dance Revolution").

O que dizem as minimulheres

Minha amiga tava sendo superegoísta e maldosa, e só me ignorando e dando atenção pra outras amigas. Se minha mãe e eu tivéssemos tempo pra conversar sobre isso, ajudaria.

11 ANOS

Não é fácil lidar com o que acontece dentro de uma amizade, mas pelos menos é uma amizade. Algo que magoa a pré-adolescente ainda mais (e sua mãe também) é o fim de um relacionamento ou a ausência total de amigas. A menina acabou de mudar de escola ou de classe e ninguém a conhece. As amigas de antes fizeram novas amizades. Ou ela simplesmente não consegue formar vínculos com as pessoas. A solidão, o vazio e o medo tornam difícil ir à escola, onde todas as "vagas" para amigas já estão ocupadas e ela não consegue se enturmar. Para dizer a verdade, só de pensar *agora* em como é estar nessa situação, me dá um friozinho na barriga.

Quando se preocupar

Há certas situações que devem deixá-la de antena ligada. Mesmo que não exijam seu envolvimento ou intervenção, elas requerem atenção. Mais adiante, conversaremos sobre as medidas que você pode tomar. Fique atenta se:

• Ela só andar com meninos. Eles são ótimos amigos para as pré-adolescentes, mas se ela não interage com meninas da sua idade também, é bom investigar a razão.

• Todas as amigas forem bem mais velhas que ela (digamos, mais de dois anos). Ter contato com uma ou outra menina de mais idade, que ela respeite como se fosse uma irmã mais velha, enriquecerá a vida dela, desde que você as considere bons exemplos. Se, contudo, ela só passar tempo com meninas de outra faixa etária, terá de agir como se fosse mais velha para acompanhá-las e pulará passos importantes do desenvolvimento.

• Ela passar todo o tempo sozinha. Não é saudável para o menino ser solitário, mas para a menina beira a patologia. Talvez ela diga que está sozinha por escolha própria, mas provavelmente não é o caso. Algo a está impedindo de buscar a companhia de colegas da mesma idade e é preciso descobrir o quê.

• Ela mostrar sinais de depressão: mudanças de apetite e do sono, queda nas notas, perda de interesse em atividades que ela costumava curtir, raiva ou retraimento. Essa descrição é um tanto parecida com os efeitos da puberdade, mas se o quadro persistir por mais de duas semanas, sem qualquer melhora no humor ou nos sintomas, significa que algo além dos hormônios está afetando seu comportamento. Embora a depressão infantil tenha outras causas situacionais, problemas de relacionamento ocupam o alto da lista.

• Ela estiver sendo alvo de *bullying*. Agressões deliberadas dos colegas, sejam elas verbais, físicas ou mentais, constituem uma situação séria. Tanto que dedicamos um capítulo inteiro a todos os tipos de *bullying*. Trata-se de algo tão importante que, se você sabe que é o caso de sua filha, sugiro que passe de imediato para o capítulo 10.

O que dizem as minimulheres

Minha mãe ajudou bastante e me incentivou a escrever pras minhas amigas quando a gente se mudou. Também me consolou quando elas não responderam. Quando o correio devolveu as cartas que eu tinha escrito pra elas, ela me ajudou a lembrar que, apesar de eu não poder me comunicar com elas, posso lhes enviar meu amor, que não precisa de selo, nem de papel de carta, nem de envelope. Eu ainda gosto delas, oro por elas e espero que a gente se encontre algum dia. Não sei se teria encarado a situação desse jeito sem minha mãe.

12 ANOS

Do Pai celestial

Nos cursos que dou sobre os encontros e desencontros dos relacionamentos entre meninas, costumo ler com as pré-adolescentes 1Coríntios 13.4-7. Quando usamos a expressão "verdadeira amizade" no lugar da palavra "amor", elas mostram pela linguagem corporal como entenderam bem a passagem.

A verdadeira amizade "não inveja, não se vangloria, não se orgulha" (v. 4). *Alguém engole em seco.*

A verdadeira amizade "não guarda rancor" (v. 5). *Alguém se ajeita na cadeira.*

A verdadeira amizade "não se alegra com a injustiça" (v. 6). *Alguém enrubesce.*

Apresso-me em garantir, porém, que se 1Coríntios 13 não descreve as amizades delas no presente, não significa que são fracassadas. É o momento perfeito para dizer: "É o seguinte, minimulheres, essa é uma das paradas mais difíceis de encarar, mas vai valer *muito* a pena depois vocês desenvolverem algumas dessas habilidades".

Digo-lhes que a ajuda para adquirirem essas habilidades está bem perto delas, no evangelho. Jesus fala com frequência sobre relacionamentos. "Bem-aventurados os misericordiosos", ele diz nas bem-aventuranças, "pois obterão misericórdia" (Mt 5.7).

Mais adiante no mesmo sermão, ele instrui: "Portanto, se você estiver apresentando sua oferta diante do altar e ali se lembrar de que seu irmão tem algo contra você, deixe sua oferta ali, diante do altar, e vá primeiro reconciliar-se com seu irmão; depois volte e apresente sua oferta" (Mt 5.23-24).

Fico imaginando se Jesus nos deu o seguinte conselho simples e objetivo porque sabia que, se não nos lembrássemos de mais nada, guardaríamos estas palavras na memória: "Assim, em tudo, façam aos *outros* o que vocês querem que eles lhes façam" (Mt 7.12, grifo da autora).

Tendo em vista estas serem apenas algumas das passagens que Jesus oferece, parece-me apropriado dizer que a Bíblia é o guia para tudo o que acontece com as meninas (na verdade, com qualquer um de nós). Quando as pré-adolescentes e eu investigamos esse assunto, eu lhes dou como base o resumo da Lei, citado no início deste capítulo:

- Ame Deus.
- Ame o seu próximo.
- Ame a si mesma.

Garanto para elas que cada uma já está colocando isso em prática.

É possível que vá à igreja e à escola dominical, leia a Bíblia e tenha seu momento particular com Deus. Logo, está aprendendo mais a respeito de DEUS, mesmo que os sermões sejam longos e que sua mãe a faça usar uma roupa brega para ir ao culto.

Ter amigas é, tipo, a coisa mais importante da vida no momento, e você passa um bocado de tempo ao telefone, rindo pelos cantos e indo dormir na casa de suas amigas, o que significa que está aprendendo mais a respeito de OUTRAS PESSOAS (isto é, o seu próximo).

Está descobrindo se prefere jogar futebol, fazer aulas de dança ou pintar as unhas dos pés de seu pai enquanto ele dorme, o que significa que você está aprendendo mais a respeito de SI MESMA.

"Estão vendo?", explico para elas, enquanto param de rir do comentário sobre pintar as unhas do pai. "Vocês já sabem do que se trata. Não precisam decorar 1Coríntios 13.4-7 como se fosse uma lista de regras sobre amizade. Lemos em Romanos 13.8,10: 'Não devam nada a ninguém, a não ser o amor de uns pelos outros, pois aquele que ama seu próximo tem cumprido a Lei. [...] Portanto, o amor é o cumprimento da Lei'".

Digo-lhes que, quando estiverem prestes a tomar uma decisão relacionada a uma amizade, devem se perguntar: "Isso mostra amor por Deus, pela outra pessoa E TAMBÉM por mim mesma, como eu sou de verdade?".

É isso que digo para elas. Se você lhes disser o mesmo, talvez elas possam, verdadeiramente, transformar o mundo como sonham em fazer.

E você?

Você já sentiu o que vem pela frente, não? Sabe que vou sugerir que você reflita sobre como exemplifica as aptidões relacionais para sua filha pelo modo como interage com *suas* amigas. Mas lembre-se de que: a) sua reflexão não deve assumir a forma de autoflagelação; e b) no fim das contas, a verdade é que você tem se saído bem melhor do que imagina. E ao ver aquilo que você está fazendo de certo, poderá acertar ainda mais.

Para facilitar, vamos a algumas perguntas específicas. Que tal começarmos com o marido?

- Você e ele conseguem ter opiniões diferentes sem haver uma ruptura?

- Se você comete um erro, tem medo de perder o respeito dele?
- Vocês conseguem concordar em discordar, sem rancores nem silêncios?

E quanto às consequências de amizades que lhe causaram dor? (Preciso dizer que sua pré-adolescente com certeza reparou no que aconteceu?)

- Você sofreu "com dignidade"?
- Guarda ressentimentos?
- Tem dificuldade em se esquecer das ofensas?
- Fala mal das pessoas que a magoaram — para sempre, eternamente, amém?

E com relação a suas amigas atuais? Sugiro que você faça a mesma autoavaliação que as meninas fazem no curso Palavras que Destroem, Palavras que Constroem.

Você alguma vez disse...

- "Não quero falar mal dela, mas..."
- "Deixa eu contar pra você o que ela disse pra mim!"
- "Aí ela disse 'não', e eu disse, como assim?" (Ou qualquer coisa do gênero.)
- "Ela é uma ____________." (Não precisa ser um nome obsceno para ser considerada uma "palavra que destrói".)
- "Se eu não fosse cristã, eu teria dito pra ela que ______________."
- "Não tenho 100% de certeza se é verdade, mas não duvido que..."

Nenhuma de nós é a amiga perfeita. O que constrói bons relacionamentos é a *intenção* de ser cada vez melhor. Mova-se nessa direção e sua filha certamente seguirá seus passos.

Mãos à obra

"Eu tive dois casos bem chatos em que minhas amigas foram muito, muito horríveis. Minha mãe me ajudou a superá-los. Ela me consolou e me amou e me ajudou a agir como Jesus."

A declaração acima, de uma menina de 12 anos que acompanha meu blog, resume tudo. Cabe à mãe prover segurança emocional para a filha em meio aos encontros e desencontros com outras meninas, e não dar um fim neles. Ao eliminar as chances que ela tem de analisar, procurar soluções e ponderar questões, você também elimina as oportunidades de aprendizado. Esse aprendizado, contudo, pode ser doloroso, e sua parte consiste em ajudá-la a se beneficiar da dor.

Sua função pode ir desde a ajuda para traçar um plano detalhado de como lidar com o problema, até uma simples pergunta do tipo: "Você parece meio chateada. Quer conversar?". Aliás, a primeira coisa a fazer é perguntar à sua pré-adolescente quanto ela quer que você se envolva. Talvez nem seja necessário perguntar, se você já sabe que ela é do tipo independente, que gosta de fazer tudo por conta própria desde que começou a engatinhar, ou se ela costuma ser indecisa e se fechar. Ainda assim, acho interessante dar a sua filha a oportunidade de dizer: "Seria legal se você me ajudasse com essa questão" ou "Quero resolver isso sozinha". De qualquer modo, você é, no mínimo, sua rede de segurança, seu ponto de referência, seu ombro amigo e aquela que a abraça e oferece o consolo infalível de uma boa xícara de chá. (Este é o momento perfeito para ela aprender os benefícios do chá, com bolachinhas e uma colher de mel.)

É bem provável que sua pré-adolescente queira que você faça ou diga algo, de modo que me pareceu apropriado fornecer uma lista do que fazer e do que não fazer, a ser usada de acordo com o estilo dela (e o seu também).

O que fazer

• Conheça as amigas de sua filha e, sempre que possível, os pais delas. Você será muito mais compreensiva se conhecer as pessoas com as quais ela está lidando. Já aconteceu de você encontrar com uma menina sobre a qual ela se queixa e pensar "Ah, agora eu entendi"?

• Faça de sua casa um lugar onde sua filha e as amigas possam ser autênticas, ter um grau apropriado de privacidade e curtir as coisas de menina, mas defina limites de espaço e tempo que sejam convenientes para você, a dona da casa. Você não vai querer ter uma invasão de sacos de dormir cor-de-rosa todo final de semana em sua sala de estar (ou talvez você queira... cada doido com a sua mania!) só para saber o que rola no círculo de amigas de sua filha sem se intrometer. Se, contudo, elas nunca se reunirem em sua casa, você saberá muito pouco do que se passa entre elas.

O que dizem as minimulheres

Eu sei que parece esquisito, mas minha mãe já me ajudou a fazer as listas de convidados para as minhas festas de aniversário. Ela me mostrou quem eu devia convidar pra vir em casa mais vezes, quem ficaria ofendida seu eu não desse tanta atenção, quem me convidou pra ir à casa dela há pouco tempo, quem não ligaria a mínima, com quem eu não devo andar e, se eu magoei alguém, como consertar... e mais um monte de coisas.

11 ANOS

• Ouça as queixas dela até o final antes de dizer alguma coisa. Se necessário, feche a boca (a sua, não a dela!) com fita adesiva. Às vezes, falar sobre o assunto é suficiente para ela colocar as ideias em ordem e entender, por si mesma, o que deve fazer. Se ela é extrovertida, com certeza é o caso. É provável que ela queira alguém para ouvi-la tanto quanto quer algum conselho (ou ainda mais).

Tenha empatia. Uma história curta (com ênfase em "curta") sobre suas próprias experiências passadas com amigas irritantes pode mostrar que você entende o que ela acabou de contar. Por exemplo: "Acho que eu sei como é isso, pois, quando eu estava no quinto ano, aconteceu uma coisa bem parecida comigo". Faça uma pausa e espere até ela pedir para você contar sua história. Se ela o fizer, dê um breve relato dos pontos principais. Do contrário, pule essa parte. (Não preciso nem dizer que essa *não* é uma boa hora para encantá-la com um relato detalhado de como todo mundo gostava de você na escola.)

O que dizem as minimulheres

Eu queria que minha mãe entendesse que às vezes eu preciso ficar só com as minhas amigas, tipo, sem ela por perto. Eu a amo, mas... dá um tempo, né?

12 ANOS

• Incentive-a a ser honesta com as amigas e a expressar os sentimentos de forma positiva e sem medo. Há várias maneiras de fazê-lo, desde algo simples, do tipo: "É só dizer o que você pensa, filha. Você tem todo o direito de se expressar, desde que não seja grossa", até uma encenação completa para que ela possa ensaiar o que dizer e como dizê-lo.

• Ilustre para ela (de modo figurado) como deve ser uma boa amizade, para que ela possa identificar o que talvez esteja faltando nas amizades dela. Não será necessário indicar o que há de errado. Uma vez que tiver uma visão panorâmica da situação, ela própria será capaz de enxergar os problemas.

• Ajude-a a entender que, se uma amizade não der certo, outras estarão à espera. Isso não significa que você deve dizer: "Fala sério! Todas as meninas querem ser suas amigas. Esquece a Fulana!". Significa, sim, que vocês duas podem se enrolar num cobertor, tomar chocolate quente e concordar que perder o afeto de alguém é mesmo muito triste.

O que não fazer

• Menosprezar a dor dela. Claro que você quer que ela se sinta melhor, mas a única maneira de sair do problema é passar por ele. A cura está do outro lado da dor. O consolo encontra-se na confirmação de que dói mesmo.

• Dizer-lhe exatamente o que fazer. Em primeiro lugar, é possível que você nem saiba. Alguns desses dramas femininos são tão complicados que nem aqueles psicólogos famosos, que têm programas de televisão, seriam capazes de entendê-los. E na verdade, a solução precisa vir dela. Você pode ajudá-la a chegar a uma conclusão, mas ela estará muito mais preparada da próxima vez (e com certeza haverá uma próxima vez) se souber que é capaz de resolver problemas por conta própria, ainda que com sua orientação.

• Sugerir como primeira alternativa que ela acabe com a amizade. De fato, algumas amizades são casos perdidos, mas a maioria merece empenho. Por motivos óbvios, não é saudável que ela desenvolva o hábito de se afastar das pessoas ao primeiro sinal de dificuldade.

• Dizer que ela desiste fácil demais quando ela resolver terminar uma amizade depois de se esforçar seriamente para conseguir a reconciliação. Todo mundo precisa aprender quando batalhar por algo e quando deixar de lado. Essa é uma aptidão muito mais importante do que saber manter uma máscara de felicidade num relacionamento prejudicial. Quer a amizade sobreviva ou não, é uma oportunidade perfeita para conversar sobre perdão: o que é (abrir mão daqueles sentimentos de "gostaria que você sumisse da face da Terra") e o que não é ("você me machucou, mas não tem problema, e se me machucar de novo, também não vai ter problema").

• Intervir e tentar solucionar o problema por ela. Nada de telefonar para as mães das meninas envolvidas. Nada de insistir para que a professora resolva a situação. Deve-se abrir uma exceção apenas quando for um caso de *bullying* que não foi resolvido de outras formas, questão da qual trataremos no capítulo 10.

O que dizem as minimulheres

Minha mãe sempre disse que, tipo, nem todas as meninas sabem ser amigas, mas que você deve se esforçar para ser uma boa amiga para elas.

11 ANOS

Em termos gerais, é isso. Quanto às situações específicas que surgem com mais frequência, pode ser proveitoso para ambas se você souber o que sugerir caso ela peça seu conselho. No curso sobre relacionamentos, chamamos isso de "As gafes da amizade e como consertá-las".

Boato chato

O período que transcorre entre alguém dizer "Eu fiquei sabendo de uma fonte confiável que ela..." e "ela" acabar aos prantos no banheiro (onde todos os corações partidos vão parar) normalmente é mais curto que o tempo necessário para fazer uma boa manicure. As repercussões, porém, podem durar um ano letivo inteiro. Para ajudá-la a colocar um ponto-final em sua participação nessa maldade, observem os seguintes passos:

1. Descubra se é verdade. Para isso, vá diretamente à fonte ou use o bom--senso.
2. Se não for, dê um basta de imediato. Recuse-se a passar o comentário adiante. Mude de assunto.
3. Se o boato for verdadeiro, pergunte-se: "Se eu passá-lo adiante, vou ajudar a pessoa ao qual ele se refere?".
4. Se a resposta for não, dê um basta de imediato.
5. Se a resposta for sim, fale com quem pode ajudar: geralmente um adulto, nunca o sexto ano inteiro.[6]

Outras palavras de sabedoria para você incluir na conversa:

- Quem faz fofoca PARA você provavelmente também faz fofoca SOBRE você.
- Quem faz fofoca NÃO É CAPAZ de guardar segredo.
- Não seja uma pessoa na qual não se pode confiar.

Observe que nenhum dos itens acima diz, de forma direta, o que ela deve fazer. Ela entenderá isso e, ao mesmo tempo, se tornará mais segura de sua própria integridade.

Botas e capachos

Uma amiga sempre consegue o que quer (em casa, a chamávamos de M-A-N-D-O-N-A, só não sei muito bem porque soletrávamos...), enquanto a outra sempre cede. Se sua filha é o "capacho", dizer "Você não pode deixá-la mandar em você" não vai ajudar em nada. Se ela soubesse como resolver a situação, já teria resolvido. É hora de ensiná-la a ser assertiva: dizer do que precisa, o que deseja ou pensa, de modo firme e educado, para que ela e as "botas" possam tomar decisões juntas.

A panelinha

Se sua filha se sente excluída da panelinha descrita anteriormente, convide-a a observar esse grupo fechado com atenção, pensar se ela quer mesmo participar dele e considerar se ele corresponde à imagem que vocês criaram juntas do que é uma boa amizade. É provável que não. Nesse caso, pergunte como pode ajudá-la a encontrar amigas de confiança, com as quais possa se divertir.

Se ela faz parte da Galera Popular e você acredita que o grupo é exclusivo demais, converse sobre o termo *inclusão*. Destaque as qualidades das pessoas mencionadas na conversa sem dizer: "Tá vendo o que estou tentando te ensinar?".

A questão se torna menos clara quando há meninas com as quais sua filha não quer andar pelo simples fato de que é impossível ser amiga chegada de todo mundo. Se você mostrar para ela que há um modo gentil de *impor limites*, isso a ajudará a evitar a tentação de ser indelicada. Ela pode aprender a dizer: "Eu estou guardando este lugar para outra pessoa, mas a gente pode conversar mais tarde, quando entrar na sala de aula" em vez de declarar: "Você não pode sentar aqui, é, tipo, um lugar reservado". Ela pode até chorar as pitangas e dizer que a turma não vai querer saber dela se a vir conversando com alguém que é considerado um fracassado. Se você tiver vontade de dizer, na lata: "Então as meninas da sua turma não são legais e você não devia estar andando com elas", tente algo do tipo: "Pelo jeito, elas não estão deixando você tomar suas próprias decisões. Você acha isso legal?". De qualquer forma, nunca é aceitável tratar outros com desprezo. Se você a vir agir de modo ríspido, chame a atenção dela assim que tiver oportunidade. Ela se rebaixou; não deixe que continue a fazê-lo.

O jogo de adivinhar pensamentos

Não é raro ouvir alguma menina dizer: "Se você não sabe do que eu estou falando, também não vou explicar". Em geral, quando ela espera que a amiga saiba o que ela deseja ou o que está sentindo, é porque tem vergonha de pedir. Pode receber um "não" como resposta e sentir-se rejeitada. Uma vez que ninguém deve ter esse tipo de expectativa, é uma oportunidade de aprendizado sobre *honestidade* e *confiança*. Você pode perguntar: "Por que você não quer dizer pra ela como se sente?" ou "Se ela não quer te dizer o que está acontecendo, quem sabe ajudaria você prometer que não vai dar piti se ela contar. Pode ser?".

A rainha do drama

Embora toda pré-adolescente tenha um lado dramático, algumas amigas são mais candidatas ao Oscar do que outras. Se sua filha está cansada de uma amiga que faz um escarcéu por qualquer coisinha, aconselhe-a a esperar até a "tragédia grega" passar, para então conversar com ela. Não participar do drama nem servir de "plateia" também ajuda, bem como dizer: "Eu acho muito mais legal quando você não está sempre em crise, indo chorar no banheiro". Se *sua filha* for a rainha do drama, será necessário ajudá-la a *escolher suas brigas*, encontrar maneiras mais apropriadas de conseguir atenção e aprender a lidar com o tédio (um dos motivos principais que leva as meninas a tumultuarem as coisas).

O monstro de olhos verdes

Nada causa mais estrago num relacionamento que os ciúmes. No entanto, considerando-se quanto as pré-adolescentes muitas vezes são frágeis e inseguras, não é de admirar que o "monstro" dê as caras com tanta frequência. Se sua filha é do tipo ciumento, ajude-a a reconhecer o fato e ver como ele prejudica as amizades. Em geral, o ciúme nasce da ideia de que ela não é tão boa quanto alguma outra pessoa. Lembre-a, portanto, de suas qualidades individuais excelentes e de seus talentos extraordinários. Mostre como transformar a sensação de "eu queria essa vitória para mim" num *elogio*, num parabéns, ou mesmo numa comemoração. "Eu queria ter conquistado essa vitória, mas não deu certo pra mim. Fico feliz que você tenha conseguido, pois com certeza você se saiu melhor."

Se o problema é o fato de a amiga estar dando atenção para outra menina, ensine sua filha a ser honesta e *pedir aquilo de que ela precisa*: "Eu fico meio preocupada quando vejo você conversando com as outras meninas porque tenho medo de você gostar mais delas do que de mim e nossa amizade não ser mais a mesma. É bobeira minha?". Se a amiga é a ciumenta da história, ajudar sua filha a entender isso a levará à conclusão óbvia: "Eu gosto da menina nova na nossa turma, mas isso não significa que você e eu vamos deixar de ser Melhores Amigas para SEMPRE!".

O que dizem as minimulheres

Quando minhas amigas estavam me obrigando a escolher entre uma ou outra, minha mãe me deu uma sugestão de como lidar com essas situações e me entendeu quando eu precisei de um tempo pra ficar na minha depois. E, principalmente, ela me ajudou a entender que é assim mesmo.

11 ANOS

Clonagem

Conversamos anteriormente sobre como é natural as pré-adolescentes quererem ter o mesmo visual e o mesmo jeito de falar, de andar, de rir e até de bufar que as amigas. Tudo tem a ver com a necessidade de se sentirem parte do grupo. Quando vai longe demais (telefonar todas as manhãs para saber o que "elas" vão vestir), pode ser incrivelmente irritante para quem é copiado, e causar respostas atravessadas ou a acusação, no meio da aula de ciências, de que "Você não tem personalidade própria!". As imitadoras podem ser incentivadas a fazer um elogio verbal (em vez de se vestirem de forma idêntica) e a procurarem seu próprio estilo singular. As imitadas podem destacar que *adoram as diferenças* entre elas. Se isso não for suficiente para dar um basta na clonagem, pode-se tentar uma abordagem gentil e honesta, do tipo: "É chato quando você me imita. Eu gosto pra caramba de você, mas assim já é demais! A gente precisa pensar num plano diferente".

Palavras sem valor

Este item é extremamente abrangente:

- Promessas não cumpridas.
- Segredos revelados.
- Murmuração ininterrupta.
- Exageros da verdade (para tornar a história mais interessante).
- Dizer mais do que o necessário.
- Mentir na cara dura.

Nesses casos, às vezes é difícil determinar qual das partes é culpada, uma vez que, na maioria das situações, a conversa envolve duas pessoas. Acho o máximo quando as meninas trocam entre si uma promessa por escrito de tomar cuidado com as palavras e relacionam de modo específico os itens da lista nos quais precisam se esforçar mais. Elas também gostam de ter um indicador físico de que é hora de parar de falar, como colocar a mão sobre a boca quando sentirem vontade de contar um segredo ou fazer uma crítica (mesmo que seja algo engraçado, que certamente fará as outras meninas rirem). Se sua filha for, de fato, a parte inocente de um relacionamento no qual a amiga mente ou não cumpre promessas com frequência, pergunte se essa é uma amizade que precisa ser mantida.

O que dizem as minimulheres

Eu sei que provavelmente todas as mães dizem isso, mas foi uma coisa da qual eu nunca me esqueci, desde que minha mãe me ensinou: "Se você não tem nada de positivo pra dizer, fique com a boca fechada". Sempre que eu me pego numa situação difícil, acho que esse conselho ajuda.

12 anos

Lidar com a rejeição

Em algum ponto dos relacionamentos de sua pré-adolescente, no meio da diversão, do crescimento e da mais pura satisfação, é garantido que haverá rejeição. Pode ser qualquer coisa, desde não ser convidada para uma festa de aniversário até ser excluída de tudo. Seu papel fundamental como mãe é mais importante que nunca nessas ocasiões. Volto a dizer que você não tem como acabar com a dor. Também não é possível simplesmente dizer: "Tudo bem, você aprendeu alguma coisa. Agora é tocar o barco". Entre um extremo e outro, encontra-se algo que quase ninguém além de você pode dar: amor incondicional e aceitação absoluta. O que não é pouca coisa, uma vez que foi exatamente isso que ela perdeu, pelo menos em caráter temporário, em seu universo pré-adolescente. Como esse amor se manifesta na prática?

Se ela perdeu uma amiga ou um grupo, quer por escolha própria ou de outros, dê-lhe tempo para vivenciar a tristeza da perda. Dependendo da menina, pode levar de algumas horas a uma semana. Se esse "luto" persistir por mais de duas semanas, você precisará ajudá-la a adquirir uma perspectiva correta da situação. Uma vez que ela tiver superado a certeza absoluta de que nunca mais terá amigos, é hora de conversar sobre o que talvez tenha dado errado e se concentrar nas gafes que talvez ela tenha cometido, e não em quanto aquelas lambisgoias são insuportáveis. Orem juntas, para que ela tenha consciência da presença de Deus ao seu lado nesse momento traumático. Não permita que ela abra mão de atividades ou as evite porque a ex-amiga frequenta os mesmos lugares. Ajude-a a recuperar o poder de ser autêntica. Diga-lhe que ela é corajosa e digna de ter a amizade de outros. Pode ser que ela revire os olhos, mas está prestando atenção e, por fim, acreditará em você. Se você observar que ela não faz novos amigos em algumas semanas, leia o parágrafo seguinte.

Se ela não consegue fazer amigos, mantenha uma atitude positiva. Evite dizer o que *ela* está fazendo de "errado" (pois, do contrário, ela teria amigas) e o que *todos os outros* estão fazendo de errado (pois, do contrário, eles perceberiam como ela é superlegal, conforme a mãe dela pode ver claramente). Pergunte o que ela espera de uma amiga. Peça para ela fazer uma lista de pessoas com as quais gostaria de ter amizade (em vez de apenas "fazer parte de uma turma"). Reflitam juntas sobre como puxar conversa com uma das pessoas da lista de um jeito autêntico.

Se ela disser: "Eu já tentei isso! Todo mundo me odeia!", peça para ela descrever o tipo de reação que ela recebe quando tenta conversar com alguém. Desse modo, é possível que você obtenha informações sobre o que acontece de fato. Talvez ela faça um pouco de pressão, ou fique nervosa e se cale, ou tenha resolvido puxar conversa justamente com a garota mais maldosa da classe. Não diga, porém: "Tá vendo? Esse é o seu problema!". A maior parte dessas atitudes é resultado de ansiedade. Quando ela se sentir mais à vontade consigo mesma (você pode ajudá-la usando as sugestões da Parte 1 deste livro), o medo se dissipará e ela não será irritante nem tímida. É extremamente difícil admitir a presença dessas características em sua filha; pense em como seria ainda mais difícil se alguém chamasse a atenção *dela* para essas falhas.

Se, de fato, não há nenhuma outra menina em seu âmbito de vivência com a qual ela possa fazer amizade, tente ampliar seu universo. Ela participa de atividades de seu interesse fora da escola? Ali ela encontrará outras meninas que compartilham desse mesmo interesse, o que é um ótimo ponto de partida para um relacionamento entre pré-adolescentes. Cuide para que ela não se isole só para evitar se machucar ainda mais. Acima de tudo, mantenha seu medo fora da equação. Se ela notar em você uma atitude de estresse do tipo "e se minha filha nunca fizer amizade com ninguém", ela acreditará nisso e terá ainda mais dificuldade de se soltar perto de outros pré-adolescentes. Se você está seriamente preocupada com ela, converse com a professora e com outros adultos que a observam e ouça o que eles têm a dizer.

A menina que está se saindo bem!

Se sua filha parece perfeitamente bem ajustada no âmbito social e, aliás, é líder do seu círculo de amigas, ou faz parte de um grupo invejado por todos, é possível que você tenha apenas lido por alto os itens até aqui. É difícil não sentir um pouco de orgulho (e com razão) se você sabe que ela está colocando em prática a instrução para "amar Deus, amar o seu próximo e amar a si mesma". Só porque ela popular, não significa que exclua outros de seu círculo de amizade. Significa apenas que as tentações e os desafios são diferentes daqueles que as meninas que lutam para ser aceitas enfrentam. Ela é uma das meninas pelas quais as outras querem ser aceitas e também precisa da sabedoria da mãe.

Portanto, observe se o círculo badalado do qual sua filha faz parte é um grupo de amigas ou uma panelinha. Se, para sua surpresa, você descobrir que ela e as amigas excluem outras meninas e as tratam de modo insensível só porque conseguem escapar impunes (porque são bonitas, espertas, bem-vestidas e obstinadas), observe-a ainda mais de perto para identificar, honestamente, o que a tem levado a agir desse modo. Será que por trás de toda essa "liderança" se esconde alguma insegurança? Ela é motivada pelo desejo de receber atenção? As coisas estão fora de controle em outras áreas e ela precisa encontrar um lugar seguro em sua vida? (Há um divórcio em andamento? Um irmão com problemas que está esgotando as reservas emocionais da família?)

Ou (sei que essa é uma pergunta difícil para você) será que ela teve tanto espaço para fazer tudo do jeito dela que agora lhe parece natural mandar em todos? Em alguns casos, ela ouviu a vida inteira como é maravilhosa e agora despreza quem a vê de outra forma. Em resumo: mesmo que ela saiba intelectualmente, e até no fundo do coração, que o modo como trata as colegas não é certo, se agisse de outra maneira, teria de abrir mão de alguma coisa que lhe satisfaz, e que evita que ela seja a maltratada. É possível que você seja a única pessoa capaz de convencê-la de que não é assim, pois você será aquela que continuará a amá-la se ela perder todo o prestígio em seu universo pré-adolescente.

Você está exausta só de pensar nessas coisas todas? Desligue-se de tudo por um minuto (ou quinze) e passe um tempo consigo mesma. Quando algo der errado nas amizades dela (o que certamente acontecerá), ela correrá para você. Esteja preparada.

Senhor, preencha a lacuna

Deus de amor, criador dos relacionamentos e da alegria que eles proporcionam, obrigada por tudo que torna minha filha amável. Nesta fase tão cheia de complicações em que ela está aprendendo a amar todos que o Senhor criou, preencha a lacuna entre aquilo que eu sei sobre o amor entre as pessoas e aquilo que ela precisa assimilar no mais profundo de seu ser. Peço em nome de nosso único exemplo perfeito, seu Filho e nosso Salvador. Amém.

10 *Quando a coisa fica feia*

Os meus pensamentos me perturbam,
e estou atordoado
diante do barulho do inimigo,
diante da gritaria dos ímpios;
pois eles aumentam o meu sofrimento
e, irados, mostram seu rancor.
SALMOS 55.2-3

Ela está tendo tanta dificuldade com as meninas na escola. Que eu me lembre, as meninas não eram tão maldosas assim quando eu tinha a idade dela.
MÃE DE UMA PRÉ-ADOLESCENTE

Obviamente, os itens abaixo são crimes no universo pré-adolescente e, portanto, quem os comete deve ser castigado:

- Ser recém-chegado;
- Não ter autoconfiança suficiente;
- Ter autoconfiança demais;
- Pertencer a algum grupo étnico que não seja branco;
- Ser branco;
- Pertencer a alguma religião que não seja a cristã;
- Ser cristão;
- Ter uma necessidade física especial;
- Ser sincero;
- Ser inteligente;
- Ser "burro";
- Ter um *hobby;*
- Não ter telefone celular;
- Usar palavras complicadas;

- Usar palavras erradas;
- Ser tímido;
- Falar alto;
- Ter cabelo ruivo...

A lista vai longe. Os castigos também. Se uma menina comete algum dos "crimes" acima (e quem não o faz em algum momento da pré-adolescência?), ela é condenada por alguém (ou um grupo de alguéns) que considera esses comportamentos "anormais". Esses alguéns são as MHMs. As Meninas Horrivelmente Maldosas. As Agressoras.

A agressora pré-adolescente tem uma descrição de cargo bem específica: 1) escolha como alvo uma menina sensível, "diferente", insegura, independente, singular, ou que não se encaixa de algum modo naquilo que você considera aceitável; e 2) acabe com essa menina — tire dela o poder de ser autêntica, usando, para isso, quaisquer técnicas sociais, verbais, emocionais, mentais ou físicas que você consiga aplicar e se safar numa boa.

Pergunte a qualquer pré-adolescente e ela lhe dirá quais são essas técnicas:

- Ela faz de tudo para que outros se sintam inferiores; ela precisa estar sempre por cima.
- Expressa abertamente sua repugnância por pessoas que considera inferiores a ela.
- Tenta levar outros a desprezar seu alvo e, desse modo, deixa a menina isolada e solitária.
- Sabe como agir como se fosse sensível, mas só o faz para conseguir o que quer.
- Em geral, tem um grupo de "amigas" que trabalham com ela (ou para ela).
- Recusa-se a assumir a responsabilidade quando magoa as pessoas; nunca pede perdão, provavelmente porque não se arrepende do que faz.
- Faz o trabalho sujo quando não há adultos por perto; não é raro os professores acharem que ela é uma menina adorável.

E como é esse trabalho sujo?

- Ameaçar ou mesmo acabar com as outras amizades da menina escolhida como alvo.

- Espalhar boatos maliciosos (não apenas fofoca).
- Insultar (não apenas fazer gozações).
- Usar olhares e gestos ameaçadores.
- Intimidar a menina por meio de telefonemas, de mensagens de texto, ou da internet.
- Ameaçá-la de agressão física.
- Agredi-la fisicamente (bater, morder, chutar, cuspir).
- Danificar ou destruir os pertences da menina na presença dela.
- Escrever pichações a seu respeito em áreas de uso comum (as divisórias do banheiro das meninas são um dos lugares prediletos).
- "Classificar" meninas e colocá-la na posição mais baixa.
- Formar uma coalisão contra ela.

Se você comparar a lista de "crimes" com a lista de técnicas e de trabalho sujo (os castigos), verá que os resultados são consideravelmente perturbadores. A menina mastiga de boca aberta, ou é de etnia mista, ou decora poesias e, por isso, tem de suportar boatos, xingamentos e ameaças contra a própria essência de sua personalidade? A maioria das pessoas diria que é uma situação abominável. E essas mesmas pessoas poderiam lhe falar do *bullying* que sofreram, do qual participaram, ou que testemunharam em sua época. Dizem que faz parte da vida dos jovens desde que Caim acertou Abel na cabeça, e têm razão. Contudo, *não* têm razão quando usam a palavra normal: "O *bullying* é horrível, mas é parte 'normal' do crescimento".

Só porque algo acontece com frequência não significa que seja aceitável. O uso de drogas ilegais é extremamente comum, mas não é "normal", "tolerável" nem "parte da fase de crescimento". O abuso praticado pelos colegas deixa marcas emocionais que formam, de modo significativo, a visão que o jovem tem dos relacionamentos. E o que é mais importante para a pré-adolescente que as amizades com outras meninas da mesma idade? Aliás, em que consiste sua pré-adolescência, senão em desenvolver aptidões para se entender com outros e formar vínculos? Não é preciso muito esforço para ver como o *bullying* é capaz de distorcer o modo como a menina verá as pessoas para o resto da vida. Não se trata apenas de uma agressão momentânea ao orgulho próprio, mas, sim, de uma perda, a longo prazo, de confiança. De segurança. De autoestima. Ademais, se tem acontecido com sua filha, se ela está envolvida de algum modo em maldade deliberada, é impossível que você, como mãe, considere a situação "normal".

Se ela não teve a infelicidade de se tornar alvo da crueldade de alguma pré-adolescente, é provável que, antes de entrar no ensino médio, no mínimo seja testemunha do *bullying* sofrido por outras meninas. A revista médica *Journal of Pediatrics* publicou um estudo no qual 25% das crianças pesquisadas afirmaram que o *bullying* era um problema sério para elas.[1] Muitas consideravam necessário evitar situações (por exemplo, treinos esportivos) das quais poderiam ter participado, para não se exporem a possíveis agressões. Nesse mesmo estudo, 45% das meninas pré-adolescentes afirmaram que haviam sido alvo de *cyberbullying*, ou seja, do uso de um equipamento eletrônico para intimidar outros.

O problema também adquiriu proporções físicas. Dados dos Centers for Disease Control and Prevention mostram que, durante o ano letivo, 8,5% das alunas se envolvem em agressões físicas dentro da escola.[2] Não se trata de escolas de periferia ou conhecidas por concentrarem alunos "problemáticos". Todas as crianças, pré-adolescentes e adolescentes correm risco de sofrer *bullying*.

As estatísticas se referem a meninas comuns, que jogam basquete e vão à escola todos os dias e cujo problema mais sério deveria ser impedir os irmãos mais novos de lerem seu diário. Não se passa uma semana sem que eu receba um e-mail de alguma criança querida que tenha sido maltratada por um bando de MHMs:

- Ela foi a única menina da classe toda a não ser convidada para uma festa do pijama na casa de alguém e, na noite da festa, as meninas foram até sua casa e rabiscaram com giz a palavra FRACASSADA na entrada da garagem.
- Ela recebeu cinquenta e-mails num único dia dizendo para ela se cuidar.
- Ela tentou participar de um jogo do grupo de pré-adolescentes da igreja, mas os outros atiraram gelo e comida nela. Sua mãe está pensando em mudar de igreja.

Toda semana. De minimulheres que querem apenas ir à igreja, à escola ou ao curso de dança sem ser humilhadas.

O *bullying* corre solto, mas não precisa e não deve ser assim. Será que é necessário dizer que as mães de pré-adolescentes têm a responsabilidade imensa não apenas de ajudar as próprias filhas a lidar com esse absurdo, mas de capacitá-las para dar um fim nele? É algo que está ao seu alcance, e creio que posso ajudá-la.

Vamos esclarecer: os vários elementos do *bullying*

É provável que você se lembre das brigas que surgiam entre as menininhas quando sua filha era pequena. "Ela roubou meu brinquedo. Ela roubou meu biscoito. Ela roubou minha amiga." É provável que você também se lembre de como era fácil restaurar a paz e conseguir que todas voltassem a brincar juntas sem maiores incidentes. "Devolva o brinquedo dela. Tem um monte de biscoitos para todo mundo. Vocês *todas* podem ser amigas." Se alguma miniatura de Menina Horrivelmente Maldosa não entendia, em geral um período curto de castigo resolvia a questão ou, infelizmente, ela não era mais convidada para brincar em sua casa. Quem bom seria se pudéssemos resolver diferenças entre pré-adolescentes com a mesma facilidade.

Mesmo que você tentasse usar agora a abordagem bem-sucedida na infância (o que resultaria em exclamações de "Mãe, você tá me fazendo pagar o maior mico!"), não funcionaria, pois: a) você não está mais com sua filha o dia todo, de modo que só fica sabendo do problema de *bullying* quando ela implora para não ir à escola nunca mais; e b) é importante que ela adquira os recursos necessários para lidar com a intimidação dos colegas por conta própria (até certo ponto, é claro, como veremos mais adiante). Você é, como sempre, a guia e a aliada de sua filha. A seguir, veja o que você precisa saber para desempenhar esse papel.

Os perigos de sofrer bullying

Raramente o *bullying* consiste num ataque isolado. Quando a agressora consegue a reação que desejava (retraimento, choro, colapso), ela se sente poderosa e no controle. Mas as lágrimas secam e a pré-adolescente resiliente que foi alvo do insulto dá a volta por cima. Para que a agressora fique por cima, terá de continuar a intimidação e criar uma ameaça permanente que, provavelmente, se tornará cada vez pior. Ela sabe como construir um círculo vicioso para suas vítimas.

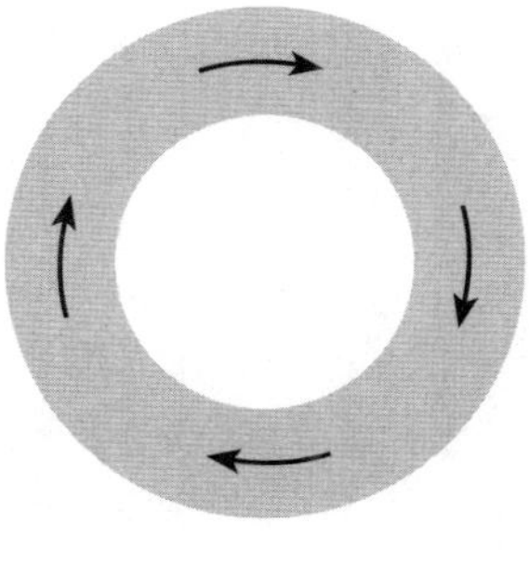

Cada vez que isso ocorre, a vítima perde mais poder de ser autêntica, o que a torna ainda mais suscetível a sofrer intimidações, até se sentir desesperada. Entre o primeiro ataque e esse sentimento de desesperança de sair do círculo vicioso, pode acontecer uma série de coisas, nenhuma delas positiva.

- Ela se convence de que tudo o que a agressora diz é verdade; sua personalidade autêntica é reprimida e ela passa a crer que é um zero à esquerda.
- Ela volta contra si mesma a raiva que sente da agressora, o que lhe dá um ar hostil, de alguém que está prestes a explodir, e dificulta o desenvolvimento de relacionamentos até com aqueles que não têm a intenção de intimidá-la.[3]
- Se a agressão for física, ela pode sofrer ferimentos; se estiver prestes a explodir por causa de agressões verbais, pode perder o controle e começar a briga (o que é quase desculpável).
- Torna-se deprimida; as notas começam a cair e ela inventa desculpas para não ir à escola; perde a alegria de realizar atividades que antes lhe davam prazer.
- No caso de intimidações contínuas, pode vir a acreditar que merece ser magoada e desenvolve anorexia ou automutilação para se castigar. Sabe-se de pré-adolescentes mais velhas que, ao passarem por situações sérias de abuso, pensaram em suicídio.
- Fica doente, com dores de cabeça ou de estômago que podem se tornar crônicas.
- Pode tentar se vingar das agressoras e se tornar, ela própria, uma delas; a personalidade maravilhosa que Deus lhe deu é distorcida e se transforma em algo muito diferente do ideal.
- Mais cedo ou mais tarde, chega à conclusão de que ninguém é digno de confiança, especialmente se a agressora costumava ser sua amiga. Passa por um longo período em que tem dificuldade de acreditar em amizades verdadeiras.
- Sua autoestima e autoconfiança em situações sociais desaparecem; ela carrega essa insegurança consigo para a vida adulta, muito depois que a agressora saiu de cena. Na verdade, sempre haverá agressores e ela sempre será facilmente intimidada por eles. O mais trágico é quando um deles é seu marido.

Perigos adicionais do cyberbullying

Como mencionamos, *cyberbullying* é qualquer ato cruel ou nocivo realizado por e-mail, website, blog, sala de bate-papo, Facebook, mensagem de texto ou ligação no telefone celular. Embora, à primeira vista, esse tipo de intimidação na qual o agressor não está fisicamente presente dê a impressão de ser menos ameaçadora do que as gozações no pátio da escola, na verdade é o contrário. Se uma menina recebe uma tonelada de e-mails dizendo para se cuidar na hora do intervalo no dia seguinte, pode não saber a quem temer e evitar. Todos se tornam agressores em potencial. Se ela recebe meia dúzia de mensagens de texto de números não identificados, chamando-a de nomes que o agressor jamais correria o risco de dizer pessoalmente, ela não sabe quem a odeia. Ir para a escola é como caminhar para o cadafalso. Ela não sabe de quem se defender. Quem viu? Quem acredita nesses boatos maliciosos a seu respeito? Toda vez que ela liga o computador, tem medo de encontrar outra foto sua que alguém modificou, uma imagem enganosa mais convincente do que as mentiras que uma MHM seria capaz de contar diante de uma plateia fascinada no banheiro das meninas.

Tudo o que vale para o *bullying* em pessoa também se aplica ao *cyberbullying*, mas, em alguns aspectos, o universo virtual tem ainda mais poder de causar estragos.

- Pode ser extremamente difícil descobrir quem é a MHM, e a maioria das pré-adolescentes não tem o conhecimento tecnológico necessário para obter essa informação.
- A agressora pode ser alguém de quem ela menos suspeita, uma vez que a menina não precisa ser líder da panelinha mais maldosa (aliás, de nenhuma panelinha) para agredi-la on-line ou por telefone. Pode se esconder por trás de seu computador e dizer o que quiser. Se ela própria tem dificuldade em se sentir importante, a agressão on-line pode ser uma forma de aumentar sua "autoestima".
- A agressão ocorre no espaço pessoal da vítima, geralmente em seu próprio lar e talvez até em seu quarto. Ela pode sentir que não tem para onde fugir. Se tiver um telefone celular, pode ser até que acorde com uma mensagem de texto ofensiva.
- Ter a possibilidade de ler e reler aquilo que alguém disse pode causar sofrimento mais profundo e frequente do que ouvir algo apenas uma vez.
- Tudo isso pode acontecer sem que os adultos sequer suspeitem.
- Outras meninas se mostram mais dispostas a se juntar e participar da agressão, pois ninguém sabe quem elas são.[4]

Logo, essas reações perigosas são ainda mais prováveis numa menina que sofreagressão anônima. Claro que nem todas essas coisas acontecem com todas as meninas que são alvo de *bullying*. Algumas encontram coragem para se afastar da intimidação e aprender com essa experiência. É possível que todas sejam capazes de fazê-lo caso recebam o tipo certo de ajuda. O problema é que, muitas vezes, quando a situação se torna insuportável e elas se desesperam e pedem socorro, o estrago já foi feito.

Por que as meninas não contam que estão sofrendo agressão de colegas

Tanto as razões para guardar segredo quanto as razões pelas quais ela é agredida (não que "razão" tenha qualquer coisa a ver com isso) dependem da personalidade da pré-adolescente. Abaixo, as mais comuns:

- A princípio, ela não percebe que é alvo de *bullying*. Pensa que é uma situação normal, com a qual ela deve ser capaz de lidar.
- Uma vez que se dá conta, sente vergonha por ser alvo de intimidações. Na sua cabeça, só os feios, burros e "sem noção" sofrem *bullying*, de modo que, se ela é agredida, terá de reconhecer que faz parte do grupo de desajustados. Melhor sofrer em silêncio. Ela não sabe que meninas extremamente independentes, inteligentes e talentosas também sofrem esse tipo de ataque.
- Sente-se frustrada consigo mesma por não ser capaz de pôr um ponto-final na intimidação. Acredita que, se não fosse tão covarde, as meninas a deixariam em paz. Imagina que talvez mereça a agressão.
- Tem medo de que, se contar para alguém, especialmente um adulto, a agressora fará algo ainda pior para se vingar. Pode ser que tenha visto o mesmo acontecer com outras meninas e imagine que, se suportar em silêncio, a situação não ficará pior. Claro que está errada.
- Pensa que ninguém pode ajudá-la. Sabe que outras meninas têm conhecimento do que se passa e não fazem nada, o que significa que não podem ou simplesmente não querem socorrê-la.
- Tem certeza de que nenhum adulto acreditará nela, pois a MHM faz questão de ser benquista por professores, conselheiros, treinadores e até, possivelmente, pela mãe da menina que está sendo intimidada.
- Não quer ser rotulada de "dedo-duro".

Por que o bullying acontece?

Imagino que você esteja se perguntando: "Por que alguém teria esse tipo de comportamento? Essas meninas são pura e simplesmente maldosas!". Eu estaria propensa a concordar, se o psicólogo Dale McElhinney não tivesse explicado para mim que cada comportamento tem um motivo por trás, uma premissa que só faz sentido para a própria pessoa. "Até mesmo os assassinos em série operam de acordo com uma premissa básica", ele diz. "Embora seja falsa, serve de referência para suas escolhas tanto quanto nossa fé nos dá base para decisões mais sãs."[5] Claro que não estou sugerindo que as agressoras pré-adolescentes se transformarão em sociopatas quando crescerem. De modo algum. No entanto, têm seus motivos para despedaçar o coração das colegas, motivos que precisamos conhecer não para justificar suas ações, mas para tratar e curar o bullying em todos os seus aspectos.

Quais são, então, algumas dessas premissas?

1. *Gritar e humilhar são formas normais de tratamento.* É provável que a menina trate outros da forma como é tratada. Se alguém grita com ela e a humilha com frequência em casa, o que mais ela saberá fazer? Se não agir desse modo, além de ser vítima em casa, também o será em todos os outros ambientes. Certo tipo de personalidade não permite que isso aconteça.

2. *A única maneira de receber atenção é obtê-la à força.* Se a menina é naturalmente extrovertida, gosta de estar sob os holofotes (o que, em si, não é necessariamente ruim) e não recebe atenção alguma em casa, além de ansiar por essa atenção, sente raiva quando não a recebe das pessoas que deveriam provê-la. Está coberta de razão. Seu erro, porém, é pegar a raiva reprimida e o anseio por ser o centro das atenções e descontá-los numa menina que não tem nada a ver com isso, até mesmo numa menina que lhe poderia oferecer atenção de forma positiva, caso não estivesse sendo perseguida e humilhada por ela. Que ironia mais triste!

3. *Se você não ficar por cima, acabará por baixo e será esmagada.* É comum as meninas adotarem essa premissa quando já sofreram *bullying* e têm a oportunidade de começar do zero em outro lugar. Parece-lhes uma boa ideia galgar a posição mais alta em seu novo ambiente antes que alguém pense em agredi-las outra vez.

4. *Não permita que outros vejam suas fraquezas.* É estranho imaginar a agressora como uma garota assustada, mas muitas vezes ela tem tanto medo

de que outros descubram sua "fraqueza" (um distúrbio do aprendizado, uma situação familiar negativa, sua insegurança básica) que ela sente necessidade de mostrar constantemente quanto é poderosa.

5. *Todo mundo quer passar por cima de você.* Ela aprendeu em casa que todo mundo só quer se aproveitar das pessoas e magoá-las, então por que não tomar a iniciativa e fazer o estrago antes que os outros tenham a oportunidade de machucá-la?

6. *Se eu mando em minha família, por que não mandaria em minha classe?* É assustador quando encontro com os pais de uma MHM e descubro que são pessoas amorosas, decentes e atenciosas que fariam qualquer coisa pela família. É aí que mora o problema. Se os pais deixam a menina dominar a casa, falar com os membros da família como bem entender e exigir que todos os seus caprichos sejam atendidos, é impossível esperar que ela ligue a mínima para as necessidades dos outros de fora de casa. Quando algo lhe é negado, ela está acostumada a infernizar a vida de todos até conseguir o que deseja. Não importa se são seus pais, suas "amigas" ou a ralé que ela considera tão irritante — se a contrariarem, terão problemas. Esse é o tipo de agressora que a mãe tem mais dificuldade de reconhecer.

7. *Aprendi com as mulheres na TV e nos filmes que preciso ser poderosa.* Faz tempo que a agressão física não é apresentada na mídia como comportamento antissocial, e há cada vez mais figuras femininas consideradas "exemplos de vida" que recorrem a chutes e tiros. No tocante à MTV, há uma correlação indubitável entre o contato com seus vídeos e a incidência de brigas entre crianças, pré-adolescentes e adolescentes de ambos os sexos.[6] A menina que já tem a tendência de ser agressiva recebe ainda mais incentivo de nossa cultura perniciosa, que exalta as "garotas sensuais e duronas".

8. *Eu sou cristã, você não é.* Já vi isso acontecer. Algumas pré-adolescentes desinformadas são capazes de levar ao extremo o conceito de "incrédulo". Desprezam as meninas que não conhecem Cristo, excluem-nas sem qualquer sensibilidade de seu círculo de amigas "salvas", dizem-lhes que Deus não as ama porque não aceitaram a Jesus Cristo como seu Senhor e Salvador, espalham boatos de que elas são ateístas ou talvez até satanistas. Não prestaram atenção na parte em que Jesus teve um acesso de ira no templo porque as panelinhas religiosas estavam fazendo exatamente a mesma coisa. O apego a uma igreja, combinado com uma teologia do tipo "nós contra eles", muitas vezes alimenta essa atitude.

Como saber se sua filha está envolvida com bullying

Na verdade, podemos dizer com certeza que ela está ou estará envolvida de algum modo, em algum momento. Usando o título de uma obra de Barbara Coloroso, que explora em profundidade o problema do *bullying* entre meninos e meninas, existe a grande probabilidade de ele ser a agredida, a agressora ou uma testemunha passiva.[7] Não obstante a categoria em que ela se encaixe, é possível que não compartilhe essa informação com você. É importante, portanto, que você conheça os sinais a fim de ajudá-la. Ela precisará de você.

Sinais de que ela está sendo agredida:

- Quando ela fala sobre outras meninas, expressa confusão, confiança traída, mágoa, tristeza ou raiva, não só de vez em quando, mas com frequência.
- Deixa de participar de atividades que costumavam lhe dar prazer.
- Era boa aluna, mas tem enfrentado problemas nos estudos.
- Mostra-se retraída e indiferente, mais do que se pode atribuir às mudanças de humor da puberdade.
- De repente, talvez sem oferecer qualquer explicação, parece não ter mais amigos.
- Apresenta sintomas de ansiedade quando precisa ir à escola ou a atividades com outras meninas. Hiperventilação, crises de choro inexplicáveis e paralisação por medo são ocorrências comuns.
- Desenvolve sintomas físicos misteriosos, como dores de estômago, dores de cabeça crônicas e náusea constante, todos bastante reais.
- Objetos pessoais importantes para ela, como joias, desaparecem. É possível que ela não saiba explicar o que aconteceu com eles.
- Retrai-se para o seu próprio mundo quando está com a família ou no meio de muita gente, a ponto de ser difícil conseguir sua atenção. Quando ela volta desses devaneios, às vezes não tem consciência do que se passou ao seu redor.
- Tem pesadelos ou dificuldade de pegar no sono.
- Torna-se excessivamente emotiva com questões mínimas em casa e reage com raiva inapropriada ou choro descontrolado, e você sabe que não é apenas TPM.

- Menciona pensamentos de morte, ou você observa cortes, arranhões ou hematomas que ela não consegue explicar (ou se recusa fazê-lo).
- Perde a vontade de comer, de tomar banho, de pentear o cabelo, coisas que normalmente uma pré-adolescente se orgulha de fazer sozinha.

Sinais de que ela é a agressora:

- Usa linguagem pejorativa quando fala de outras meninas, termos como *fracassada*, *boba*, *burra* e *feia de doer*.
- Não tem um relacionamento descontraído com as amigas. Nada de rir, abraçar e tagarelar. Suas interações são cheias de desentendimentos e mau humor.
- Tem dificuldade em obedecer às regras e usa de manipulação para se esquivar delas.
- É a aluna predileta da professora ou sempre se mete em encrenca por questionar as figuras de autoridade.
- De vez em quando, você recebe um telefonema de alguma mãe dizendo que sua filha foi maldosa com a filha dela. Quando você confronta sua filha, ela não se abala. É mais provável que diga algo do tipo: "Aquela menina é uma chorona. Não sabe levar nada na brincadeira".
- Não lida bem com o estresse. Explode por causa de coisas pequenas e se frustra com facilidade quando algo não dá certo.
- Tem variações excessivas de humor e, por vezes, apresenta sintomas de depressão.

É interessante como a vítima e sua agressora apresentam tantos comportamentos parecidos. Tudo indica que ambas agem em função de alguma dor. Triste, não?

Sinais de que ela é uma testemunha passiva (vê o *bullying* em andamento regularmente):

- É possível que conte para você parte daquilo que tem visto acontecer, embora seja raro dar todos os detalhes.
- Se você sugerir que ela intervenha, é possível que recue, diga que não é tão grave assim e peça para você não falar nada.

• Pode se tornar mais protetora do que de costume em relação ao seu próprio grupo de amigas. Elas conversam sobre uma menina ou grupo do qual se mantêm conscientemente afastadas.

• Pode se mostrar defensiva a respeito dos motivos de fazer vistas grossas para o problema. "Não quero ser a próxima vítima." "Mesmo que eu conte, ninguém vai fazer nada. Os adultos acham que ela é a perfeição em pessoa." "Não adiantaria entregá-la. O pai dela é, tipo, podre de rico. Ela sempre se safa de tudo."

Se você acabou de perceber que sua filha provavelmente está sofrendo agressão, é uma agressora ou tem visto outra pessoa ser agredida, com certeza não é o momento mais feliz de sua vida como mãe. Esse é o lado sombrio da infância, e mãe nenhuma quer que sua filha tenha qualquer envolvimento com ele. Mas não desanime. Você pode ser de grande ajuda para sua menina, mais do que qualquer outra pessoa na vida dela. Aliás, é possível que ninguém mais a ajude. Você terá de prover orientação prudente e, por sua vez, precisará obter orientação, começando, é claro, por seu Pai.

Do Pai celestial

Há um texto bíblico que eu considero o "Salmo do Intimidado". É impressionante como ele se aplica às nossas minimulheres.

Sem dúvida, o salmista Davi havia sido intimidado e agredido:

> Os meus pensamentos me perturbam,
> e estou atordoado
> diante do barulho do inimigo,
> diante da gritaria dos ímpios;
> pois eles aumentam o meu sofrimento
> e, irados, mostram seu rancor.
>
> SALMOS 55.2-3

Ele apresenta todos os sinais presentes na menina que sofre *bullying*:

> O meu coração está acelerado;
> os pavores da morte me assaltam.

Temor e tremor me dominam;
o medo tomou conta de mim.

v. 4-5

O agressor, contudo, não é um inimigo vindo de uma terra estrangeira (ou, no nosso caso, um desconhecido qualquer no *shopping center*), mas um colega próximo:

Se um inimigo me insultasse,
eu poderia suportar;
se um adversário se levantasse contra mim,
eu poderia defender-me;
mas logo *você*, meu colega,
meu companheiro, meu amigo chegado

v. 12-13, grifo da autora

Davi, o intimidado, busca sua única esperança:

Eu, porém, clamo a Deus,
e o SENHOR me salvará.
À tarde, pela manhã e ao meio-dia
choro angustiado,
e ele ouve a minha voz.
Ele me guarda ileso na batalha,
ainda que muitos estejam contra mim.

v. 16-18

Uma vez que Davi é absolutamente humano, não tem grande expectativa de que a agressão seja refreada, nem mesmo por Deus.

Pois jamais mudam sua conduta
e não têm temor de Deus.

v. 19b

Há um bocado de desabafo. São coisas dolorosas, que não somem de uma hora para a outra. O salmista expressa o desejo compreensível de se vingar daqueles que estão acabando com sua vida.

Destrói os ímpios, Senhor,
confunde a língua deles

v. 9

Que a morte
apanhe os meus inimigos de surpresa!
Desçam eles vivos para a sepultura,
pois entre eles o mal acha guarida.

v. 15

Caramba! Não é mais vingativo, porém, que a pré-adolescente que diz: "Queria que todas as amigas *dela* se virassem contra ela. Queria que tirassem um barato *dela* até ela não aguentar mais. Aí ela ia sentir na pele como é estar no meu lugar".

Em algum ponto no meio de todo esse ranger de dentes e de todas essas lamentações compreensíveis, Davi deve ter percebido uma intervenção de Deus em sua situação, pois, logo após aquela pausa que observamos com frequência nos salmos, aquele espaço em branco entre os versículos, ele nos dá um conselho sábio:

Entregue suas preocupações ao Senhor,
e ele o susterá;
jamais permitirá que o justo venha a cair.

v. 22

Como ele chega a essa conclusão? Diga a sua filha para orar pela pessoa que a está perseguindo e ela repetirá as palavras de Davi em alto e bom som: "Ela não vai dar bola nem pra *Deus*, mãe!".

Mas Davi tem certeza de que Deus intervirá:

Mas tu, ó Deus,
farás descer à cova da destruição
aqueles assassinos e traidores,
os quais não viverão a metade dos seus dias.

v. 23

Uma vez que não sou literalista, não garantiria à minha filha vítima de *bullying* que Deus lançará a MHM no pântano mais próximo, cheio de cobras venenosas e dará fim nela antes de ela completar 30 anos (o que, para a menina agredida, não resolve o problema de imediato). Mas eu a lembraria de que existem algumas consequências naturais e outras impostas pelos adultos para a maldade persistente. A menina conhecida por maltratar os colegas pode ter seguidoras, mas raramente é uma pessoa querida. Se ela é pega em flagrante, suas "discípulas" geralmente dão no pé e negam ter qualquer conhecimento de seus atos. Sua necessidade de poder é um vício, e os viciados não são pessoas felizes. Sempre precisam de mais e, cedo ou tarde, essa necessidade se volta contra eles. Algum dia, um adulto a verá como ela é de fato. A maioria das escolas tem uma política de tolerância zero; se uma ameaça dela for descoberta, ela será suspensa sem advertências nem segunda chance. Ela pode saber fingir bem, mas ninguém é capaz de esconder um comportamento abusivo para sempre, não aos 11 ou 12 anos. E quando ela voltar à escola, não haverá ninguém para recebê-la, pois ninguém vai querer se dar mal junto com ela. Talvez ela aja como se não ligasse a mínima, mas o isolamento social é sinônimo de ser lançado num pântano lamacento. Sua expectativa de vida como líder foi reduzida.

Eis a coisa mais importante que a mãe da agressora precisa saber: sua Menina Horrivelmente Maldosa não é inerentemente má. Apenas age com maldade. Ela também precisa "[Entregar] suas preocupações ao SENHOR" e deixar que ele leve seus fardos e a ajude no meio dessa confusão. Ela corre o risco de levar uma vida que não se parece em nada com sua verdadeira identidade. Se ela clamar ao Senhor, porém, ele não permitirá que ela "[desça] à cova da destruição".

Quanto à testemunha tímida que ninguém pode culpar por se esconder e tentar proteger a si mesma e às amigas, ela também "[está atordoada] diante do barulho do inimigo" e, o que é pior, sabe que o fato de se atordoar a impede de mostrar sua integridade e seu senso de justiça. A culpa que se amontoa sobre ela vem de dentro; ela sabe o que é certo, mas não consegue fazê-lo. Deus também a ouvirá e a resgatará se ela clamar por socorro.

A meu ver, o salmo todo é um esboço para a agredida, a agressora e a testemunha passiva:

- Reconheça a situação e sua participação nela.

- Coloque-a diante de Deus (estremecendo, tremendo e tendo as entranhas viradas do avesso).
- Creia que Deus ouve.
- Creia que haverá consequências justas.
- E confie, confie, confie, pois as respostas sobre o que fazer virão.

Se, em algum momento, você mesma teve dificuldade de seguir esse esboço espiritual em suas próprias situações de vida, tem uma ideia de como é algo difícil de uma garota de 12 anos colocar em prática, que dirá uma garota de 8 ou 9 anos. Ela precisa que você a acompanhe de perto. Precisa que você ore por ela e com ela. E precisa que você a lembre constantemente de que, não obstante seu papel dentro da situação de *bullying*:

> E Deus é fiel; ele não permitirá que vocês sejam tentados além do que podem suportar. Mas, quando forem tentados, ele lhes providenciará um escape, para que o possam suportar.
>
> 1Coríntios 10.13

E você?

O *bullying* não ocorre apenas entre os mais jovens. Em geral, os agressores que não foram detidos na pré-adolescência e adolescência continuam a intimidar outros na vida adulta. A princípio, pode ser mais difícil identificar esse comportamento enquanto não percebemos que temos cada vez menos poder de sermos autênticos. Adultos sofrem *bullying* de chefes, de amigos, de colegas e de parentes dominadores. A experiência mais dolorosa de *bullying*, porém, ocorre em casamentos abusivos, nos quais um cônjuge que prometeu diante de Deus amar, honrar e proteger o outro não faz nada disso.

Levanto esta questão por dois motivos.

Primeiro, detectar o *bullying* em nossos relacionamentos profissionais ou pessoais nos mostra, de modo incisivo, os sentimentos envolvidos. A ansiedade, o nó no estômago, a vontade de levantar e gritar: "Ninguém mais está vendo *isso*?". Essas são as mesmas reações viscerais que nossas filhas têm quando enfrentam a maldade diariamente, multiplicadas por cem, pois elas têm ainda menos controle sobre suas circunstâncias do que nós. Ter conhecimento de que sua filha está sofrendo, uma fração que seja, daquilo que você já experimentou na vida adulta é suficiente para querer intervir com unhas e dentes (o que eu não recomendo... falaremos mais sobre isso daqui a pouco).

Segundo, sei que pareço um CD em modo "repetição", mas sua filha tem consciência da forma como você lida com suas próprias situações difíceis. Se você chega do trabalho esconjurando seu chefe, ela está prestando atenção. Se deixa sua cunhada fazer você de gato e sapato, ela está observando. Se todos em sua casa pisam em ovos perto de *você*, com medo de um dos seus acessos de raiva, ela sente. Você pode dizer, com uma eloquência que faria inveja em Davi, para ela se defender ou defender outra menina, mas se não colocar em prática o que prega, seu discurso será vazio e inútil. Preciso dizer que se você intimida outros, mesmo que só um pouquinho, não dá motivação alguma para ela própria deixar de fazer o mesmo?

Portanto, considere com honestidade o *bullying* que talvez ocorra ao seu redor:

- Alguma situação pessoal de intimidação ou agressão lhe vem à mente de imediato? Um supervisor exigente demais? Um sogro dominador? Um cobrador que usa de ameaças quando um simples aviso de que uma conta está vencida seria suficiente?
- Ou será que, aos poucos, você está percebendo quão ríspida é com os seus subalternos no trabalho? Experimenta uma sensação de poder quando toma decisões por outras pessoas, e sente raiva quando elas não dão valor? Tem consciência do modo extremamente cuidadoso como se aproxima de uma amiga por medo de que ela se volte contra você, como já aconteceu?
- O que você tem feito a respeito dessa situação? Parece-lhe impossível tomar alguma providência sem arcar com consequências sérias?
- Lá no fundo, de verdade, você acredita que buscar a Deus mudará alguma coisa?

Nada de julgar nem se culpar. Apenas observe como é difícil lidar com essa questão. E como é importante que todos nós, agressores, agredidos e testemunhas passivas, sejamos curados. A seguir, veremos *como*.

Mãos à obra

Nesta seção, você verá, repetidamente, a expressão *recuperar o poder de ser autêntica*. Esse é o objetivo, quer sua filha esteja sendo agredida pelos colegas, quer esteja vendo isso acontecer com alguma menina, quer ela própria esteja agredindo outros. Em nenhuma dessas situações, ela está sendo autêntica (do contrário, não estaria acontecendo) e a verdade é que perdeu de vista como é possível ser ela mesma. Abriu mão do poder que Deus lhe deu, o único poder que temos de fato, e não sabe como recuperá-lo.

Talvez você esteja perplexa com o uso que faço da palavra *poder* neste contexto, pois a impressão é de que a agressora tem todo o poder e, se a vítima tirá-lo dela, virará o jogo e se tornará uma agressora. Isso não perpetua a maldade e a transforma numa luta por poder?

A resposta seria sim se considerássemos *poder* sinônimo de *força*. A agressora usa força para conseguir o que deseja. A agredida não quer ou não precisa fazer o mesmo em troca. Ela precisa de poder, da capacidade inata de se afastar da situação e de voltar a ser autêntica. A agressora a forçou a abrir mão desse poder. A agredida apenas o quer de volta. E a própria agressora abriu mão desse poder de ser autêntica. Ela nem sabe que o possui, o que torna ainda mais difícil recuperá-lo. A menina que observa isso tudo passivamente em geral tem consciência de sua identidade, mas não consegue ser fiel a ela. Logo, também perdeu seu poder.

Portanto, ao falarmos de formas de se recuperar o poder de ser autêntica, não estamos nos referindo a *força*, a quem tem controle sobre quem. Não se trata, na verdade, de poder *sobre* alguma coisa. É algo firme e manso *no ser interior* que tem poder de se mostrar sem medo. Minha intenção não é apresentar um plano para transformar meninas agredidas e testemunhas passivas de *bullying* em agressoras, como também não é sugerir que as agressoras se tornem vítimas e experimentem uma dose de seu próprio remédio amargo. A ideia é ajudar você a preparar sua filha para aceitar a verdadeira identidade dela, de uma forma que não apenas a removerá da situação de *bullying*, como também lhe conferirá poder para dar um basta no comportamento agressivo dentro de sua comunidade.

Como ajudá-la se ela é alvo de bullying

Uma vez que você identificou que sua filha não está apenas envolvida nas complicações normais dos relacionamentos entre meninas, mas que ela é vítima de perseguição explícita, é necessário que você se envolva no modo como ela lida com a situação. Um bom começo é reconhecer o problema e saber que ela está sofrendo. Deixe claro que você está disposta a ouvir e quer ajudar, mas que não vai invadir a escola e fazer escândalo. Não diga: "Não dê bola pra elas", "Não leve tanto pro lado pessoal" ou "Você não pode deixar os outros passarem por cima de você. Precisa se impor". Se ela pudesse, já teria feito isso tudo. É possível, aliás, que tenha tentando e que os resultados tenham sido péssimos.

Avalie, obviamente, se ela corre perigo físico. Se for o caso, a situação muda completamente de figura. Ela precisa de sua proteção imediata. Entre em contato com a professora, o treinador, a diretora, seja lá quem for, até alguém lhe dar atenção. Exija que a agressora seja mantida afastada de sua filha ou de qualquer outra pessoa a quem ela possa fazer mal. Se for preciso entrar em contato com a Secretaria da Educação, faça-o. Não imagine que uma menina de 12 anos não irá cumprir a ameaça de "acabar com você", "limpar o chão com o seu nariz" ou "te encher de pancada" (ou qualquer outra variação). Se ainda não está convencida, navegue pelo YouTube, onde encontrará mais de dois mil vídeos de meninas puxando os cabelos de colegas e socando-as até arrancarem dentes.

Essas são as situações extremas. Se não tiver chegado a esse ponto no caso de sua filha, se a ameaça for contra seu bem-estar emocional e mental, prossiga para os passos a seguir. A primeira coisa a fazer é descobrir todos os detalhes possíveis sem interrogá-la diretamente. O *bullying* está acontecendo na escola? No treino esportivo? Por telefone? On-line? Não elimine a possibilidade de que esteja acontecendo na igreja.

Seja onde for que estiver ocorrendo, converse com sua filha sobre maneiras de limitar o acesso da agressora. Explique para ela que esse não é um relacionamento no qual ela precisa "resolver as diferenças". A pessoa em questão não é uma amiga que cometeu uma "gafe". Sua filha não precisa tentar mudá-la ou encontrar uma forma de fazer amizade com ela. O objetivo é evitar ao máximo qualquer situação hostil. Não sentar-se perto dela para tomar lanche. Não tentar participar dos jogos que ela organiza no intervalo. Não se trata de covardia, mas, sim, de se esquivar de uma colega prejudicial, pois não deseja ficar perto dela. Essa é uma das poucas situações em que você pode aconselhar sua filha a "fingir coragem até criar coragem". Trabalhe com ela maneiras de não demonstrar medo enquanto espera numa fila perto da MHM. Se fizer seu estilo, ensaiem juntas. A ideia é demonstrar poder pessoal: "Escolho não ficar perto de você".

Em muitos casos, é algo impossível de fazer, especialmente se a MHM estuda na mesma classe ou joga no mesmo time que ela. Cabe a você ajudar sua filha a encontrar maneiras de recuperar o poder quando precisar ficar perto de sua perseguidora. *Não* é boa ideia tirá-la do time de vôlei se ela gosta de jogar ou deixá-la ficar em casa em vez de ir a uma festa de aniversário porque "a menina" vai estar lá. Deixe claro que ela tem o direito de ir onde quiser e fazer o que quiser e, se a agressora a tem impedido de exercitar essa liberdade, ajude-a a recuperá-la.

Pode levar algum tempo para ela entender a diferença entre evitar contato desnecessário com alguém que a trata como se fosse lixo e ser assertiva e participar das atividades de que ela está a fim.

O que dizem as minimulheres

Fingir ter coragem até criar coragem

Uma vez eu estava cuidando de dois meninos pequenos para ajudar a mãe deles e eles me amarraram enquanto a gente brincava. Eu fiquei presa e morrendo de medo, mas fingi que fazia parte da brincadeira. Como eu não dei escândalo, a brincadeira perdeu a graça e eles me soltaram.

12 ANOS

Eu tava voltando da escola e uns meninos me seguiram e começaram a me chamar de um monte de coisas, tipo Carga Pesada e Baleia Assassina. Deu vontade de chorar e gritar pra eles me deixarem em paz, mas eu sabia que se fizesse isso eles não iam parar nunca mais de me encher. Então eu fingi que não tava nem aí, não abaixei a cabeça, e continuei andando. Quando cheguei em casa, passei, tipo, uma hora chorando.

10 ANOS

Você pode tentar fazer uma lista de todas as situações em que ela depara com a Menina Maldosa e dividi-las em duas colunas: *Posso evitá-la e ficar numa boa* ou *Não tenho como evitá-la, mas ainda assim posso ficar numa boa*. Não faça a lista para ela, apenas a acompanhe. Esse é o primeiro passo para ela recuperar seu poder.

Em seguida, explique que a agressora está tentando amedrontá-la e fazê-la pensar que é um zero à esquerda, mas que é impossível a agressora impedi-la de ser ela mesma. Você pode dizer: "Ela nem sabe quem você é de verdade. Se soubesse, não sonharia em fazer isso com você". Desse modo, seu poder de ser autêntica não será ameaçado e não haverá motivo para sair correndo e chorando quando a MHM a maltratar. Diga para sua filha com todas as letras: "Claro que machuca, mas não *mostre* para a MHM que machuca. Fugir aos prantos dará ainda mais motivos para ela perseguir você. Endireite os ombros e finja que não liga a mínima, até estar num lugar seguro, longe dela. A pior coisa que você pode fazer é dizer ou mostrar que ela atingiu você. É exatamente o que ela quer! Se você lhe der o que ela quer, ela não vai parar. Se fingir que não dá bola, ela não terá o que fazer."

Quando não for possível se afastar da MHM, como muitas vezes é o caso no universo de sua filha, recomende algumas respostas que ela possa dar sem deixar de ser autêntica. Nossa tentação como mães é dizer: "Devolva na mesma medida. Se ela insultar você, revide". Só falta dizermos: "Olho por olho, dente por dente". O objetivo é *calar* a agressora, e não *irritá-la*. As respostas abaixo costumam funcionar:

- *"Fala sério! Pensei que você tivesse mais nível do que isso"*. A MHM vai dizer o quê? "Eu não tenho mais nível do que isso"?
- *"Você tá tentando me chatear? Não tá funcionando. Se você não gosta de mim, paciência"*. Qualquer resposta que a MHM der será absurda, e ela sabe disso, ou descobrirá logo. "Você precisa que eu goste de você", pode ser uma opção. Mas se ela quer que menina goste dela, por que a maltrata?
- *"Essa história tá ficando chata"*. Ponto-final. Não consigo imaginar uma resposta que até a mais horrível das meninas maldosas seria capaz de dar, pois não é uma pergunta.

Por falar em perguntas, ensine sua filha a não fazer perguntas para as quais ela não quer respostas. Por exemplo: "Por que você está fazendo isso comigo?", "Por que você não me deixa em paz?" e "Quanto tempo você vai continuar a pegar no meu pé?". Essas perguntas só jogam mais lenha na fogueira. O objetivo é não interagir com a MHM mais do que o necessário. Ignorá-la completamente não funciona; ela continuará a provocar até obter uma reação. Tentar dialogar é ainda pior. Evitá-la nem sempre é possível. Mas sua filha pode sempre manter o confronto sucinto e torná-lo inútil para a MHM ao se recusar a: a) discutir; b) tentar resolver a situação; ou c) morder a isca para gerar mais gozações e ridículo. Dizer: "Eu não ligo mais pra isso" e sair andando (não correndo) assim que tiver oportunidade é a melhor chance que sua filha tem de recuperar o poder.

Se em circunstâncias normais, ela tem dificuldade em olhar alguém direto nos olhos e dizer de que precisa, essa abordagem será extremamente difícil para ela. Ensaie em casa. Incentive-a a reunir amigas para apoiá-la quando souber que haverá um confronto. Se a MHM e suas amigas não a deixam usar o bebedouro antes da aula, ela pode pedir para um grupo de meninas (mesmo que sejam apenas colegas, caso ela esteja sem amigas no momento) para ir com ela. Se as meninas a cercarem enquanto ela bebe água e depois a acompanharem pelo corredor, é bem provável que a gangue de maldosas não comece uma briga. Se a MHM trabalha sozinha, não terá como encarar o grupo. Lembre sua filha que, lá no fundo, a MHM tem medo de algo. Uma covarde não entra em batalhas que ela não tem como vencer. Mas advirta sua filha para não transformar o grupo que a ajudou em sua própria gangue, decidida a se vingar das MHMs de uma vez por todas. A ideia é ser autêntica e se recusar a dar poder para aqueles que desejam tomá-lo.

Uma vez que sua filha entender que tem poder pessoal, talvez se encha de coragem e queira revidar. Lembre-a de que ela não deve se rebaixar ao nível da MHM. Não precisa mostrar para a agressora quem manda no pedaço, pois nenhuma das duas manda em nada. Pode ser difícil para ela discernir entre ter poder *sobre* e ter poder *para*. Trabalhe com exemplos práticos do que dizer e do que não dizer (no livro *Girl Politics* você encontrará várias sugestões extremamente úteis e prontas para ensaiar) para ajudá-la a aprender como reagir.

Explique que dificilmente ela mudará a MHM e, mesmo que tenha o desejo nobre de ajudá-la, esse não é seu objetivo no momento. A parte dela consiste em deixar Deus curar seu coração para que não perca noção de sua identidade e para que seja um exemplo claro para os colegas de como é seguir a Cristo. Suas atitudes farão uma diferença enorme no melhor sentido possível, ou seja, de dentro para fora. Desse modo, nenhuma MHM nem alguma outra pessoa que faça pressão serão capazes de obrigá-la a agir, falar ou viver de forma contrária aos seus princípios.

E se aquilo que a MHM diz sobre sua filha tem uma ponta de verdade? Essa pode ser a injúria mais dolorosa. Talvez ela precise mesmo desenvolver mais aptidões sociais. Talvez ela tenha alguns hábitos irritantes. Pode ser que ela lhe diga: "Eles falam que eu sou gorda, mas eu já *sei* disso!". Como recuperar o poder de ser autêntica quando ela nem sequer *gosta* de si mesma, ou pelo menos de quem ela imagina ser?

Primeiro, lembre-a de que a *forma* como as MHMs se expressam é que torna seus comentários errados e maldosos. Tudo bem que sua filha tem alguns aspectos nos quais precisa melhorar, mas isso não dá às pessoas o direito de chamar a atenção para eles de forma cruel. Sugerir que ela *poderia* cuidar melhor da higiene e se arrumar um pouco mais para ir à escola, ou dizer que talvez *seria bom* ela não se esforçar tanto para ser engraçada é como andar numa corda bamba. Se ela concluir que você concorda com aqueles que a perseguem, será o fim da conversa. Com muito cuidado, mostre que, se ela melhorar nessas áreas, será mais feliz e autêntica, mas não permita que ela imagine que deve mudar só para evitar ser perseguida. Não é ela que está errada.

Se parecer que nada funciona, como às vezes é o caso, incentive sua filha a conversar com adultos que possam mudar a situação. É provável que ela resista: "Minha professora não vai querer saber. Ela diz que é para a gente não dedurar ninguém!". "O resto do pessoal vai pensar que eu sou uma dedo-duro e *ninguém* vai querer ter amizade comigo!" Os argumentos são válidos, a menos que você mostre para ela a diferença entre *informar* o que está acontecendo e *dedurar* outros. O dedo-duro entrega outros para prejudicá-los. *Informar* o que está acontecendo tem o objetivo de beneficiar alguém, inclusive ela própria. Ajude-a a identificar com quem ela deve conversar, se é com o treinador do time, com a professora ou com a psicóloga da escola. Ensaiem juntas o que ela dirá, atendo-se aos fatos e explicando seus efeitos sobre a vida dela. Planeje que atitude vão tomar se a pessoa disser: "Ai, ai. Meninas só fazem drama. Por que vocês não se entendem?". Garanta-lhe que se ninguém der ouvidos e tomar uma providência, você a apoiará. Prometa intervir apenas se:

- Ela correr perigo físico.
- A situação estiver prejudicando os estudos.
- Ela estiver doente por causa do modo como é tratada.
- A tristeza e o desespero forem intensos a ponto de ela não querer ir para a escola ou participar de determinadas atividades.

Garanta-lhe que a situação não vai piorar se ela informar o que está acontecendo e se alguma providência for tomada. A MHM não faz parte da máfia. Há pessoas que podem refreá-la. Não é vergonha alguma sua pré-adolescente ter procurado resolver a questão sozinha, mas não ter conseguido. Quanto aos outros colegas, ninguém vai ficar decepcionado ao ver a MHM ser deposta do trono. É provável que todo o sexto ano suspire de alívio.

O último passo, o mais difícil, é aquele que Jesus disse muito claramente que todos nós precisamos dar:

> Mas eu lhes digo: Amem os seus inimigos e orem por aqueles que os perseguem, para que vocês venham a ser filhos de seu Pai que está nos céus.
>
> MATEUS 5.44-45

É garantido que sua filha vai revirar os olhos e dizer: "Mas, mãããe! Ela inferniza minha vida e eu preciso amá-la? Não tinha nada ainda mais difícil pra Jesus pedir?". Deixe claro, mais que depressa (é sério!), que isso não significa que ela precisa andar com a MHM, tentar fazer amizade com ela e virar capacho dela. Depois, mostre passo a passo o que as palavras de Jesus significam de fato:

• *Ore por ela.* Não "Pai, por favor faça um cesto cheio de bolas de basquete cair na cabeça dela". Nem "Obrigada, Deus, porque eu sou muito melhor que ela". Mas apenas "Deus, por favor, trate daquilo que faz que ela seja uma MHM".

• *Tenha compaixão dela.* Ser maldoso nunca traz alegria a ninguém, de modo que, no fundo, a MHM é extremamente infeliz. Mesmo que não possa confiar na MHM a ponto de expressar seus sentimentos para ela, sua filha pode se compadecer dela dentro do coração.

• *Evite dizer para todos que ela é uma pirralha maldosa.* Você pode dizer a sua filha que, embora essa menina esteja sendo maldosa com ela, como cristã, ela não deve revidar.

• *Perdoe-a.* Não se trata de dizer: "Você transformou a escola numa câmara de torturas pra mim, mas não tem problema", e sim de não guardar ódio no coração e abrir mão do desejo de que a MHM sofra. (Aproveite e perdoe também, mãe. Você sabe que precisa...)

Como ajudá-la no caso de cyberbullying

O aspecto mais frustrante do *cyberbullying* é que a internet foi criada para permitir que todos tenham a oportunidade de ser ouvidos. Contudo, ela é usada com tanta frequência para criticar e humilhar que acaba gerando exclusão. Como pais, podemos dizer: "Só para garantir, você não vai ter nenhum equipamento eletrônico", mas se o fizermos, impediremos nossas filhas de terem acesso a informações necessárias, de se comunicarem de maneira divertida com os amigos, ou de realizarem ações positivas que vão além de seu círculo de amizades. É extremamente injusto elas terem de abrir mão de uma ferramenta tão valiosa porque alguém está abusando desse recurso (e delas). As sugestões descritas a seguir servem tanto para evitar o *cyberbullying* quanto para lidar com ele caso aconteça.

A internet faz parte de sua casa. Você ainda decide quem faz o quê nela. O computador usado pela família deve ficar na "central de comando" da casa, numa área de grande circulação, como a sala de televisão ou a cozinha. Mesmo que sua pré-adolescente tenha o próprio notebook, permita que ela o utilize apenas nessa área central. Por mais que ela chore e esperneie, o quarto dela não é um bom lugar para usar o computador.

Limite o tempo na internet e no celular, caso ela o tenha. A troca de mensagens de textos foge facilmente do controle, ainda mais quando se tem um plano que permite o envio ilimitado de mensagens. (Pouco tempo atrás, o pai de uma pré-adolescente me contou que sua filha enviou nove mil mensagens de texto em um mês, ou seja, trezentas mensagens *por dia.*) Ela pode opinar sobre esses limites, mas seja firme (e, aproveitando o ensejo, que tal ensiná-la boas maneiras quanto ao uso do celular?).

Mesmo que prejudique sua popularidade como mãe, instale um filtro de conteúdo da internet (e lembre-se de que, com o tempo, seus filhos vão se tornando cada vez mais espertos para driblá-lo). Verifique o histórico de navegação dela ocasionalmente ou olhe por alto sua caixa de entrada de e-mails. Você não precisa ser uma MSV (Mãe Sempre Vigilante) e deve lhe garantir que não invadirá sua privacidade. O objetivo é apenas protegê-la. Só para *você* saber, a maioria dos jovens que se mete em encrenca on-line o faz por ingenuidade.[8] Portanto, mantenha-se informada e preste atenção. Sua filha agradecerá pela proteção, desde que saiba que você não está simplesmente fuçando nas coisas dela por curiosidade. Também neste caso, você terá de andar sobre a corda bamba.

E por falar em segurança, caso ainda não o tenha feito, converse com sua filha sobre as regras básicas para ela se manter segura na internet:

- Nunca forneça informações pessoais em salas de bate-papo e blogs.
- Não divulgue suas senhas, nem mesmo para suas melhores amigas.
- Não informe, para pessoas que você não conhece ou nas quais não confia, o número de seu celular, seu nome no MSN, ou seu endereço de e-mail, pois, com essas informações, elas podem se fazer passar por você.
- Escolha um nome de usuário que não indique sua idade, sexo ou local onde você mora.
- Aprenda a criar pastas, bem como filtrar e encaminhar mensagens para a quarentena em seu programa de e-mail. É uma forma de se proteger de mensagens hostis.

Se sua filha é vítima de *cyberbullying*, oriente-a a não responder a nenhum tipo de mensagem abusiva ou obscena. Da primeira vez que acontecer, ignore e desligue o telefone ou feche a página ou programa de e-mails. Se voltar a acontecer, ainda que só uma vez, entre em contato com o provedor (Google, Yahoo, Hotmail etc.) e informe-se sobre como denunciar mensagens abusivas. Você (mãe) deve ligar para o número indicado e, se for o caso, encaminhar os e-mails ofensivos ao provedor. Se o problema persistir, salve todas as provas (imprima e-mails, salve mensagens de texto, não apague as mensagens na caixa postal do celular). Você precisará disso para tomar as devidas providências.

Procure descobrir quem está enviando as mensagens. No Outlook ou Outlook Express, por exemplo, é possível clicar com o botão direito do mouse sobre um e-mail para ver mais detalhes sobre o servidor de origem e o remetente. Com isso, você pode entrar em contato com os pais do agressor ou com o provedor de serviços da conexão. Se uma mensagem hostil foi enviada de um computador da escola, contate de imediato a administração escolar. Lembre sua pré-adolescente mais uma vez que informar não é o mesmo que dedurar. Se o *cyberbullying* estiver acontecendo num site, descubra quem o hospeda e denuncie. Se alguém fizer pela internet ou por telefone ameaças de agressão física, entre em contato com a polícia. Estou falando sério. *Cyberbullying* é ilegal. Não seja tolerante.

Como ajudá-la se ela é a agressora

Pode ser ilusão minha imaginar que alguma mãe irá considerar que esta seção se aplica a sua filha. Talvez não se aplique. Com certeza não é o caso só porque ela é popular e lidera seu grupo de amigas. Nem todas as Meninas Superdescoladas são maldosas e dominadoras. Se, contudo, sua filha der os sinais descritos anteriormente de que é uma agressora, você deve a ela pelo menos o trabalho de averiguar o que está acontecendo, de ajudá-la a se aproximar de sua verdadeira identidade e a se afastar do rumo atual. Se sua filha é a vítima, esta seção também pode ajudá-la, como parte da instrução de Jesus para termos compaixão daqueles que nos perseguem. Minhas sugestões, porém, são dirigidas à mãe cuja filha tem agido como uma MHM.

O primeiro passo é confrontar seu comportamento. Você não precisa chegar para ela é dizer: "Você é uma megera; não sei como ficou assim, mas não vou tolerar isso". Duvido que funcione. Uma abordagem mais eficaz talvez seja: "Você não é uma pessoa má, mas precisa parar de tratar os outros desse jeito. A gente tem que descobrir uma forma de você ficar de bem com a vida sem agredir os outros". Continue a bater nessa tecla até ela reconhecer que tem agido de forma incorreta. As consequências de suas ações não terão valor algum a menos que ela assuma responsabilidade por elas. Portanto, "Vá pro seu quarto e só saia de lá quando estiver sinceramente arrependida do que fez" está fora de questão. E por ora, nem se dê o trabalho de perguntar por que ela age dessa forma, pois nem ela sabe ainda.

É importante ela aceitar que não tem direito algum de insultar, intimidar, ameaçar ou agredir outro ser humano. Ponto-final. Não importa quais sejam os "motivos" e quanto faça sentido para ela, NÃO é certo agir desse modo. Se você sabe que a agressividade dela é relacionada a sua situação doméstica, prometa que vai fazer mudanças. Talvez seja necessário você reconhecer que também tem sido agressiva e intimidadora. Você não perderá o respeito dela. Se ela já foi alvo do seu *bullying*, é provável que não tenha muito respeito por você de qualquer modo, e esta é sua chance de conquistá-lo.

Quando ela entender que tem tratado os colegas de forma inaceitável, dê-lhe crédito por encarar esse fato e querer mudar. É sua primeira oportunidade de convencê-la de que ela não é *má*. Enquanto ela não tiver consciência disso, não haverá mudanças. Esta é a primeira oportunidade de lhe dizer que agora ela tem condições transformar o poder que tem usado de modo indevido (pois é evidente que ela é dotada de grande poder pessoal) em algo capaz de mudar o mundo para melhor. Saber que ela não precisará rastejar, humilhada, para o resto da vida diminuirá o impacto de ser tirada do trono.

O próximo passo, antes de qualquer outra coisa, consiste em insistir para que ela derrame tudo diante de Deus. Diga-lhe que se ela pedir perdão a Deus, ele o concederá. Incentive-a a pedir a Deus para remover os pensamentos de MHM de sua mente, para que ela possa ser preenchida com amor e compaixão, e com uma medida de alegria verdadeira. Se ela olhar para você com cara de paisagem ou der sinais de que não sabe por onde começar, ofereça-se para orar com ela. É algo que ela precisará fazer todos os dias, sempre que sentir o desejo de zombar de alguém. Certifique-se de que ela tenha tempo e privacidade para isso. Ofereça uma vela ou música tranquila — qualquer coisa que possa ajudá-la a colocar o mundo de lado e concentrar-se somente em Deus e em si mesma.

As mudanças só começarão quando ela crer, sinceramente, que Deus está com ela. Só então você poderá ajudá-la a entender por que tem sido maldosa com os outros. Converse sobre as premissas falsas mencionadas anteriormente e veja se alguma delas se aplica ao seu caso. Ela não será capaz de analisá-las sozinha, como também não será capaz de sentar-se quieta horas a fio enquanto você lhe passa um sermão a esse respeito. Procure criar momentos breves em que você duas possam tratar da questão juntas. Use a maior parte do tempo para ouvi-la, mesmo que fique horrorizada com algumas das coisas que ela lhe dirá. ("Aquela menina gorda e feia me dá tanto nojo que eu não consigo deixar quieto.") Se vocês já definiram que ela tem agido de forma extremamente errada, não há necessidade de continuar a bater nessa tecla. Concentre-se em entender o que está acontecendo de fato.

Se, depois de algumas conversas, você observar que não está se aproximando do cerne do comportamento problemático, não lave as mãos nem diga: "Eu tentei, mas ela é teimosa demais". Procure ajuda profissional para ela e para todos os membros da família caso formem, em parte, a base para a premissa falsa sob a qual sua filha tem operado. Não há nada de vergonhoso em consultar alguém que conheça a mente da criança e tenha experiência em ajudar meninas a mudarem. Se sua filha tivesse diabetes ou leucemia, você não a levaria a um especialista?

Quando ela estiver preparada, verdadeiramente contrita e a caminho de descobrir o que desencadeia seu comportamento, você pode sugerir que *ela* dê os passos descritos. Não são itens que ela precisa riscar de uma lista a fim de não perder o seu favor e evitar castigos. Devem apenas ser colocados em prática se ela entender quanto são importantes.

Primeiro, ela pode procurar as meninas que magoou e pedir perdão, sem qualquer expectativa de que elas a abracem e digam que está tudo bem. Qualquer que seja a reação delas, o simples ato de pedir perdão sensibilizará sua filha.

Segundo, ela pode procurar suas companheiras de *bullying* e avisar que não será mais maldosa com outras meninas. É possível que perca a amizade delas, mas você pode lhe dizer, repetidamente, que quanto mais amável ela se tornar, mais amigas verdadeiras ela terá. Explique para ela que as pessoas gostam de ficar perto de alguém dotado de poder pessoal, desde que ele seja usado da forma como Jesus ensinou.

Terceiro, pode ser interessante ela abrir mão de qualquer coisa em sua vida que desencadeie o comportamento maldoso. Se ela perde as estribeiras quando pratica esportes, talvez seja o caso de suspender as atividades esportivas por algum tempo até ela aprender a controlar a raiva. Se ela só é maldosa quando está perto de certas pessoas, é hora de evitá-las. Ajude-a a preencher as lacunas resultantes com atividades novas, que façam aflorar o que ela tem de melhor, como, por exemplo, trabalho voluntário (mas não como castigo, por favor!).

Quarto, ela pode levar no bolso um espelho pequeno. Toda vez que sentir uma vontade intensa de zombar de alguém ou de ameaçar alguém com vexame social, pode tirar o espelho do bolso e observar a expressão em seu rosto. Esse gesto traz à memória outra instrução de Jesus: "Por que você repara no cisco que está no olho do seu irmão, e não se dá conta da viga que está em seu próprio olho?" (Mt 7.3).

Por fim, se ela era uma "agressora cristã", que infernizava a vida das "incrédulas" de tal modo que elas provavelmente vão querer distância do cristianismo para o resto da vida, pode pedir perdão e lhes falar de como Deus é extraordinário, ou esclarecer alguma dúvida que elas tenham. Pode até convidá-las para irem à igreja. Lembre-a com frequência, porém, de que as meninas que ainda não creem em Cristo não sofrem de uma doença contagiosa chamada "mundanismo".

Como ajudá-la se ela é uma testemunha passiva

Felizmente, essa situação é causada por menos questões de origem profunda. A menina que não interfere para dar um basta no *bullying* não opera com base numa premissa falsa. Apenas deseja se proteger. É possível até que tenha ouvido de você: "Não se meta nas confusões de outras pessoas". A maioria das pré-adolescentes, contudo, tem um forte senso de justiça. Se sua filha entender que não existem testemunhas passivas "inocentes", e receber alguma orientação, em pouco tempo ela se lançará numa cruzada digna de sua integridade crescente. Não apenas acabará com o *bullying* em sua classe e escola, como também aprenderá a lutar contra a injustiça onde ela se manifestar em sua vida. Não me admiraria o fato de ela se tornar fonte de inspiração para você.

Comece reunindo sua filha e as amigas dela e incentivando-as a declarar guerra contra o *bullying*, mas não contra as pessoas que o praticam. Elas reagirão de forma positiva à ideia de combater o mal fazendo o bem, de tirar o poder dos agressores por meio de ações sinceras, corretas e puras. Ninguém se empolga mais com esse tipo de coisa que as pré-adolescentes.

Ajude-as a desenvolver um código de comportamento para si mesmas. Antes de poderem se posicionar contra o *bullying*, devem personificar aquilo em que acreditam. Seu código de honra deve declarar (nas palavras delas) que elas:

- Não rotularão os outros.
- Não darão risada de piadas humilhantes.
- Não passarão boatos adiante nem ouvirão fofocas.
- Não permitirão que outros controlem o modo como elas tratam as pessoas, e terão cuidado na hora de escolher uma líder.
- Se esforçarão para conhecer melhor os indivíduos que são alvo de *bullying*, de modo a evitarem que outros as tratem com maldade.
- Sempre deixarão evidente (se necessário, em alto e claro som) que consideram o *bullying* errado.

Quando as meninas experimentarem o poder que esse código lhes fornece e o colocarem em prática, ajude-as a planejar a investida contra a prática do *bullying* em si, e não contra quem o pratica. O plano pode incluir as seguintes ações:

• Pedir perdão a alguém que elas não ajudaram no passado e garantir-lhe que não permitirão que essa pessoa continue a sofrer perseguição; é comum a agressora cessar os ataques quando percebe que sua vítima tem uma amiga.

• Acompanhar, como grupo, a menina perseguida para que ela possa ir onde quiser, sem a interferência de outros; não há necessidade de fazer qualquer declaração verbal. O simples gesto de cercar com amor a menina que é alvo de *bullying* pode ser suficiente para espantar a agressora.

• Posicionar-se como grupo contra as ações de uma agressora. Fazê-lo de modo calmo e educado, dizendo algo do tipo: "O que você tá fazendo é errado e você tá se rebaixando com isso. A gente não quer agressão e perseguição na nossa escola".

• Ajudar as meninas que são alvo de *bullying* a se defenderem ao ensaiarem situações para que adquiram confiança e treinem a assertividade (o livro *Girl Politics* traz sugestões práticas e eficazes para essas situações).

• Informar às pessoas certas sua decisão de se oporem ao *bullying*. A maioria dos adultos apoia iniciativas pacíficas dos alunos.

• E por fim, procurar a ajuda imediata de um adulto caso a agressão se torne física ou uma turma grande se reúna para causar tumulto. Continue a lembrá-las da diferença entre dedurar e informar.

Uma vez que tiverem ajudado uma pessoa, é possível que estejam prontas para ir além e tomar providências para que o *bullying* não volte a acontecer. Incentive o grupo de meninas a expandir sua campanha de modo a abranger a escola toda. Ajude-as a redigir um termo de compromisso e a pedir permissão para colocá-lo num lugar visível para que os alunos possam assiná-lo e, desse modo, declarar em público que não vão tolerar *bullying* num local onde devem se sentir seguros e valorizados. Este é o exemplo usado no livro *Girl Politics*:

> Como membro de minha comunidade, assumo o compromisso de:
> Participar da solução.
> Eliminar a zombaria do meu próprio comportamento.
> Incentivar outros a fazerem o mesmo.
> Ser mais sensível com os outros.
> Dar o exemplo ao me preocupar com eles.
> Não deixar que minhas palavras ou ações magoem outros.
> Defender aqueles que são maltratados.[9]

Com sua ajuda, as pré-adolescentes podem formar uma aliança em prol de um ambiente de maior segurança e aceitação, onde tenham condições de aprender, crescer e tornar-se tudo o que foram criadas para ser. Não é esse o mundo que desejamos para nossas minimulheres queridas?

O que dizem as minimulheres

Eu tento lembrar que sou um milagre, mas quando olho pra mim mesma, pergunto: "O que tem de milagroso nisso?"

12 ANOS

Como lidar com a agressora interior

Por fim, não sei quanto a você, mas às vezes a agressora mais feroz que preciso encarar sou eu mesma. Minha agressora interior se mostrou especialmente ativa quando eu era mãe de uma pré-adolescente. "Você não está fazendo direito", eu dizia para mim mesma. "Ela não está tirando notas altas na escola por culpa sua. Como ela vai ser alguém na vida se ficar só na média?" "Olha o quarto dela! Me admira alguém não ter denunciado você para o Conselho Tutelar." "Você é a pior mãe do mundo! Não deve ir pra cama enquanto não tiver arrumado o quarto dela, verificado a lição de casa e preparado o lanche de amanhã. Não importa se você está morrendo de cansaço." Se alguma outra pessoa tivesse dito as mesmas coisas para mim, eu a teria mandado catar coquinho. Mas era difícil calar as vozes que vinham de dentro de minha própria mente.

Se você tem dificuldades com a agressora interior, imagine com o quê sua filha tem de lidar. "Eu falo demais — eu nem sei o que dizer — sou alta demais — baixa demais — tão sem graça — tão diferente — tão gordinha — tão magricela. Eu devia ser igual a minha irmã — a minha melhor amiga — a Miley Cyrus. Mas não consigo; pelo jeito, devo ser uma fracassada."

Sem o filtro que se desenvolve com a maturidade, é mais provável ela acreditar em tudo o que se passa por verdade em sua mente. Mesmo que ela escape do *bullying* no pátio da escola ou na internet, é bem possível que não fique inteiramente fora do alcance da Menina Maldosa que há dentro dela.

Como parar de agredir a si mesma? Eis uma sugestão que você também pode ensinar a sua filha, ou que vocês duas podem fazer juntas.

Em um momento e um lugar tranquilos, pense num exemplo de como você tem sido hostil consigo mesma. Continua a cozinhar feito uma louca e levar os filhos de carro para cima e para baixo mesmo quando está prestes a cair de exaustão? Você se olha no espelho e tem pensamentos que não compartilharia nem com sua melhor amiga (ou com sua filha), como: "Você está tão gorda que é um milagre alguém querer ser sua amiga!"? Você se menospreza até mesmo para as pessoas que a amam: "Sou péssima mãe"; "Sou burra demais em matemática para ajudá-lo com a lição de casa"; "O que me fez pensar que eu teria competência suficiente para trabalhar com a associação de pais e mestres? Eu vou dar vexame"?

Agora, tome uma providência, por menor que seja, para deixar de tratar a si mesma como uma MHM trata sua vítima. Declare por escrito que vai deixar de dizer certas coisas para si mesma. Defina um limite de quanto você é capaz de fazer num dia e prepare-se para informar sua família de qual é esse limite. Planeje maneiras de parar de se menosprezar na frente de seus amigos, talvez pedindo que eles chamem sua atenção quando você começar a falar sobre seu peso, sua falta de organização ou sua frustração por não ser a mãe perfeita.

Reserve tempo para orar. A meu ver, é inconcebível que Deus queira que tiremos de nós mesmas o poder de sermos quem ele nos criou para sermos. É perfeitamente *concebível*, porém, que ele queria nos ouvir dizer como é difícil termos compaixão de nós mesmas, e queira que contemos com a ajuda dele. Como disse Davi (que foi vítima de *bullying*) no final do salmo que estudamos: "Quanto a mim, porém, confio em ti" (Sl 55.23).

Senhor, preencha a lacuna

Pai, creio que é hora de suplicar. Minha filha está lidando com uma crueldade que nenhum de seus filhos deveria experimentar, praticar ou testemunhar. Por favor, preencha a lacuna entre a necessidade dela de lidar com o mal no mundo, e promover cura, e aquilo que eu posso ensinar para ela. Confio no Senhor. Amém.

Para encerrar...

Este é meu tipo predileto de e-mail de meninas pré-adolescentes (além, é claro, daqueles que dizem: "Você é minha autora predileta, Nancy Rue. Seus livros são o máximo!"):

- "Minha mãe provavelmente me conhece melhor do que eu mesma."
- "Minha mãe é incrível. Toda noite ela me ouve enquanto eu desando a falar sobre tudo, tudo *mesmo*, que aconteceu durante o dia."
- "Tenho um relacionamento bem legal com minha mãe e posso conversar com ela sobre qualquer assunto."
- "É bem bacana que, quando minha mãe conversa comigo, ela não fala de cima para baixo nem me trata como se eu fosse criancinha. Ela me trata como uma pessoa adulta."

Dá para ver que as mães têm acertado muito. Que vocês têm educado suas filhas com todo o amor em seu coração e com o Espírito Santo em sua vida. E que está dando certo. Imagino que um dia vocês receberão um e-mail como este que minha filha de 30 anos mandou para mim:

> Você é uma excelente mãe. A melhor coisa que você me ensinou foi ouvir a mim mesma e confiar em mim mesma. Você me ensinou isso quando me ouviu, quando confiou em mim e não julgou quando eu cometi erros ou fiz escolhas que não foram erradas, mas que foram diferentes das escolhas que você teria feito. Você conseguiu encontrar o equilíbrio entre ser mãe, autoridade e guia e, depois, se transformar em amiga no momento apropriado. Gosto demais de ser sua amiga.

Esta foi a resposta que enviei para ela:

> Obrigada por ser não apenas minha filha, mas também minha amiga. Nenhuma outra mulher no mundo me conhece exatamente como você, e creio que um dos maiores desejos que todos nós temos é de sermos conhecidos e compreendidos. Talvez seja por isso que esteja me dedicando tanto a este livro para mães. Eu poderia escrever mais rápido e terminar logo, mas quero ter certeza de que as mães entenderão que podem exercer uma influência belíssima na vida de suas filhas, ou podem deixar marcas que elas terão de passar a vida adulta tentando curar. Quero que elas saibam que algum dia suas filhas poderão ser suas melhores amigas. Foi o que aconteceu comigo.

Essa é, verdadeiramente, minha intenção ao escrever para você, mãe de uma minimulher. Não me propus a oferecer um plano garantido, passo a passo, para transformar sua filha em sua melhor amiga, pois esse plano não existe. Apenas ofereci diretrizes e sugestões vindas da sabedoria que acumulei ao longo dos anos como mãe, professora, escritora e fã de todas as coisas pré-adolescentes. A maior parte do trabalho, contudo, é sua. Se tiver aprendido apenas uma coisa com este livro, espero que seja isto: você é a única pessoa que sabe, de fato, como educar sua filha.

Portanto, ao prosseguir com essa certeza (uma certeza que Deus dá), continue a se lembrar do seguinte:

- Você tem sabedoria. Deus a provê. Confie nisso.
- Você conhece sua filha. Ao permitir que ela se aproxime cada vez mais de sua identidade autêntica, você a conhecerá ainda mais. E o que é melhor: aprenderá com ela.
- Você conhece a si mesma. Sabe que a está educando de forma autêntica quando há coerência.

É isso. O resto tem a ver com detalhes e muitos deles estão aqui, neste livro, para serem relidos quando você quiser. Se não encontrar o que procura, sabe como entrar em contato comigo. Podemos caminhar juntas até descobrirmos as respostas.

Eu menti. Não é só isso. Queria dar só mais um conselho. Apaixone-se por sua filha. É um amor divino, que aproxima você ainda mais de Deus.

E todas as mães de minimulheres disseram... “Amém”.

Índice de assuntos

E

F

G

H

I

K

L

Notas

Por que eu preciso de um manual?

[1] Parafraseando Carol Gilligan, psicóloga renomada que estuda o comportamento adolescente feminino. Bem que eu gostaria de ter pensando nessa ilustração da pizza.

[2] Do inglês *between*, entre uma coisa e outra, refere-se à fase entre a infância e a adolescência. (N. do T.)

[3] Melhores amigas para sempre. (N. do T.)

[4] James GARBARINO, *See Jane Hit*, p. 5.

[5] Daniel S. ACCUFF e Robert H. REIHER, *Kidnapped*, p. 7. Accuff e Reiher se referem a um relatório publicado pela Kaiser Foundation em 2003.

[6] Idem, p. 143.

[7] Mary Manz SIMON em palestra para livreiros no evento *2006 International Christian Retail Sales Convention,* sobre tendências de produtos infantis. A dra. Mary se tornou especialista em tendências de mercado por meio de sua própria experiência ao educar três filhos neste mundo inteiramente novo.

[8] Janice CHAFFIN, *Can Technology Buy You Love?*

[9] Mary Manz SIMON em palestra para livreiros no evento *2006 International Christian Retail Sales Convention.*

[10] James GARBARINO, *See Jane Hit*, p. 22-23. O dr. Garbarino cita um estudo realizado com 11 mil crianças pelos psicólogos J. Lawrence Aber, J. L. Brown e S. M. Jones, publicado sob o título "Developmental Trajectories Toward Violence in Middle Childhood" p. 324-348.

[11] *Bullying* é qualquer tipo de agressão verbal, psicológica ou física que tem por objetivo intimidar, humilhar ou ferir a vítima. (N. do T.)

[12] "Stomp Out Cyberbullying!"

[13] Ken BURGER, Looking at the World Differently.

[14] Harris Poll 2008, pesquisa citada por Laura Bishop, da estação de rádio WAFG-FM, numa entrevista comigo em agosto de 2008.

[15] Citado por Melinda WENNER em "The Serious Need for Play".

[16] Mary Manz SIMON em palestra para livreiros no evento *2006 International Christian Retail Sales Convention.*

[17] Referência à eleição de Barack Obama, nos Estados Unidos, em 2008. Ele foi o primeiro presidente afrodescendente da história do país. (N. do T.)
[18] Citado por Amy Green em "*Finding My Religion*".
[19] Michael Y. Sokolove, *Warrior Girls*, p. 224.
[20] Mary Manz Simon em palestra para livreiros no evento *2006 International Christian Retail Sales Convention.*
[21] Fato comprovado pela pesquisa Harris, mencionada anteriormente. Sessenta por cento das pré-adolescentes que participaram da pesquisa afirmaram que ainda confiam mais nos pais que nos colegas, embora a pressão dos colegas comece a exercer um papel importante no final do ensino fundamental.
[22] P. 225.
[23] A pesquisa Harris concorda. Setenta por cento dos entrevistados afirmaram que recorrem à fé quando precisam de ajuda com questões difíceis.
[24] Zondervan, 2011. Em produção no Brasil pela Mundo Cristão. (N. do T.)
[25] Mundo Cristão, 2010. (N. do T.)

1. Minha filha de verdade, por favor, se apresente

[1] P. 20.
[2] Idem, p. 19.
[3] Programa governamental que visa a melhorar o ensino por meio da padronização dos conteúdos e das avaliações nas escolas públicas. (N. do T.)
[4] Neil Howe e William Strauss, *Millenials Rising*, p. 164.
[5] Mary Manz Simon em palestra para livreiros no evento *2006 International Christian Retail Sales Convention.*
[6] A maioria das universidades estadunidenses é particular, e uma forma de obter bolsa de estudos é jogando em algum time da universidade. (N. do T.)
[7] "*Tweens Favor Inhalants to Get High*".
[8] Mundo Cristão, 2009. (N. do T.)
[9] *How Children Raise Parents*, p. 8.
[10] Mary Manz Simon, *Trend-Savvy Parenting*, p. 3.

2. Sua filha é ela mesma ou é você?

[1] O livro de Ann Brashares foi publicado no Brasil pela editora Rocco em 2003. A adaptação para o cinema foi feita pela Warner em 2005, e o filme recebeu no Brasil o título de *Quatro amigas e um jeans viajante.* (N. do T.)
[2] As funções dentro da classificação de Myers-Briggs dizem respeito à maneira como a pessoa reúne informações e toma decisões. (N. do T.)

[3] True Colors®. Descobri esse conceito num congresso sobre teatro e educação em 1993, mas, desde então, ele foi expandido consideravelmente. Para mais informações, busque no Google "The Source in You".
[4] *Livro de oração comum*. Trata-se da promessa feita por pais e padrinhos quando a criança é apresentada para o batismo.

3. Por que minha filha não é ela mesma?

[1] Citada por Dan Elium e Jeanne Elium em *Raising a Daughter*, p. 52.
[2] P. 25.
[3] Sari Solden, *Women with Attention Deficit Disorder*, p. viii.
[4] Idem.
[5] Dan Elium e Jeanne Elium, *Raising a Daughter*, p. 306.
[6] Idem, p. 308.
[7] Idem.

4. O que ela vê quando se olha no espelho?

[1] "*How the Industry Is Changing*", p. 149.
[2] Janice Dickinson, citada em "Role Models", p. 149.
[3] *Raising a Daughter*, p. 59-60.
[4] P. 19.
[5] Dan Elium e Jeanne Elium, Raising a Daughter, p. 61.
[6] *Beauty Lab*, p. 14-16. [O título da nova edição desse livro é *The Skin You're In*.] (N. do T.)

5. Hora de ela assumir os cuidados pessoais

[1] Mary Manz Simon em palestra para livreiros no evento *2006 International Christian Retail Sales Convention*.
[2] Idem.
[3] *Beauty Lab*, p. 17-18. [O título da nova edição desse livro é *The Skin You're In*.] (N. do T.)
[4] Idem, p. 19

6. "Mas você é bonita por dentro..."

[1] Michelle M. Adams.
[2] Nancy Rue, *Beauty Lab*, p. 86. [O título da nova edição desse livro é *The Skin You're In*.] (N. do T.)
[3] Dan Kimball, *The Emerging Church*, p. 136.
[4] *Livro de oração comum*.

Parte 3: Quem é você, e o que fez com minha garotinha?

[1] Paul Caminiti em "Encontro *Tween*", realizado na editora Zondervan, jun. de 2006.
[2] Lisa Marshall, "Early Bloomers", p. 60.
[3] Idem.

7. O maior acontecimento desde que ela saiu das fraldas

[1] *Raising a Daughter*, p. 67.
[2] Citado por Neil Howe e William Strauss em *Millenials Rising*, p. 190.
[3] Tom Randall, "25 percent of teen girls have an STD, study reveals." Randall cita estatísticas dos Centers for Disease Control and Prevention.
[4] "The Real Cost of Teen Pregnancy"
[5] Dan Elium e Jeanne Elium, *Raising a Daughter*, p. 319.
[6] Nancy Rue, *Manual de sobrevivência da garota descolada.*

8. Cuidados e alimentação da pré-adolescente

[1] Marilyn Lipsey, principal cabeleireira do salão YaYa, em Nashville, Tennessee, em entrevista realizada em 24 de set. de 2009.
[2] Gloria Beim e Ruth Winter, *The Female Athlete's Body Book*, p. 217.
[3] Michael Y. Sokolove, *Warrior Girls*, p. 189.
[4] *National Health and Nutrition Examination Survey*, 2005.
[5] Gloria Beim e Ruth Winter, *The Female Athlete's Body Book*, p. 217.
[6] Idem, p. 218.
[7] Michael Y. Sokolove, *Warrior Girls*, p. 226.
[8] Idem, p. 235.
[9] "Americans Eat Out...". Dados confirmados pela empresa de pesquisas NPD Group, jan. de 2009.
[10] Citado por Neil Howe e William Strauss, *Millenials Rising*, p. 170.
[11] Nancy Rue, *Manual de sobrevivência da garota descolada.*
[12] Disponível em <http://portal.saude.gov.br/portal/saude/area.cfm?id_area=1444> Acesso em 19 de set. de 2012. (N. do T.)
[13] Stephen Arterburn e Linda Mintle, *Lose It for Life.*
[14] Eugene Peterson, *A maldição do Cristo genérico.*
[15] Estudo publicado no periódico *Journal of Pediatrics*, 2006.
[16] Estudo realizado em 2008 pelos Centers for Disease Control and Prevention, publicado no site *Youth Violence*, no 2º semestre de 2009.

9. O evangelho segundo as amigas

[1] *Raising a Daughter*, p. 76.

[2] Nancy Rue, *Girl Politics*, p. 110.

[3] Dale McElhinney, doutor em psicologia e terapeuta, numa entrevista em agosto de 2006.

[4] James Garbarino, *See Jane Hit*, p. 108.

[5] Barbara Coloroso, *The Bully, the Bullied, and the Bystander*, 2003.

[6] Nancy Rue, *Girl Politics*, p. 45.

10. Quando a coisa fica feia

[1] Estudo publicado no periódico *Journal of Pediatrics*, 2006.

[2] Estudo realizado em 2008 pelos Centers for Disease Control and Prevention, publicado no site Youth Violence, 2º semestre de 2009.

[3] Dan Elium e Jeanne Elium, *Raising a Daughter*, p. 76.

[4] Nancy Rue, *Girl Politics*, p. 110.

[5] Dale McElhinney, doutor em psicologia e terapeuta, numa entrevista em agosto de 2006.

[6] James Garbarino, *See Jane Hit*, p. 108.

[7] *The Bully, the Bullied, and the Bystander*.

[8] Elizabeth Griffin, terapeuta especializada em adolescentes.

[9] Nancy Rue, p. 128.

Bibliografia

ABER, J. Lawrence; BROWN, J. L.; JONES, S. M. "Developmental Trajectories Toward Violence in Middle Childhood" . *Developmental Psychology*, 39, vol. n.º 2, 2003.

ACCUFF, Daniel S.; REIHER, Robert H. *Kidnapped*. Chicago: Dearborn Trade Publishing, 2005.

ADAMS, Michelle M. *Meninos não entram*. São Paulo: Mundo Cristão, 2010.

ALLENDER, Dan B. *How Children Raise Parents*. Colorado Springs: Waterbrook, 2003.

"Americans Eat Out...". *Business Wire*, 14 de jun. de 2006.

ARTERBURN, Stephen; MINTLE; Linda. *Lose It for Life*. Dallas: Integrity Publishing, 2004.

BEIM, Gloria; WINTER, Ruth. *The Female Athlete's Body Book*. Chicago: Contemporary Books, 2003.

BURGER, Ken. "Looking at the World Differently". *Darkness to Light*, 17 de set. de 2009. Disponível em: <http://www.darness2light.org>. Acesso em 20 de set. de 2009.

CHAFFIN, Janice. "Can Technology Buy You Love?" *Norton Online Living Report*. Disponível em: <http://www.nortononlineliving.com>. Acesso em: 1º de ago. de 2009.

COLOROSO, Barbara. *The Bully, the Bullied, and the Bystander*. New York: HarperCollins, 2003.

ELIUM, Dan; ELIUM, Jeanne. *Raising a Daughter*. Berkeley: Celestial Arts, 2003.

GARBARINO, James. *See Jane Hit*. New York: Penguin Press, 2006.

GREEN, Amy. "Finding My Religion". *Sojourners*, jun. de 2008.

"How the Industry Is Changing". *Seventeen*, maio de 2007.

HOWE, Neil; STRAUSS, William. *Millenials Rising: The Next Great Generation*. New York: Vintage Books, 2000.

KIMBALL, Dan. *The Emerging Church*. Grand Rapids: Zondervan, 2003.

Livro de oração comum. Igreja Episcopal do Brasil, 1988.

MARSHALL, Lisa. "Early Bloomers". *Alternative Medicine*, set. de 2006.

PETERSON, Eugene. *A maldição do Cristo genérico*. São Paulo: Mundo Cristão, 2007.

RANDALL, Tom. *25 percent of teen girls have an STD, study reveals*. Nashville Tennessean.

"Role models". *Seventeen*, maio de 2007.

RUE, Nancy. *Bíblia da Garota de Fé*. São Paulo: Mundo Cristão, 2009.

__________. *Girl Politics: Friends, Cliques, and Really Mean Chicks*. Grand Rapids: Zonderkidz, 2007.

__________. *Manual de sobrevivência da garota descolada*. São Paulo: Mundo Cristão, 2010.

__________. *The Skin You're In: Discovering True Beauty*. Grand Rapids: Zonderkidz, 2010.

__________. *What Happened to My Little Girl?* Grand Rapids: Zondervan, 2011.

SIMON, Mary Manz. *Trend-Savvy Parenting*. Carol Stream: Tyndale, 2006.

SOKOLOVE, Michael Y. *Warrior Girls*. New York: Simon & Schuster, 2008.

SOLDEN, Sari. *Women with Attention Deficit Disorder*. Grass Valley: Underwood Books, 1995.

"Stomp out Cyberbullying!". *Café Aspira*, 2006. Disponível em: <http:www.cafeaspira.com>. Acesso em: maio de 2009.

"The Real Cost of Teen Pregnancy". *Washington D.C. National Campaign to Prevent Teen Pregnancy*, set. de 2006.

"Tweens Favor Inhalants to Get High". CBS News Health, 13 de mar. de 2008. Disponível em <http://cbsnews.com>.

WENNER, Melinda. "The Serious Need for Play". *Scientific American*, fev. de 2009. Disponível em: <http://www.scientificamerican.com>. Acesso em: 12 de fev. de 2010.

Conheça outras obras da autora

Nancy Rue

- A Bíblia da garota de fé
- Lucy detesta cor-de-rosa
- Lucy e suas férias "perfeitas"
- Lucy não gosta de regras
- Lucy encontra seu caminho
- Manual de sobrevivência da garota descolada
- Manual para pais da garota descolada – *no prelo*
- Todo mundo fala: seja você mesma... mas eu ainda não sei quem sou! – *no prelo*

Compartilhe suas impressões de leitura escrevendo para:
opiniao-do-leitor@mundocristao.com.br
Acesse nosso *site:* www.mundocristao.com.br

Diagramação: Arte Ação
Preparação: Daila Fanny
Revisão: Luciana Chagas
Fonte: A Caslon Pro – Regular
Gráfica: Imprensa da fé
Papel: Lux cream 70 g/m^2
Cartão 250 g/m^2 (capa)